Une famille délicieuse

WILLA
MARSH

Une famille
délicieuse

ROMAN

Traduit de l'anglais (Grande-Bretagne)
par Éric McComber

Titre original :
THE CHILDREN'S HOUR

© Marcia Willett, 2003.

Pour la traduction française :
© Éditions Autrement, 2014.

À Dinah

I

Le soleil de ce début d'automne entrait par la porte principale, tombant à l'oblique, en bandes de lumière poudrées d'or. Il lustrait la vieille banquette, flamboyait sur la grande plaque de cuivre qui couvrait la table de chêne, touchait d'une lueur tendre les coloris fanés de la large tapisserie de soie accrochée au mur sous la galerie. Une paire de bottines en caoutchouc se trouvait juste à l'extérieur, jetée négligemment sur le dallage de granit ; abandonnée sur le coussin usé de la banquette attendait une corbeille de jardinier en osier, chargée de ficelle, d'un sécateur, d'un vieux déplantoir et de torsades de papier contenant de précieuses graines.

Le chant atténué des grillons, à peine audible pardessus le murmure du ruisseau, soulignait la tranquillité de l'instant. Bientôt le soleil se déroberait, passant par-delà l'épaule de la falaise pour rouler vers la mer, et de longues ombres ramperaient sur la pelouse. Il était cinq heures : l'heure des enfants.

La chaise roulante sortit silencieusement de l'ombre, ses roues avancèrent doucement sur le sol de mosaïque craquelé, avant de marquer une pause à l'entrée du salon. Son occupante se tint là, immobile, tête baissée. Elle prêta l'oreille à d'anciennes voix, vieilles de plus de soixante ans. Contempla le chintz éraflé, abîmé par les petits pieds et les sandales à boucle. Devant elle, une broderie encadrée, une scène à moitié finie...

Chut ! Quelqu'un raconte une histoire. Les enfants ont fait cercle autour de leur mère : les deux plus grandes partagent le sofa avec leur petite sœur, calée entre elles ; une troisième fille est allongée par terre sur le ventre, elle fait un puzzle, son pied levé battant l'air – signe de vitalité réprimée. Une autre fillette encore est assise sur un tabouret près de la chaise de sa mère, avide des images qui embellissent le récit.

— Je vais vous raconter quelque chose, dit la Conteuse, mais gardez-vous de trop remuer, de tousser ou de vous moucher sans cesse... et ne tordez pas vos mèches. Puis, quand j'aurai fini, je veux que vous alliez immédiatement au lit.

La voix de leur mère est aussi calme, aussi musicale que le chant du ruisseau, et tout aussi envoûtante, habile à les apaiser, à faire s'effacer et s'évanouir leur univers familier pour les attirer dans un autre monde : le pays de l'imaginaire, celui des « Il était une fois ».

Dans le couloir, devant la porte, les yeux fermés, Nest revoyait cette scène jadis familière. Elle s'efforçait de réentendre les mots longtemps silencieux, ses doigts serrant les bras de son fauteuil. La sonnerie du téléphone fractura le silence, rompant le charme. Une porte s'ouvrit et des pas précipités retentirent dans l'entrée. Elle leva la tête, écoutant jusqu'au moment où elle entendit le bruit du récepteur que l'on reposait. Ensuite, elle fit pivoter lentement sa chaise, de façon à porter son regard vers la galerie. Sa sœur, Mina, sortie sur le palier, baissa les yeux vers elle.

— Au moins, la sonnerie ne t'a pas réveillée, dit-elle, soulagée. Tu étais prête à aller dans le jardin ?

Je pourrais apporter un peu de thé au pavillon d'été. Il fait encore assez chaud à l'extérieur.

— Qui était-ce ?

L'attention de Nest n'était pas détournée par la perspective du thé. Il flottait dans l'air comme l'écho d'un signal d'alarme lointain. La peur avait effleuré sa joue, telle une plume, la faisant frissonner.

— Était-ce Lyddie, au téléphone ?

— Non, pas Lyddie.

Mina avait pris un ton joyeux, revigorant ; elle savait combien Nest était prompte à se faire du souci pour leur plus jeune nièce.

— Non. C'était Helena.

La fille de leur sœur aînée s'était montrée pressante, chose inhabituelle – Helena tenait en général fermement les rênes de sa vie –, et Mina sentait croître sa propre inquiétude.

Elle fit le tour de la galerie et descendit l'escalier. Elle était vêtue d'un pantalon écossais étroit, rentré dans d'épaisses chaussettes, et d'un chandail vert sapin distendu et parsemé de brindilles. Ses cheveux d'argent ébouriffés formaient comme un halo autour de sa tête, mais ses yeux gris-vert, même encadrés d'un réseau de rides, paraissaient encore jeunes. Trois petits chiens blancs couraient dans son sillage, faisant cliqueter leurs griffes sur le parquet, craignant d'être distancés.

— Je suis allée élaguer les massifs et je me suis soudain rendu compte qu'il était déjà bien tard, alors je suis revenue mettre la bouilloire sur le feu. Mais j'ai dû ensuite monter chercher quelque chose à l'étage.

— Je prendrais bien une tasse de thé moi aussi, répondit Nest, réalisant qu'il lui fallait suivre l'exemple de Mina, mais je me demande s'il n'est pas trop tard pour le pavillon d'été. Le soleil aura disparu... Oh, et puis ne faisons pas tant de chichis, apporte tout au salon et prenons-le là.

— Bonne idée, fit Mina, clairement soulagée. Je ne devrais pas en avoir pour plus de deux minutes. Le couvercle de la bouilloire doit être sur le point de sauter !

Elle fila à travers la pièce, ses pieds frottant sur les carreaux de faïence, les trois sealyham terriers trottinant devant elle. Nest fit pivoter sa chaise et pénétra lentement dans le salon, une pièce longue et étroite, avec une cheminée à une extrémité et une grande baie vitrée à l'autre.

« Quelle forme ridicule », avait dit Ambrose à sa jeune épouse quand elle avait hérité de la maison, juste après la Grande Guerre. « Il n'y a pratiquement aucun espace pour circuler devant le feu. »

« Il y a assez de place pour nous deux », avait répondu Lydia, qui aimait Ottercombe House presque autant qu'elle aimait son jeune et beau mari, tout juste épousé. « On devrait descendre ici pour les vacances. Oh, mon chéri, quel bonheur de pouvoir sortir de Londres ! »

C'était Mina, leur fille, qui quarante ans plus tard avait réarrangé la pièce, créant un côté été et un côté hiver. De confortables fauteuils et un petit canapé étaient disposés en demi-cercle autour du feu, tandis qu'un second sofa, beaucoup plus grand et haut, dos au reste de la pièce, faisait face au jardin. Nest s'immobilisa un instant près de la porte-fenêtre donnant sur la terrasse et ses urnes de pierre, où une profusion de capucines rouges et jaunes avaient surgi entre les dalles, dégringolant du talus herbeux jusqu'à la pelouse en contrebas.

— Bientôt, ce sera à nouveau le moment de griller des toasts sur le feu...

Mina disposa le plateau sur la table basse devant le canapé, sous le regard attentif des chiens.

— Non, Boyo, assieds-toi. Comme ça. Bon garçon. Là... Il reste un peu de gâteau et j'ai apporté les sablés.

Nest manœuvra son fauteuil pour se rapprocher du canapé. Elle refusa le gâteau d'un signe de tête mais accepta le thé avec plaisir.

— Alors, que voulait notre chère nièce ?

Mina s'enfonça dans les profonds coussins du canapé, incapable de retarder plus longtemps le moment de dire la vérité. Ses yeux n'étaient pas tournés vers Nest, elle regardait par la fenêtre, au-delà du jardin, vers le flanc raide et boisé de la vallée, très encaissée, qu'on appelait ici la « clive ». Deux des chiens étaient déjà installés sur leurs poufs, près de la baie vitrée, mais le troisième sauta sur le canapé et se roula en boule à côté de sa maîtresse. La main de Mina se déplaça doucement vers le petit dos blanc et chaud.

— Elle voulait nous parler de Georgie. Helena dit qu'elle ne peut plus la laisser vivre seule. Elle a flambé deux bouilloires la semaine dernière, et hier, elle est partie faire un tour et puis ne s'est plus souvenue de l'endroit où elle était. Quelqu'un a pu joindre Helena à son bureau et elle a dû tout laisser tomber pour aller s'occuper de sa mère. Cette pauvre vieille Georgie était furieuse.

— De s'être perdue ou de voir débarquer sa fille ?

Nest avait posé la question d'une voix légère, mais elle fixait attentivement Mina, sachant que quelque chose d'important était en jeu.

Mina eut un petit rire.

— Helena peut avoir cet effet sur les gens, admit-elle. La nouveauté, c'est qu'elle et Rupert ont décidé qu'il fallait placer Georgie dans une maison de retraite. Cela faisait un petit moment qu'ils en discutaient et ils en ont trouvé une très bien dans le coin. Ils pourront y aller facilement en voiture, d'après Helena.

— Et Georgie, qu'a-t-elle à dire à cela ?

— Pas mal de choses, semble-t-il. Si elle doit renoncer à son appartement, elle ne voit pas pourquoi elle ne pourrait pas vivre avec eux. Après tout, c'est grand, chez eux, et leurs deux enfants sont à l'étranger, maintenant. Elle se bat contre cette idée de maison de retraite, naturellement.

— Naturellement, approuva Nest. Quoique, pour ma part, si j'avais à choisir entre vivre avec Rupert et Helena ou dans une maison de retraite, je sais ce que je ferais… Mais pourquoi Helena nous appelle-t-elle à ce sujet ? Elle n'a pas l'habitude de nous tenir informées des faits et gestes de Georgie. Ce n'est pas qu'elle soit non plus très communicative. Non, sauf quand elle a un problème, de toute façon.

— Helena a fait beaucoup d'efforts pour que Georgie puisse garder son indépendance, et pas seulement parce que c'est plus facile pour Rupert et elle, concéda Mina, mais si elle a besoin d'une surveillance, ils ne peuvent pas la laisser seule chez eux. Quoi qu'il en soit, la raison de son appel, c'est que cette maison de retraite ne peut pas accueillir Georgie avant un mois ou deux et Helena voudrait savoir si nous ne pourrions pas la prendre ici pour un court moment.

Pourquoi cela me ferait-il si peur ? songea aussitôt Nest. *Georgie est ma sœur. Elle se fait vieille. Quel est le problème ?*

Elle avala un peu de thé et replaça la tasse sur sa soucoupe, la berçant sur ses genoux, en essayant de ne pas demander : *Qu'entend-elle exactement par « un court moment » ?*

— Et qu'as-tu répondu ? préféra-t-elle dire.

— Que nous allions en discuter entre nous. Après tout, c'est ta maison autant que la mienne. Penses-tu que nous pourrions faire face, le temps d'un mois ou deux ?

Un mois ou deux. Nest lutta contre un sentiment de panique.

— Ce serait surtout toi qui aurais à faire face, répondit-elle évasivement. Comment le sens-tu, toi ?

— Il me semble que je pourrais gérer la situation. Mon sentiment (Mina marqua une pause, prenant une profonde inspiration), ou du moins ce que je crois sentir, c'est que nous devrions tenter le coup, pour voir. Mais je me dis que ça ne doit pas beaucoup te plaire, ajouta-t-elle – puis, hésitante : Ou même que cela t'effraie, non ? Tu n'y es sans doute pas indifférente, de toute façon.

Elle n'insista pas, préférant caresser la tête de Polly Garter, et effriter un peu de son sablé pour lui en donner quelques tout petits morceaux. Boyo Bon-à-rien jaillit de son pouf : en un éclair il fut près d'elle, remuant la queue, plein d'espoir. Elle lui donna à lui aussi une miette de gâteau et, l'instant d'après, les trois chiens étaient à côté d'elle sur le canapé.

— Vous êtes incorrigibles...

Nest posa un œil affectueux sur Mina, qui murmurait à ses chéris. Elle approuva :

— Totalement incorrigibles, oui. Mais tu as raison. Je me suis sentie bizarre toute la journée. J'entendais des voix, des souvenirs me venaient. J'ai eu le pressentiment que quelque chose de terrible pourrait arriver. Une sensation de vide à l'estomac.

Elle eut un petit rire.

— C'est probablement une simple coïncidence. Après tout, je ne vois pas pourquoi cette pauvre vieille

Georgie devrait être chassée comme un revenant, pas toi ?

Elle se pencha pour poser sa tasse et sa soucoupe sur le plateau, puis jeta un regard à Mina, surprise de son absence de réponse. Sa sœur contemplait le jardin, l'air préoccupé, fronçant légèrement les sourcils. Pendant un bref moment, elle fit tout à fait ses soixante-quatorze ans, et l'anxiété de Nest s'aggrava.

— Ton expression n'est pas particulièrement rassurante, dit-elle. Y a-t-il encore quelque chose que je ne sache pas au sujet de Georgie, après toutes ces années ?

— Non, non.

Mina retrouva son sang-froid.

— Prenons donc encore un peu de thé, d'accord ? Non, je me demande simplement si je peux m'en sortir avec Georgie, c'est tout. Je n'ai qu'un an de moins qu'elle. Ce serait un peu le borgne guidant l'aveugle, dirions-nous...

— Ah non, je ne dirais pas ça, coupa Nest, nullement rassurée par la réponse de Mina. Tu ne carbonises pas les bouilloires et tu ne pars pas en balade pour oublier ensuite où tu te trouves.

Mina se mit à rire.

— Je fais presque aussi bien. Il n'y aurait personne pour aller me chercher tout en haut de Trentishoe Down...

Une pause.

— Qu'est-ce qui t'as fait penser que ça aurait pu être Lyddie ?

— Lyddie ? Que veux-tu dire ?

— Le coup de fil. Tu m'as demandé si c'était Lyddie. Ce pressentiment que tu as eu toute la journée, cela la concernait-il ?

— Non, fit Nest, et elle secoua la tête, grimaçant comme si elle essayait de le déchiffrer. C'est difficile à expliquer. Comme une prise de conscience très forte du passé, le souvenir de scènes, ce genre de choses.

Elle hésita.

— Parfois, je ne suis pas sûre de m'en souvenir réellement, ce pourrait être quelque chose que l'on m'a raconté. Vous me racontiez toujours tant d'histoires, vous interprétiez le monde pour moi. Vous donniez des surnoms aux gens, d'après des personnages de roman. D'ailleurs, tu continues à le faire.

Mina sourit.

— C'était si drôle, même si c'est devenu un peu épineux quand tu t'es mise à appeler Enid Goodenough « lady Sneerwell[1] » devant elle. Pauvre Mama, elle a été horrifiée. J'ai prié pour qu'Enid n'ait pas la moindre idée de ce dont tu parlais. Mais ce fut un moment pénible.

— Une réaction de peur, s'excusa Nest, qui rit à ce souvenir. C'est venu tout seul, après tout ce que tu m'avais dit sur elle.

— « Lady Sneerwell et sir Benjamin Backbite[2]. De vrais poisons, ces Goodenough ! »

Cette pensée fit remonter d'autres souvenirs, et Mina, le visage un instant sombre, s'inclina pour caresser Boyo Bon-à-rien.

— Tout à l'heure en traversant le vestibule, je songeais à ces histoires, dit Nest. Je pensais à nous toutes, en ce temps-là. Assises sur le canapé, à écouter *Sophie la Vilaine*, et *Hans Brinker ou Les Patins d'argent*. Tu t'en souviens ?

---

1. Personnage de femme bavarde et malveillante créé par Richard Brinsley Sheridan pour *The School for Scandal* (1777), comédie jouée en français sous le titre *L'École de la médisance*. *(Toutes les notes sont du traducteur.)*
2. Personnage de la même pièce, colporteur de ragots.

— Et *Un chant de Noël* le 24 décembre, quand nous avions décoré l'arbre. Comment oublier ? Eh oui... Rien à voir avec Lyddie, alors ?

— Pas particulièrement. Du moins, je ne le pense pas.

— Bon.

Mina accorda au Chapitaine[1] le dernier morceau de sablé et balaya les miettes sur ses genoux.

— Alors, qu'est-ce qu'on fait de Georgie ? Penses-tu que nous serons à la hauteur ? Peut-être devrions-nous demander à Lyddie ce qu'elle en pense ?

— Pourquoi pas ? Mais d'abord, on range tout.

— Bonne idée. Cela lui laissera le temps de finir sa journée. Comme ça, on ne l'interrompra pas.

Mina replaça sur le plateau le service à thé et, avec les chiens sur ses talons, repassa de l'autre côté du vestibule, vers la cuisine où Nest la suivit lentement dans son fauteuil roulant.

---

1. Miss Polly Garter, le Chapitaine et Boyo Bon-à-rien sont des personnages d'*Au bois lacté*, pièce radiophonique de Dylan Thomas (1954).

II

Lyddie ajouta un dernier mot au texte qu'elle venait de taper, réunit les feuillets du chapitre à l'aide d'un trombone et posa les coudes sur son bureau, croisant les mains sur ses frêles épaules. Les boucles de sa chevelure d'un noir brillant tombaient sur son visage fin et tendre, à la peau d'ivoire, au menton délicatement pointu. Elle était chaudement vêtue d'une tunique de mohair nuageuse qui lui tombait presque jusqu'aux genoux, par-dessus un jean teint, mais elle frissonnait pourtant. Il faisait froid dans le minuscule bureau à l'arrière de la chambre, la lumière du jour baissait et elle avait envie d'un peu d'exercice. Le grand chien qui s'était fourré dans l'espace entre son bureau et la porte leva la tête pour la regarder.

— Le moment que tu attends est sans doute arrivé, lui dit-elle. On pourrait aller faire une promenade… Une petite promenade.

Le Nemrod (un bouvier bernois) se leva, impatient, agitant déjà la queue. Lyddie se leva lentement de son bureau et se pencha pour l'embrasser sur le nez. Elle lui avait donné ce nom après consultation de tante Mina – en s'inspirant du chien favori de Byron, Boatswain. « La beauté sans la vanité, la force sans l'insolence, le courage sans la férocité et toutes les vertus de l'homme sans ses vices. » L'inscription sur son monument funéraire à Newstead convenait particulièrement bien au Nemrod – du moins Lyddie en était-elle convaincue.

— Tu es très, très beau, lui murmura-t-elle. Et un bon chien, avec ça. Allez. Fais attention dans l'escalier. Hier tu as failli nous faire tomber tous les deux.

Ils descendirent ensemble et, en bas, il attendit patiemment, le temps qu'elle attrape une longue et chaude veste de laine puis enfonce les pieds dans ses bottines de daim. Ils traversèrent l'enfilade des rues étroites de Truro, avant d'emprunter les chemins qui conduisent hors de la petite ville des Cornouailles. Lyddie se concentra pour garder le contrôle de la laisse, jusqu'à ce que, enfin libéré, le Nemrod puisse gambader à son aise. Elle le regarda se précipiter en avant, souriant de son exubérance. Il lui rappela le chiot ébouriffé, une vraie peluche, qui l'attendait au rez-de-chaussée le matin de son premier anniversaire de mariage : un cadeau de Liam.

— Tu as besoin de compagnie, lui avait-il dit en contemplant avec amusement son air ravi. Travailler là-haut seule toute la journée pendant que je suis au bar à vins…

Cela faisait un peu plus de deux ans qu'elle avait renoncé à son poste d'éditrice dans une grande maison d'édition à Londres, épousé Liam et emménagé à Truro, pour y vivre dans cette petite maison mitoyenne, non loin du bar à vins qu'il tenait avec un associé, Joe Carey. C'était un bar branché, bien situé près de la cathédrale, mais pas encore assez florissant pour employer beaucoup de personnel et leur permettre de passer plus que de rares soirées en tête à tête. D'habitude, il revenait à la maison pendant ce qu'il appelait les « heures mortes et enterrées » – les heures creuses, entre trois et sept. Mais cette semaine, l'un des membres de l'équipe était en vacances et Liam avait repris son quart. Cela lui faisait de très longues journées.

— Viens me rejoindre dès que tu as fini, lui avait-il dit, sinon je risque de ne pas te voir du tout. Désolé, mon amour, mais on ne peut rien y faire.

Curieusement, cela ne la dérangeait pas d'aller là-bas, à L'Endroit. Elle restait assise à la table réservée au personnel, dans la minuscule arrière-salle, à regarder les clients et à plaisanter avec Joe. Elle dînait sur place, profitant des minutes gagnées sur le temps de Liam.

— Pas de meilleur engrais que les bottes du fermier, disait Liam. Il faut qu'on soit le plus souvent possible derrière le comptoir. Les clients aiment nous voir là et le personnel n'est pas abandonné à lui-même. C'est la clé du succès, même si ça signifie de drôles d'horaires.

Ça ne la gênait pas, de toute façon. Après le silence et la concentration d'une journée passée à réviser des textes, l'ambiance bourdonnante du bar à vins était exactement ce qu'il lui fallait. La cour passionnée que Liam lui avait faite avait renforcé d'une façon délicieuse sa confiance en elle, après la fin perturbante de sa précédente relation : au bout de trois ans, son ami avait soudain décidé qu'il ne pouvait tout simplement pas s'engager plus loin ; Lyddie et lui ne pourraient acheter une maison ensemble ou avoir des enfants, et certainement pas se marier. Il avait accepté un poste à New York et Lyddie avait vécu seule pendant près d'un an, jusqu'à ce qu'elle rencontre Liam, après quoi sa vie s'était mise à changer très rapidement. Son travail à Londres et ses amis lui avaient manqué, et le déménagement avait constitué une terrible rupture avec tout ce qu'elle avait connu jusque-là, mais elle était beaucoup trop amoureuse de Liam pour remettre en cause sa décision – et ses chères vieilles tantes n'étaient désormais plus qu'à deux heures de voiture, un peu au nord de Truro, sur la côte de l'Exmoor.

Tante Mina l'avait appelée moins de dix minutes avant qu'elle eût achevé sa journée de travail, mais elle avait préféré lui laisser croire qu'elle en avait terminé. Elles étaient tellement adorables avec elle, Mina et Nest, et elle les chérissait encore plus depuis ce terrible accident de voiture : ses propres parents tués sur le coup, tante Nest qui était devenue infirme... Même maintenant, dix ans après, Lyddie se sentait encore ravagée de douleur. Elle venait alors de fêter son vingt et unième anniversaire et on lui avait offert un premier emploi dans l'édition. Durant la semaine, elle bataillait avec l'apprentissage de la vie professionnelle et débarquait dès que possible à Oxford pour aller voir tante Nest au Radcliffe Hospital, quand bien même elle devait faire face à sa propre souffrance, sa propre détresse. Rien de tout cela n'aurait été supportable sans le soutien de tante Mina.

Lyddie rentra la tête, tirant le col de sa veste sur son menton, laissant défiler ses souvenirs. Elle passait les week-ends dans la maison de ses parents à Iffley, près d'Oxford, avec son frère aîné, Roger, mais elle n'avait jamais été particulièrement proche de lui. C'était à Mina qu'ils devaient ce mélange d'amour, de sympathie et de force qui leur avait permis de guérir et de rester liés les uns aux autres. Tout à son chagrin, Lyddie avait parfois oublié que tante Mina souffrait, elle aussi : une sœur morte (Henrietta), une autre paralysée... Comme Roger et elle s'étaient-ils appuyés sur leur tante, trop profondément engloutis dans leur douleur pour tenir compte de la sienne ! La belle petite maison leur avait été conjointement léguée et ils s'étaient mis d'accord : Roger, universitaire comme son père, continuerait à y vivre jusqu'à ce qu'il ait les moyens de racheter la part de Lyddie.

Cette maison avait servi de refuge à Lyddie jusqu'au jour où elle avait rencontré Liam, mais quand Roger avait épousé Teresa, ils s'étaient dit qu'ils pourraient contracter ensemble un emprunt immobilier. Une fois souscrit, il devait rapporter à Lyddie cent cinquante mille livres.

Les obligations professionnelles de Liam avaient rendu difficile toute visite à Oxford, cependant Roger et Teresa étaient venus à Truro pour une brève période de vacances et, le reste du temps, ils avaient réussi à maintenir entre eux quatre un niveau raisonnable de communication. Néanmoins, Lyddie se sentait vaguement coupable, Liam et elle prenant plus de plaisir à fréquenter Joe et sa petite amie, Rosie (elle travaillait elle aussi à L'Endroit), qu'à être en compagnie de son frère et sa femme.

— Que de la cervelle ! plaisantait Liam à leur sujet. Beaucoup trop sérieux, les pauvres vieux ! Difficile de se marrer un bon coup avec des gens qui font du XXL en tour de tête... Encore, Roger, ça va, mais cette chère Teresa n'est pas spécialement gâtée question sens de l'humour, hein ?

Lyddie avait été obligée de reconnaître que non, elle n'en débordait pas, mais elle avait senti le besoin de défendre son frère.

— Roger peut se montrer parfois un peu insensible. Il a un tempérament sérieux, mais ce n'est pas un rabat-joie. Au moins, lui, il ne fait pas la leçon aux gens qui savent s'amuser.

Elle avait aussitôt ajouté :

— Non pas que je veuille dire que Teresa...

Et puis elle s'était arrêtée, fronçant les sourcils, parce qu'elle voulait être franche, mais sans critiquer sa belle-sœur.

Liam l'avait regardée avec une certaine appréhension.

— Attention, ma chérie. Tu pourrais te laisser aller à dire quelque chose de vraiment méchant si tu n'y prenais pas garde.

Elle s'était sentie gênée par cette insinuation, mais Joe était intervenu. Ils étaient confortablement installés tous les trois dans la petite arrière-salle, et Joe, la voyant troublée, avait fait mine de donner une tape sur la tête de Liam.

— Mais laisse cette fille tranquille ! avait-il grondé. Va plutôt lui chercher un verre. Car « la bave du crapaud n'atteint pas la blanche colombe »...

Alors Liam, le même sourire aux lèvres, s'était dirigé vers le comptoir, laissant Lyddie et Joe en tête à tête.

Elle fit halte pour s'appuyer quelques instants contre un portail de bois, les yeux fixés sur les lumières de la ville qui perçaient de plus en plus dans le soir tombant, et tenta d'analyser ses sentiments envers Joe. Il se montrait toujours très chevaleresque envers elle, contrairement à Liam, qui n'avait pas l'habitude de prendre des gants. Son évidente admiration pour elle la rassurait, alors qu'elle pouvait se sentir un peu fragilisée devant la popularité de Liam. Elle avait été surprise par l'hostilité que lui manifestaient certaines des ex de Liam. Il était clair que plusieurs d'entre elles ne se souciaient pas beaucoup du fait qu'il était désormais marié. Deux ou trois de ces filles continuaient à se comporter comme s'il leur appartenait encore. Visiblement, elles n'avaient pas l'intention de changer leurs façons de propriétaire ; Lyddie était traitée comme une intruse. Face à cela, Liam se contentait de hausser les épaules, et elle avait appris très vite à n'attendre aucun soutien particulier de sa part en public. Ils étaient mariés et, l'ayant proclamé haut et fort, il escomptait qu'elle serait assez intelligente pour s'accommoder sans faire d'histoires de la présence de ces filles.

Ce n'était pas si facile que cela pût paraître. Outre le fait qu'elle avait beaucoup perdu de confiance en elle lorsque James l'avait quittée, il fallait reconnaître que Liam était un homme extraordinairement attirant – chevelure d'un noir presque aussi profond que sa propre cascade de boucles soyeuses, yeux bruns intelligents, corps mince et vigoureux. Il le savait, en plus… Sans sa présence, L'Endroit était un peu moins excitant, l'atmosphère moins intime. Il y avait en lui une indéfinissable magie qui agissait sur les deux sexes. Pour les hommes, ce type-là était un « bon gars », et les femmes flirtaient avec lui. Il planait comme un léger sentiment de triomphe aux tables où il s'attardait plus que nécessaire, pour parler et plaisanter. Le mâle prenait un air vaguement autosatisfait – car Liam n'aurait pas perdu de temps avec un nullard – et la femelle se lissait les plumes, un sourire secret aux lèvres, bien consciente des œillades envieuses qu'on lui adressait.

L'expression calme et rassurante de Joe, ses manières protectrices aidaient Lyddie à supporter la concurrence, et elle aimait assez entendre Liam protester contre les attentions qu'il lui portait.

Évidemment, il y avait Rosie. Lyddie avait espéré se rapprocher d'elle mais, même si elle était sympa, Rosie avait un caractère ombrageux. Et un regard inquisiteur, calculateur, qui maintenait Lyddie à distance. Il pouvait y avoir plusieurs explications : peut-être Rosie ne se sentait-elle pas sûre de sa propre relation avec Joe, comparée au statut d'épouse dont jouissait Lyddie ; peut-être lui en voulait-elle un peu pour le traitement spécial que lui réservaient Joe, Liam et les autres membres de l'équipe. Car ici, à L'Endroit, Rosie n'était qu'une serveuse parmi d'autres, c'était tout. Lyddie prenait donc soin de ne jamais répondre aux badinages de Joe quand Rosie était dans les parages, mais lorsque Liam bavardait avec une belle cliente, il lui était difficile de ne pas chercher à rétablir son estime de soi en se comportant de la même manière avec Joe.

Lyddie se détourna du portail et appela le Nemrod ; il la fixa avec cet air de reproche qu'il affichait en pareil cas, comme lésé par ce trop court plaisir. Puis elle reprit la direction de la ville, songeant à ses tantes. Demander à Mina de prendre en charge sa sœur aînée pour une si longue période lui semblait plutôt injuste de la part d'Helena.

— Deux mois ? avait-elle répété, très inquiète. C'est extrêmement long, tante Mina. Surtout si Georgie perd un peu la boule. Je voudrais pouvoir t'aider, mais je suis complètement coincée pour les six prochaines semaines...

À l'autre bout du fil, elle avait senti sa tante prise entre plusieurs sentiments contradictoires ; elle avait donc essayé d'adopter un point de vue pratique, soulignant les problèmes évidents que représenterait la charge d'une femme âgée, au caractère bien trempé et qui était probablement en proie à une forme de démence sénile ou à la maladie d'Alzheimer – sans pouvoir compter sur autre chose que l'appui limité d'une sœur confinée dans son fauteuil roulant. Mais Lyddie avait aussi perçu, chez tante Mina, un fort besoin d'aider Georgie.

— Elle est notre sœur, avait-elle appuyé.

Une fois encore, Lyddie s'était souvenue que dix ans auparavant, Mina avait eu la force de supporter l'horreur non seulement des blessures de Nest, mais aussi de la mort de leur sœur, Henrietta.

Ravalant une bouffée de tristesse, elle avait conclu :

— Tu dois faire ce que tu penses être juste, tante Mina, mais je t'en prie, si ça devient compliqué, dis-le-moi. Peut-être pourrons-nous tous nous cotiser et engager une aide, si Helena et Rupert ne le suggèrent pas d'eux-mêmes. Et, au besoin, je pourrais m'installer à Ottercombe et travailler sur place, tu sais.

— Je n'en doute pas, ma chérie, avait répondu Mina avec chaleur, mais je pense que nous allons être capables de nous débrouiller seules, et puis ça nous fera du changement. Maintenant, parle-moi de toi. Tout va-t-il bien... ?

— Je vais bien, oui, avait-elle dit, tout à fait bien. Et Liam aussi.

À la fin de la conversation, elle eut le sentiment qu'au fond tante Mina avait déjà pris sa décision à propos de Georgie avant de l'appeler. Elle soupçonnait que ce coup de fil était destiné à s'assurer que tout allait bien du côté de sa nièce, à Truro, plutôt qu'à lui demander son avis. Lyddie avait une très vive affection pour ses tantes, il y avait une telle ténacité en elles. Elles lui paraissaient invincibles... Mais tout de même, elle n'aurait pas le cœur tranquille avant d'aller faire un tour là-bas, dans l'Exmoor.

Elle remit sa laisse au Nemrod et ils reprirent leur marche à travers les ruelles. Elle n'eut plus en tête que la soirée à venir : elle allait dîner à L'Endroit en compagnie de Liam et Joe.

Un peu plus tard, après souper, Mina fit la vaisselle dans l'arrière-cuisine. C'était la même routine chaque soir. Mina se mettait devant l'évier tandis que Nest attendait, postée à côté de l'égouttoir, torchon en main. Une fois séché, chaque ustensile était disposé sur le chariot à côté de la chaise roulante de Nest et, quand tout était fait, Mina le poussait vers la cuisine. Nest allait alors se préparer pour le dernier divertissement de la soirée : une partie de Scrabble ou de backgammon sur la table à abattant, leur émission de télévision préférée, ou la vidéo de l'une de ces comédies musicales dont Mina raffolait. Elle n'avait jamais perdu son talent pour la lecture à voix haute et les livres constituaient un autre pilier de leurs loisirs. Leur régime était simple : non seulement ces chers classiques (Austen, Dickens, Trollope), mais aussi Byatt, Gardam, Keane et Godden, entre lesquels s'intercalaient des récits de voyage, un thriller ou *Le Vent dans les saules*[1], suivant leur humeur. Lyddie leur apportait de temps à autre un best-seller récent ou le dernier volume de poèmes de Carol Ann Duffy pour aiguiser leur appétit.

Mina s'essuya les mains sur la serviette, dans l'arrière-cuisine, puis elle poussa le chariot en avant. Les chiens persistaient à lécher leurs écuelles vides, les faisant reluire.

— Vous avez tout fini, leur dit-elle. Jusqu'à la dernière miette.

Polly Garter et le Chapitaine trottinèrent derrière elle, mais Boyo Bon-à-rien était resté en arrière, quadrillant le sol de la cuisine dans l'espoir d'y découvrir un relief de nourriture. Tout en replaçant les assiettes sur le buffet et en glissant couteaux et fourchettes dans leur tiroir, Mina échafaudait des plans pour l'arrivée de Georgie. Même si elle avait compris presque tout de suite qu'elle ne pourrait éviter cette visite – impossible de rejeter sa sœur ! –, elle était profondément troublée par cette perspective. Sa propre incertitude à pouvoir faire face avait été éclipsée par ce vague pressentiment, chez Nest… Mais était-il si vague que cela ? Il traînait dans les placards de chaque famille bien des squelettes, et Georgie avait toujours adoré les secrets. Elle les avait utilisés comme des armes contre ses frère et sœurs

---

1. *The Wind in the Willows*, classique de la littérature pour enfants signé Kenneth Grahame (1908).

– pour consolider sa position en tant qu'aînée, pour se donner de l'importance.

« Je connais un secret. » Sa petite ritournelle résonnait encore très clairement à l'oreille de Mina. Son cœur s'accéléra et ses mains se firent maladroites alors qu'elle préparait le plateau d'après-repas, puis retirait la bouilloire de la cuisinière en fonte Esse pour faire le thé. Était-il possible que Georgie sache le secret de Nest ?

— Ne joue pas les vieilles sottes, tu n'as pas besoin de ça en plus.

Elle avait prononcé ces mots à haute voix, pour se rassurer ; les chiens dressèrent l'oreille, tête inclinée, dans l'expectative.

Si Georgie avait soupçonné quelque chose, elle aurait déjà parlé. Et si elle avait gardé le silence pendant plus de trente ans, pourquoi le rompre juste maintenant ? Mina secoua la tête, haussant les épaules à l'idée de ce pressentiment stupide. L'angoisse de Nest l'avait contaminée, réinjectant du passé dans le présent, or il n'y avait aucune raison de paniquer, c'était ridicule. Pourtant, comme elle remplissait à nouveau la bouilloire, son cœur se serra d'une étrange et poignante mélancolie. Elle crut tout à coup entendre la voix de sa mère qui leur lisait un passage d'*Un gars du Shropshire*, où Housman évoquait « les collines bleues de son souvenir ».

Mina se tint immobile, tête baissée, la bouilloire toujours à la main. Le « pays du contentement perdu », ces si joyeuses années, pleines de rires… Les larmes, elles, étaient venues bien plus tard.

Elle reposa la bouilloire au bord des plaques chauffantes et se pencha pour caresser les chiens, leur murmurant quelques mots d'amour jusqu'à ce que ça passe, le temps de se ressaisir. Puis, se forçant au calme, Mina reprit le plateau et alla rejoindre sa sœur.

III

Les parties de backgammon se succédaient, mais l'esprit de Mina restait perdu dans le passé, accroché à ces années depuis longtemps enfuies, quand Papa était loin, à Londres la plupart du temps, et que les enfants avaient Mama pour eux seuls. Elle leur faisait la lecture, les emmenait à la plage ou en excursion sur la lande. Les règles qui régissaient la vie de famille dans leur belle demeure londonienne étaient assouplies, comme pour des vacances permanentes.

Mina a huit ans lorsque sa mère, Lydia, est envoyée se reposer longuement à Ottercombe. La plus jeune, Josephine – parce que Timmie et Nest ne sont pas encore nés –, vient de fêter son quatrième anniversaire et, ces trois dernières années, Lydia a fait deux fausses couches. Ambrose croit que l'air marin lui fera du bien, qu'il la ragaillardira, et qu'elle pourra enfin lui donner le fils dont il a envie.

— Toutes ces filles ! se lamente-t-il – elle perçoit une âpre irritation derrière le ton jovial de sa voix et sent un petit battement de peur tout au fond d'elle.

En douze ans de mariage, elle a découvert la couche de cruauté profondément enfouie sous sa fausse bonne humeur. Il ne se montre pas physiquement cruel – non, pas cela –, mais il se sert des mots pour la piquer, l'aiguillonner, si bien que Lydia le sait, maintenant : la voix peut être à la fois un instrument et une arme.

La sienne est un instrument : pure, douce et contrôlée. Elle chante pour ses bébés, les berce de comptines, leur lit des histoires.

— Que de livres, dit Ambrose. Par pitié, un garçon pour pouvoir faire une vraie partie de cricket !

Ambrose est un homme séduisant. À peine plus grand que la moyenne, cheveux bruns bouclés coupés très court. Ses yeux sont lumineux, d'un bleu pétillant, et il est d'un abord simple, confiant, qui tout de suite vous met très à l'aise. C'est lui qui a choisi les prénoms des enfants : Georgiana, Wilhelmina, Henrietta, Josephine. Il a fallu un peu de temps à Lydia pour comprendre que c'était le fruit d'un drôle d'humour, lié à sa frustration de n'être le père que de filles. Ambrose n'est pas le genre d'homme à s'intéresser aux enfants en bas âge, et quand il demande comment va « George » ou « Will », elle se dit que c'est juste une blague. Mais, à mesure que les enfants grandissent, cela devient de moins en moins drôle. Elle déteste l'entendre s'adresser à ses belles petites chéries en les appelant « George », « Will », « Henry » ou « Jo », néanmoins il n'est pas près de revenir là-dessus.

— Ne sois pas si susceptible, ma chérie, lui demande-t-il.

Ses yeux bleus fixés sur elle se font un peu plus durs, moins étincelants, et elle se dit qu'elle doit faire attention à ne pas l'irriter. Comme la plupart des hommes, n'aspire-t-il pas tout simplement à avoir un fils ? Elle se sent inutile, pas à la hauteur de ce qu'il attend d'elle, et espère qu'une autre naissance suivra celle de Josephine : un petit garçon cette fois. Après sa première fausse couche, Lydia commence à souffrir de crises d'asthme et, durant l'hiver 1932, pour lui épargner le brouillard qui enveloppe Londres, on l'expédie à Ottercombe. Elle n'en croit pas sa chance ! Depuis qu'elle est enfant, l'Exmoor représente pour elle le paradis sur terre et, bien qu'Ambrose ait consenti à passer quelques semaines en été dans la vieille maison sur la côte, au bout de la clive, il n'aime pas la laisser derrière lui quand il regagne la capitale. Il est haut fonctionnaire et sa charmante épouse constitue un très bon atout. Lydia est magnifique, tout le monde l'apprécie ; elle lui est d'un grand secours. Si bien qu'elle se sent profondément touchée le jour où il lui annonce qu'il est prêt, pour la laisser se rétablir, à se débrouiller seul aussi longtemps que nécessaire. Son état de santé, toutefois, n'est pas l'unique raison de cette surprenante bouffée d'altruisme. Ambrose a fait une nouvelle connaissance : celle d'une riche veuve, dont les robustes appétits et les fortes ambitions lui conviennent, et il saisit cette occasion pour se rapprocher d'elle.

Il est cependant trop malin pour éveiller les soupçons de Lydia. Il veille à ce que, au moment où la petite troupe est prête à partir pour le sud-ouest de l'Angleterre, Lydia se sente trop coupable de l'abandonner pour éprouver envers lui autre chose que de la gratitude. Il les conduit là-bas lui-même, dans sa superbe Citroën qu'il adore, et les laisse à Ottercombe. Le jeune couple auquel il fait appel, trop heureux d'améliorer son ordinaire en prenant soin de la maison, reçoit ses instructions : il faudra faire les courses pour Lydia et les enfants, tout nettoyer et entretenir la maison.

Le lendemain matin, quand Ambrose repart, ses pensées peuvent se tourner entièrement vers une certaine demeure du quartier huppé de St John's Wood.

À l'instant où le bruit du moteur s'éteint, Lydia ne peut réprimer un profond soupir de soulagement. Elle contemple ses enfants qui courent sur la pelouse, criant et riant, tandis que Wilhelmina se pend à son bras.

— Est-ce qu'on peut aller à la plage, Mama, si on se couvre bien ?

Lydia s'incline pour l'embrasser.

— Bien sûr qu'on ira. Après le déjeuner. Ici, l'après-midi est toujours le meilleur moment pour aller à la plage, même en hiver.

— Et quand on reviendra, on prendra le thé au coin du feu ? Tu nous liras une histoire, dis ?

— Oui, ma chérie, si c'est ce que vous voulez toutes. Je vous lirai une histoire.

C'est comme cela que tout commence.

Dans sa chambre, jadis le petit salon, Nest était tout près de se coucher. Adaptée à ses besoins, cette pièce était austère, simple et sans fioritures. Il n'y avait pas de photos ou de bibelots pour la ramener droit vers le passé, aucune singularité que l'on puisse interpréter, aucun objet personnel. Sur la petite commode de chêne ne se trouvait que le strict nécessaire, même s'il y avait une pile de livres sur sa table de chevet, près de son baladeur. Nest était capable de tenir debout un bref moment et de s'avancer à la force des bras, en prenant appui sur un meuble ou sur sa canne, mais elle fatiguait vite et la douleur était toujours là pour lui rappeler qu'elle était sévèrement handicapée. Au cours des mois sombres qui avaient suivi l'accident, elle n'avait pas voulu bouger du tout. En souffrant, elle faisait pénitence pour sa faute. Elle restait étendue sur son lit, fixant le plafond, à revivre l'horreur : Henrietta au volant, Connor à côté d'elle, la tête à moitié tournée vers elle, Nest, assise sur le siège arrière. Si seule-ment elle n'avait pas parlé, si elle n'avait pas crié sa frustration, peut-être Henrietta n'aurait-elle pas été distraite pendant ce bref et tragique instant qui lui avait coûté la vie.

C'était Mina qui avait remis Nest dans le présent, qui l'avait rendue à la vie, aussi bien physiquement qu'émotionnellement. Elle l'avait harcelée pour qu'elle la laisse pousser sa chaise roulante dans le jardin, malmenée, presque, pour faire grimper son fauteuil dans le camping-car spécialement aménagé, la forçant à revivre.

— Je ne peux pas, avait marmonné Nest. S'il te plaît, Mina. Je ne veux voir personne. Essaie de comprendre. Je n'ai pas le droit...

— La mort d'Henrietta et de Connor n'est pas une excuse pour t'emmurer vivante. Et de toute façon, Lyddie a besoin de toi.

— Non ! s'était-elle exclamée, se raidissant dans son fauteuil, tournant la tête pour échapper à son implacable sœur. Non ! Tu ne comprends donc pas ? Je les ai tués.

— Lyddie et Roger ne savent qu'une chose : Henrietta a mal négocié ce virage, et ils ignorent pourquoi. Ils ont besoin de toi.

L'amour et la compassion de Lyddie avaient été le plus lourd fardeau de Nest.

— Tu t'en rendras compte, lui avait dit Mina beaucoup plus tard : devoir vivre et aimer sera pour toi tout aussi douloureux que pourrait l'être cet isolement auquel tu te forces. Tu seras suffisamment punie – si c'est ce que tu souhaites.

Alors Nest s'était abandonnée à la vie du mieux qu'elle avait pu, ne refusant plus rien, acceptant tout – ou à peu près. Elle s'opposait toujours à ce que Mina pousse son fauteuil vers la mer, la mer symbole de liberté, symbole de vacances, récompense après le long voyage depuis Londres... Oh, l'odeur de la mer, sa fraîche et soyeuse étreinte sur vos mains, sur vos pieds chauds, le mouvement continu de l'eau, jamais en repos mais si apaisante !

Enfin au lit, épuisée par les efforts qu'il lui avait fallu faire pour se coucher, Nest se représentait le chemin conduisant à la plage. Ici, entre Blackstone Point et Heddon's Mouth, la clive encaissée, largement boisée de chênes verts, de hêtres et de mélèzes, faisait une profonde entaille en V dans la falaise. Tout à la pointe, à quatre cents mètres de la mer, se dressait Ottercombe House, isolée et abritée par son luxuriant jardin exotique. Un sentier rocailleux, barré de racines, longeait le ruisseau venu des hauteurs de l'Exmoor, de Trentishoe Down. Minuscule filet d'eau à sa source, il prenait de la vitesse, dévalant des sommets. Il se déversait de la paroi rocheuse en une petite cascade derrière la maison, jaillissait dans le jardin à travers la buse, puis coulait à gros bouillons le long de l'étroite vallée jusqu'à ce qu'il plonge enfin dans la mer.

Les yeux fermés, Nest était capable de se représenter chaque virage du chemin menant à la plage. Elle pouvait voir les rhododendrons, florissants en dépit de la faible couche de terre sur les rochers ; les Morte Slates, ces schistes ardoisiers qui se déroulaient en une étroite bande depuis le cap de Morte Point, à travers le Devon et jusqu'au Somerset, plus à l'est. Au début du mois de mai, des parterres de jacinthes des bois poussaient là où les arbres ne couvraient pas le sol de leur ombre, en lacs bleu azur. En août, lorsque les bruyères étaient en fleur, le dos pelé de la lande, qui dominait même les plus grands arbres, miroitait de bleu-violet au soleil de l'après-midi. Le sentier lui-même révélait à chaque saison de minuscules trésors : fougères vert vif, touffes de perce-neige, escargots à coquille jaune. Comme les enfants adoraient traîner, repoussant l'instant délicieux où ils allaient enfin revoir la mer, lorsque la vallée s'évasait, embrassant le croissant que formait la plage, et qu'apparaissaient les parois rocheuses descendant à pic dans l'eau grise ! Le cours d'eau, après les avoir accompagnées tout le long du chemin, tombait dans une piscine rocheuse profondément inclinée, et puis continuait à avancer, se frayant un chemin dans le sable schisteux jusqu'à ce qu'il se mêle aux eaux froides du canal de Bristol.

Nest et son frère Timmie avaient appris à nager dans cette piscine naturelle. Ils pataugeaient au bord avec leurs épuisettes et leurs seaux de fer-blanc rutilants, partageant la même passion pour les animaux et les plantes qui peuplaient cette côte.

— On vivra ici ensemble quand on sera plus grands, lui disait-il, tenant fermement de sa petite main couverte de sable froid l'anse d'un seau où barbotaient un crabe et deux crevettes miniatures.

— Mais qui va s'occuper de nous ?

Nest était la plus jeune, et qu'elle puisse un jour se charger d'elle-même la dépassait encore.

— Mina, lui répondait-il avec confiance...

De neuf ans son aînée, à quatorze ans Mina lui semblait déjà une adulte.

— Oui, approuvait-elle, satisfaite. Mina s'occupera de nous.

Nest ne trouvait pas le repos. Elle s'agitait dans son lit, se rappelant cette prophétie. Car Mina, en effet, s'était occupée d'elle – et il lui fallait désormais veiller aussi sur Georgie. Elle sentit des palpitations affolées juste sous ses côtes. Ses angoisses revenaient, apportant avec elles d'autres souvenirs, et elle poussa un gémissement. Le sommeil risquait de lui échapper, maintenant, elle allait être la proie de ces terreurs nocturnes qui la laissaient épuisée et malade – mais elle avait à portée de main un antidote. Elle se hissa sur l'oreiller, alluma la lampe de chevet et tendit le bras vers le livre de Bruce Chatwin, *En Patagonie*.

À l'étage, dans sa chambre, Mina suivait son train-train, l'esprit léger. Les chiens, roulés en boule dans leurs paniers et déjà prêts à dormir, la regardaient déambuler, tendant l'oreille à ses murmures.

— Vous êtes de bons chiens, de bonnes petites personnes, leur lançait-elle d'une voix calme et mono-corde. Allez, couchés maintenant, demain on va faire une belle promenade, n'est-ce pas ? Qui va être un bon garçon ? C'est mon Boyo ?

Et puis cette petite expiration s'échappait de ses lèvres en une gamme descendante, « po-po-po », quand elle s'arrêtait un instant pour brosser son doux pelage blanc.

Cette chambre, autrefois celle de sa mère, était la parfaite antithèse de la cellule où vivait Nest. Ici, elle pouvait se libérer très temporairement de la discipline qu'exigeait une vie entière à prendre soin d'abord de sa mère, puis de Nest. Ici, sa passion pour les effets visuels dramatiques et la couleur avait libre cours. Heureux de la voir créer son monde bien à elle, plusieurs membres de la famille y avaient d'ailleurs contribué par des cadeaux : estampes, coussins en soie, bibelots, et même de petits meubles... Mina les acceptait avec délice et se hâtait de leur trouver une place. Les murs étaient tapissés d'images : *Les Trois Âges de la femme* et *Le Baiser* de Klimt, à côté de l'affiche dessinée pour *La Revue nègre* par Paul Colin et de tout un ensemble de gravures représentant des gangsters à la Jack Vettriano, accrochés près d'une sérigraphie de Jackson Pollock, *Summer Time*. Une chaise longue couverte de châles soyeux et chargée de coussins reposait sous la fenêtre, face à une commode indonésienne au délicieux décor peint d'oiseaux exotiques, dressée contre le mur opposé à côté d'un fauteuil en rotin. Des objets aussi bizarres que fascinants se bousculaient, posés sur chaque surface plane : photographies diversement encadrées, paire de vases chinois cloisonné, charmant ensemble de drôles de petits canards en papier mâché. À un crochet était suspendue une marionnette longiligne, magicien de bois à l'air malicieux éclairé par la tendre lumière d'une élégante lampe tulipe de laiton, au verre bleu.

La pièce débordait de couleurs. Une courtepointe en velours recouvrait le haut et profond lit double, ses teintes améthyste, saphir et rubis répondant à celles des longs et lourds rideaux. Trois larges étagères croulaient sous le poids des livres, les belles reliures de cuir voisinant avec les dos brochés tout fendus des ouvrages modernes. L'épaisse moquette gris clair était presque entièrement recouverte par de superbes tapis anciens et un grand paravent laqué cachait en partie une alcôve dans un coin de la pièce.

Après un aussi brillant, un aussi extravagant étalage de teintes et de textures, l'austérité de cette petite alcôve provoquait un choc imprévu. Un simple meuble bas, sur lequel étaient posés un ordinateur et son clavier ainsi qu'une imprimante, s'appuyait au mur, face à une chaise pivotante type dactylo. Il n'y avait rien pour détourner l'attention de l'atmosphère de travail, faite de simplicité, qui régnait là.

Mina s'approcha de l'écran, alluma l'ordinateur et s'assit, chantonnant à voix basse. Elle se réjouissait à l'idée d'être reliée au monde via Internet et, sans cesser de fredonner, remonta sur ses genoux sa longue robe de laine pour être à son aise, pendant que la page d'accueil se chargeait. Elle tapa son mot de passe et attendit, ses yeux gris-vert avidement fixés sur l'écran, concentrée et prête. Elle fut récompensée d'un : « Vous avez quatre messages non lus. » La souris s'activa, se déplaça. Mina cliqua et, avec un soupir de contentement, se mit à lire son courrier électronique.

IV

Lorsque Lyddie se réveilla, Liam était déjà debout. Elle pouvait l'entendre dans la salle de bains : il sifflotait doucement en faisant couler de l'eau chaude pour se raser. Elle s'étira, ramenant les oreillers, toute à son plaisir d'être étendue là, moitié éveillée, moitié dans ses rêves – jusqu'à ce qu'une trombe d'eau dans le conduit d'évacuation et une porte que l'on referme annoncent la présence de Liam.

— Quoi, tu ne dors tout de même pas encore ?

Il soupira, secouant la tête tandis qu'il attrapait un jean et un sweat-shirt.

— Et moi qui croyais que tu serais en bas, à préparer le café… Ton pauvre chien doit se croiser les pattes en attendant, j'imagine.

— Tu l'as déjà laissé sortir. Et tu as déjà pris un peu de café, répondit-elle sans s'émouvoir, trop à l'aise dans son lit pour se sentir coupable. Quelle heure est-il ?

— Huit heures moins dix. Mais ça ne pose aucun problème pour quelqu'un qui travaille à la maison…

— Oh, tais-toi, répliqua-t-elle nonchalamment. Tu détesterais ça, travailler chez toi. Tu ne peux pas vivre une demi-heure sans avoir besoin de parler à quelqu'un.

— Ça vaut mieux, pour le job que je fais, répondit-il gaiement.

Il s'inclina pour s'inspecter dans le miroir posé sur la petite commode en pin, sifflant à nouveau tout bas en passant un peigne dans son épaisse chevelure sombre.

— Qui fait l'ouverture aujourd'hui ? demanda-t-elle, les mains derrière la tête, le regardant avec gourmandise. C'est au tour de Joe, non ?

— C'est ça, oui. Un bon démarrage tout en douceur, même si je dois aller à la banque.

Il se tourna vers elle, saisit son expression et eut un léger sourire.

— Tu es magnifique, étendue comme ça.

Puis il se pencha vers elle, lui donna un petit baiser, et elle lui passa les bras autour du cou, l'attirant à elle, si bien qu'il se retrouva à moitié agenouillé, à moitié couché sur le lit.

— Et dire que s'il n'y avait pas ton foutu chien, lui murmura-t-il à l'oreille, je serais encore au lit, avec toi qui es si sexy ce matin. Vraiment pas de chance, hein ?

Elle rit et le relâcha.

— Tu ne t'en sors pas trop mal. Une femme dingue de toi, et toutes tes clientes qui t'adorent... La plupart des hommes seraient prêts à tuer pour susciter autant d'attentions que toi.

— Ah, mais « plus on est nombreux, moins il y a de danger », répondit-il en se redressant pour s'asseoir sur ses talons. Et toi dis donc, tant qu'on y est, qu'est-ce que tu fichais à bavarder avec Joe dans l'arrière-salle pendant que je trimais comme un chien ? De quoi vous parliez, tous les deux ?

— Joe est vraiment sympa (elle mit une certaine tendresse dans cette remarque, ce qu'il ne manqua pas de noter). Il est d'une compagnie très agréable. Il aime bien discuter de trucs qui t'ennuient, toi, comme les livres et les films. On parle de l'intrigue, des relations entre les personnages, la façon dont ça marche et pourquoi. Il est capable d'aller au fond des personnages et c'est comme si on parlait de vrais gens. Il sait faire preuve d'empathie, en plus : il ne se moque pas de leurs faiblesses comme tu le fais, toi.

— Bah, c'est juste sa façon de te faire du gringue, à ce vieux forban ! Prends garde à toi, je te le dis. Mais lui, il n'arrivera jamais à te faire rire autant que moi.

— Non, admit-elle, presque à contrecœur, avec un imperceptible froncement de sourcils. Non, mais d'un autre côté il ne flirte pas autant que toi...

Il étouffa la fin de sa phrase sous des baisers, jusqu'à ce qu'elle oublie entièrement Joe et que sa petite grimace se change en une expression de plaisir, puis délicatement, doucement, il se détacha d'elle. Elle le retint un bref instant, même si son instinct lui dictait d'éviter toute manifestation de possessivité et, avec un soupir plein de regret, elle repoussa la couette en se passant les mains dans les cheveux.

— Liam, tu veux bien faire un peu de café pendant que je prends ma douche ? Dis au Nemrod que j'arrive.

— OK, je m'en occupe.

Il hésitait, la regardant pensivement.

— Si tu te dépêches, on pourrait aller du côté de Malpas, le promener le long de la rivière. La matinée s'annonce superbe. Tu voudrais ?

— Oh oui, génial ! répondit-elle, le visage rayonnant. Ça va lui plaire... Tu es sûr que c'est bon, pour toi ?

Il haussa les épaules.

— Bien sûr que j'en suis sûr. Joe peut se débrouiller une heure ou deux sans moi. Il ne devrait pas être très occupé avant midi et on sera de retour largement avant.

— Je suis prête dans cinq minutes, promit-elle. Ou disons, dix !

Elle fila dans le couloir, vers la salle de bains, et Liam descendit, l'air un peu perplexe, pour aller annoncer au Nemrod qu'ils avaient une petite surprise pour lui.

— Quelle matinée splendide…

Mina ouvrit la porte de la cuisine pour libérer les chiens dans le jardin.

— Que dirais-tu d'une petite balade en camping-car ?

Elle resta plantée là, à regarder Boyo Bon-à-rien qui promenait sa truffe dans l'herbe, sous la table de jardin, pendant que Polly Garter s'installait sur une dalle moussue et se grattait vigoureusement l'oreille. Le soleil matinal baignait le jardin, faisant étinceler les minuscules fougères et les feuilles rondes du nombril de Vénus, qui croissait dans les interstices du mur de roche formé par la falaise à l'arrière de la maison.

Nest, tout en dégustant une prune Victoria cueillie dans le verger, éloigna son fauteuil de la table du petit-déjeuner et partit regarder dehors.

— Nous pourrions aller à Fuschia Valley, suggéra Mina, et prendre un café là-bas. Ou à l'Hunter's Inn. Ou sur la lande, vers Simonsbath.

— Simonsbath, répondit Nest, qui déposa le noyau de prune dans son bol de céréales vide avant de se lécher les doigts avec gourmandise. C'est une matinée idéale pour une promenade à travers la lande.

— Prenons donc toute la journée, proposa Mina. Café à Simonsbath, puis Dunster et retour par Countisbury. Comme cela, nous en profiterions au maximum.

Elle n'ajouta pas « avant que Georgie n'arrive » – le regard qu'elles échangèrent en disait assez long.

— As-tu réussi à joindre Helena, finalement ?
fit Nest en essayant de prendre un ton désinvolte,
presque indifférent.

— Oui, répondit Mina, qui regardait maintenant
dehors, par la porte-fenêtre. Oui, je l'ai eue. Elle était
très soulagée. Et m'a dit un grand merci. Ils amènent
Georgie samedi.

— Samedi ? Grand Dieu ! Eh bien, ils ne perdent
pas de temps.

Mina se tourna pour faire face à sa sœur. Elle avait
l'air mal à l'aise.

— Il semble qu'ils aient l'opportunité de vendre
son appartement, tu comprends ? Ils ne voulaient
pas rater l'occasion.

— Je n'arrive pas à le croire. Dieu du ciel, ils ne
traînent pas ! répéta Nest avec un petit rire. J'espère
que Georgie a donné son accord. Apparemment, ils
ont l'air d'avoir tout ficelé.

— L'argent de la vente leur est nécessaire pour
payer la maison de retraite, d'après Helena. Ils veulent
ce qu'il y a de mieux pour Georgie, concéda Mina,
qui, comme d'habitude, essayait de se montrer juste.

— Ça, tu peux le dire ! répliqua sèchement Nest. Et
qu'auraient-ils fait si nous n'avions pas pu la prendre
ici ?

Mina haussa les épaules.

— Ils auraient trouvé une autre solution, je pense,
conclut-elle, toujours aussi peu ravie. Je suppose que
je ne devrais pas avoir l'air aussi disponible, mais
après tout...

— Ne sois pas bête, coupa Nest. Je suis sûre
que nous avons choisi la bonne solution. Ce qui
me contrarie, chez Helena et Rupert, ce sont leurs
manières de saintes-nitouches. Mais c'est parce que
je suis un vieux chameau ! Où pourrait-elle bien aller
à part ici, pauvre chère Georgie ?

Mina resta un moment silencieuse. Elle savait qu'Helena avait également contacté son cousin Jack, le fils de leur frère Timmie. Elle lui avait demandé si lui et Hannah, sa femme, pourraient prendre Georgie en cas de nécessité. Mina savait que Nest désapprouverait cette démarche, mais elle se doutait que sa sœur ne tarderait pas à l'apprendre – Jack aimait beaucoup ses deux tantes et il restait en contact régulier avec elles. Elle songea qu'il valait donc mieux que Nest le sache tout de suite.

— En fait, admit-elle, j'ai eu un e-mail de Jack hier soir, me disant qu'Helena s'était également adressée à lui. Au cas où nous aurions refusé, elle voulait savoir si Hannah et lui étaient prêts à s'en charger.

— Tu plaisantes ? demanda Nest, incrédule. Il me semble pourtant évident que ces deux-là en ont largement assez sans qu'on ait l'idée de leur en ajouter davantage ! Ils viennent juste de commencer un nouveau trimestre à l'internat, avec tous ces gamins dont il leur faut s'occuper, plus leurs deux enfants à eux. Georgie au milieu d'une école préparatoire pour garçons[1]. On croit rêver.

— Jack l'aurait fait, dit Mina en souriant un peu.

— Jack ferait n'importe quoi pour n'importe qui. C'est bien le fils de Timmie. Et Hannah, bénie soit-elle, fait la paire avec lui.

— Il était inquiet, il se demandait si nous allions nous en sortir… Mon Dieu, je ne sais pas ce que nous ferions sans ce petit. Ou sans Hannah, d'ailleurs. Et puis il y a Lyddie, qui nous appelle tout le temps et qui pense bien à nous. Nous avons vraiment beaucoup de chance.

---

1. *Preparatory school.* En Grande-Bretagne, école primaire, en général non mixte, qui prépare les élèves à entrer dans un établissement secondaire privé.

— C'est étrange, n'est-ce pas, commença Nest lentement, que nous n'ayons pas le même sentiment de… (elle hésita, cherchant le mot juste)… satisfaction, à propos de Lyddie et Liam, comme nous l'avons en ce qui concerne Jack et Hannah.

— Liam est très drôle, dit Mina aussitôt, et terriblement séduisant…

— Mais… ? souffla Nest. Il doit y avoir un « mais » au bout de ta phrase.

— Mais c'est comme si Lyddie s'obligeait à être à la hauteur avec lui. Bien sûr, elle s'est sentie profondément ébranlée quand James l'a quittée et j'ai l'impression qu'elle est désormais vulnérable vis-à-vis de Liam. On dirait qu'elle redoute que cela se reproduise, si elle ne fait pas assez attention. Je sens en elle une espèce de méfiance. Il n'y a pas de… (cette fois c'était Mina qui cherchait ses mots)… de sérénité. Contrairement au couple que forment Hannah et Jack. J'espère qu'elle n'a pas fait une bêtise.

— Qu'est-ce qui te fait dire ça ?

— Je suis peut-être une vieille sotte mais…, commença Mina, qui tentait de maîtriser son imagination. J'étais justement en train de me rappeler la fois où nous sommes allées à Truro, quand nous avons déjeuné avec eux à L'Endroit. Je me suis dit que Joe et elle avaient l'air très amis. Elle semblait tout à fait à l'aise avec lui, il n'y avait pas de tension entre eux, elle pouvait être elle-même. Et j'ai eu l'impression que Liam s'en souciait comme d'une guigne.

— Joe et Liam sont amis depuis l'école, dit Nest, comme pour tenter de se rassurer et de rassurer Mina. Je ne peux pas croire que Joe…

— Non, bien sûr que non. Je te l'ai dit, c'est idiot de ma part. Nous sommes sans doute toutes les deux un peu trop tendues à la perspective de voir arriver Georgie.

— Il m'est venu une pensée, reprit Nest, un petit sourire aux lèvres. Pourquoi n'inviterions-nous pas Jack lorsque Georgie sera là ? Il aura tôt fait de débrouiller tout ce qui cloche.

Mina se mit à rire.

— Voilà une bonne idée. Nous sommes en plein trimestre, bien sûr...

— Oui, je sais, mais Hannah, lui et les enfants pourraient sans doute s'évader un week-end pour venir ici, ou nous rendre visite au moment des vacances.

— Cher Jack. Il ressemble tellement à son père. Oh, ce pauvre cher Timmie ! ajouta-t-elle en poussant un grand soupir. Il me manque encore tant !

— Je ne voulais vraiment pas qu'il soit soldat, dit Nest, presque en colère. Je me souviens d'avoir supplié Mama à ce sujet. Elle m'a répondu : « Il serait malheureux s'il faisait quoi que ce soit d'autre », mais elle n'envisageait pas ce qui lui arriverait en Irlande du Nord, ajouta Nest, la mine sombre. Je l'imagine souvent se précipitant tout droit, au volant de sa jeep, dans cette embuscade. Au moins, il ne s'est pas vu mourir.

— Il paraissait tellement indestructible, dit Mina doucement, même s'il était toujours très calme. Ça n'a sans doute pas été facile pour lui d'être le seul garçon au milieu de cinq filles.

— Papa a dû être ravi, dit Nest, quand Timmie est arrivé. Et maman aussi, bien sûr. Moi, en venant après lui, j'ai dû être une petite déception. Encore une fille...

Il y eut un léger silence.

— Bref, j'y vais, je dois me préparer. Puis-je te laisser ranger seule le plateau ?

— Mais oui, ça ne me prendra qu'une minute. Vas-y, file. Oh, et au fait : bien sûr que tu n'as pas été une déception. Évidemment.

Elle regarda le fauteuil de Nest s'éloigner dans le couloir, en songeant aux secrets si longtemps tus – et à la petite ritournelle de Georgie... « Je connais un secret. Devinez quoi... Nous allons avoir un petit frère. Croyez-vous que Papa nous aimera toujours ? »

Mina empila les assiettes à côté de l'évier, dans l'arrière-cuisine, et elle appela les chiens. Elle se prit à penser à cette année-là, juste avant la naissance de Timmie. L'année où Timothy Lestrange est apparu à Ottercombe House.

Durant l'année 1932, Lydia et les enfants ne résident à Londres que pendant les mois d'école. Quand, au début d'août, Ambrose arrive pour la pause estivale, il est accompagné d'un inconnu, un grand type aux cheveux blonds.

— Je te présente Timothy Lestrange, ma chérie. Un de mes plus vieux amis. Il était à mi-sommet d'une montagne au nom imprononçable quand nous nous sommes mariés, et depuis il a passé l'essentiel de son temps à l'étranger...

Lydia, qui sourit à Timothy, lui prend la main, et elle sent tout de suite qu'il sera pour elle un allié. L'appréhension qu'elle ressent toujours lorsque Ambrose est attendu à Ottercombe s'est soudain dissipée, laissant place à un inexplicable soulagement.

— Ambrose a insisté, me répétant que je serais le bienvenu, dit Timothy, tout en gardant la main de Lydia dans la sienne, qui est si chaude, si bronzée. Excusez-moi d'arriver à l'improviste.

— Il a débarqué hier soir, précise Ambrose, en me racontant qu'il allait s'absenter un long moment. Nous ne nous sommes pas vus depuis des années. Je ne pouvais pas me contenter de lui offrir un verre et de lui dire au revoir, non ?

— Bien sûr, reconnaît Lydia.

— Je lui ai expliqué qu'il n'y avait pas le téléphone ici et que nous ne pourrions donc pas t'avertir, ajoute Ambrose (il rabâche encore ses reproches à l'égard d'Ottercombe House). En fait, il n'y a presque rien, ici.

— Presque rien ? s'étonne Timothy, sourcils levés. Une nature splendide, une adorable vieille maison, et ta femme et tes enfants... Oh, non. Pas grand-chose.

— Eh bien, si on le présente comme ça... Mais où est le Bandar-Log, Lydia ?

Ambrose est fanatique de Kipling[1], et Lydia et Timothy échangent un nouveau sourire.

— Les enfants sont partis à la plage. Ils seront de retour à la maison pour le thé, ils ne vont pas tarder. Aimeriez-vous décharger les bagages pendant que je prépare la chambre d'amis ?

Elle les regarde ressortir dans la lumière du soleil et reste plantée là, à savourer cette joie nouvelle, si étrange. Puis elle se précipite à l'étage.

Les enfants réagissent immédiatement aux chaleureuses façons de Timothy. En sa compagnie, leur père se montre moins corrosif, moins critique et, instinctivement, ils savent que c'est à Timothy qu'ils doivent ce répit. Il adoucit les aigreurs, désamorce les remarques brutales d'Ambrose. Il commence par rendre aux enfants leurs prénoms, gagnant la reconnaissance de Lydia.

— Les voici, dit Ambrose quand surgissent les enfants, revenus de la plage en traînant les pieds. Voilà le Bandar-Log. D'abord l'aînée, George. Puis Will et Henry. Et voilà la plus jeune, Jo.

Timothy serre la main de chacune d'elles avec gravité.

— Mais pourquoi ces prénoms ? demande-t-il, perplexe. De si charmantes petites, qui ressemblent tant à leur mère. Pourquoi des prénoms de garçons ?

1. Bandar-Log : dans *Le Livre de la jungle*, le peuple des singes.

— Parce que c'est presque aussi bien que d'avoir des fils, laisse tomber Ambrose – et Lydia détourne la tête en se mordant les lèvres, avant d'aller rassembler les enfants pour le thé.

Timothy voit combien elle est blessée et, peu à peu, en s'adressant aux enfants ou lorsqu'il joue avec eux, il adoucit George en Georgie, renomme Will en Mina, fait de Jo une Josie. Quant à Henry... « C'est Henrietta, explique Lydia, parce que rien d'autre ne fonctionne tout à fait. »

— Moi, j'aime bien mon prénom, annonce fermement la petite Henrietta, âgée de cinq ans. C'est un joli prénom.

Les autres, quant à elles, sont enchantées de leurs nouveaux noms et, enhardies par le soutien de Timothy, refusent de répondre à leur père s'il ne les utilise pas. Même Georgie, si avide de l'amour et de l'approbation d'Ambrose, est touchée par le charme tranquille de Timothy.

— Une mutinerie, commente Ambrose, en lui donnant une grande tape dans le dos. Une mutinerie dans ma propre maison !

Mais lui aussi, il finit par accepter le changement, même s'il faut parfois lui rafraîchir la mémoire.

— Timothy est très gentil, hein, Mama ? dit Mina. On dirait un magicien. Comme Merlin.

Lydia lit alors à l'heure des enfants, après le thé, le cycle romanesque de T. H. White, *La Quête du roi Arthur*.

— Il a jeté un sort sur toute la maison, tu ne crois pas ?

Et Lydia, les yeux rêveurs, lui répond :

— Oui, ma chérie, je pense qu'il nous a ensorcelés.

— Ne lui demande pas ce qu'il fabrique dans la vie, recommande Ambrose le premier soir, au moment où ils se changent pour le dîner. C'est un peu délicat. Il fait toutes ces missions d'exploration et ainsi de suite, mais en fait, il dépend de l'armée. Je parie qu'il va avoir de longues histoires à nous raconter. Un sacré type. Un peu fou, tout de même. À l'école, il raflait tous les prix, mais sans sourciller.

— Il n'a pourtant pas l'air d'être ce genre d'homme, répond Lydia en mettant ses boucles d'oreilles, tout en s'examinant d'un œil critique dans la glace.

Ses cheveux noirs, relevés sur la tête, mettent en valeur l'ovale pâle de son visage et son long cou suave. Ses yeux brillent d'une joie toute neuve, plutôt inquiétante.

— Il n'a pas l'air du tout d'un boy-scout attardé ou d'un aventurier.

— Timothy a toujours fait ce qu'il voulait, répond fièrement Ambrose (comme s'il l'avait inventé et que c'était à lui que revenait le mérite de ses qualités exceptionnelles). Il était terriblement apprécié à l'école.

— Oui, dit Lydia, qui sourit en secret à son reflet. Oui, je veux bien le croire.

Au fil des semaines, Timothy devient partie intégrante de la famille ; il passe des heures avec Ambrose dans son bureau ; il va se promener dans les bois en compagnie de Lydia ; il joue avec les enfants sur la plage. Lydia s'épanouit, elle est dans une forme rayonnante, Ambrose perd sa pâleur de citadin, il est plus mince, plus bronzé, et les enfants paraissent détendus, ils sont heureux.

— On devrait l'appeler Kim, dit Mina (ils sont passés à Kipling, maintenant), et pas Tim. Kim, le « Petit-ami-de-tout-le-monde ». Sauf que c'est un grand ami.

Au moment où les vacances s'achèvent, et qu'Ambrose rentre à Londres avec Timothy, Lydia est à nouveau enceinte.

V

Mina se réveilla en proie à une panique impossible à contenir. La chambre, orientée à l'est et au sud, était déjà remplie de soleil matinal, et elle resta étendue quelques instants, respirant profondément, à suivre l'avancée de la lumière et des ombres sur le mur. Lentement, cette terreur sans nom prit forme, se cristallisant en problèmes bien réels. À mesure qu'elle vieillissait, son optimisme naturel cédait devant l'angoisse que provoquait l'infirmité de Nest, qui gagnait du terrain : combien de temps encore allait-elle rester assez en forme, assez forte pour s'occuper de sa sœur ? Résolument, et avec un énorme effort, elle orienta ses pensées dans un sens plus positif, pour calmer cette crise de terreur passagère. Elle se redressa, tendit la main vers sa robe de chambre en murmurant quelques mots aux chiens qui s'agitaient dans leurs paniers, les yeux brillants.

— Alors, on descend, mes chéris ? Cela vous dit-il ? Une tasse de thé pour moi et peut-être un petit biscuit pour vous ? En avez-vous envie ? Oui, tu en auras un, Boyo. Et toi aussi, ma chère. Venez, on y va.

Elle sortit sur le palier, fredonnant des bribes d'une chanson de l'Oklahoma, les chiens à ses trousses, puis descendit le large escalier qui craquait sous ses pas, direction la cuisine. Comme le salon, cette pièce était longue et étroite : la partie « utile », avec sa cuisinière Esse, ses étagères peintes en blanc et ses armoires, ouvrait sur l'arrière-cuisine, et l'autre moitié faisait office de confortable petit séjour. Une table en pin rectangulaire était disposée sous la fenêtre et un fauteuil en rotin près de la porte à petits carreaux qui s'ouvrait sur la courette. Même ici, on trouvait des étagères garnies de livres, et des photographies dans les cadres les plus divers étaient placées sur le rebord de la fenêtre, à côté d'un cyclamen nain dans son pot de faïence bleue. Tout cela avait été aménagé pour accueillir le fauteuil roulant de Nest sans sacrifier à l'atmosphère confortable que Mina avait su créer durant les dernières années de la vie de leur mère.

« Assez grande pour deux, mais pas pour trois… », fredonna machinalement Mina – et puis elle se ressaisit.

Il y avait largement assez de place pour accueillir Georgie. Simplement, elles n'avaient jamais été plus de deux à vivre en permanence ici ces quarante dernières années et, naturellement, certains ajustements devaient être faits.

— Ça ne durera qu'un court moment, se dit-elle à haute voix, ouvrant la porte pour que les chiens puissent aller à l'extérieur. De petites vacances, en somme. Ça va être amusant.

Les chiens disparurent dans le jardin, si sauvage et si excitant pour eux, et Mina remplit la bouilloire, qu'elle posa sur la cuisinière Esse. L'écho de sa remarque flottait tristement dans le silence. Alors qu'un petit « po-po-po » s'échappait à nouveau de ses lèvres, après avoir resserré un peu la ceinture de sa robe de chambre, elle s'empara des ciseaux, glissés au milieu d'autres ustensiles dans un vieux pot Kilner, et détacha quelques grappes de raisin de la corbeille à fruits. Elle les trancha soigneusement en deux, y ajouta quelques morceaux de pain et s'en alla dehors nourrir les oiseaux. Elle émietta le pain sur la table aux oiseaux, puis vérifia si les mangeoires étaient bien garnies de noix et de graines. Les grains de raisin furent dispersés avec soin parmi la rocaille du jardin alpin, une création de Lydia, il y a si longtemps.

Le Chapitaine fut le premier à revenir, dans l'espoir d'obtenir son biscuit, et Mina en prit une poignée dans la boîte placée à cet effet près de la porte. Boyo Bon-à-rien surgit alors comme par magie, mais Mina attendit que Polly Garter vienne musarder dans la cour avant de leur distribuer leur dû : deux biscuits par tête, une petite tape et quelques mots d'amour pour chacun.

Elle prit sa tasse de thé, tourna le fauteuil en rotin pour faire face au soleil et, sirotant à son aise, se mit à guetter l'apparition des merles. Les chiens croquèrent bruyamment leurs biscuits. Boyo Bon-à-rien termina le premier et fixa les autres avec espoir, au cas où ils en laisseraient échapper quelques miettes. Le Chapitaine lui lança une mise en garde, sous la forme d'un grognement rauque, mais Polly Garter, déjà mère et grand-mère, lui permit de s'approcher pour laper quelques miettes sur le sol.

Mina, qui souriait à ce spectacle, murmura :

— Pas moyen d'être sage, hein, mon Boyo ?

Le merle s'avança en sautillant au milieu des rochers, sombre comme une ombre, trahi seulement par son bec jaune. Les chiens, qui se léchaient au soleil, ne le virent pas prendre son petit-déjeuner parmi les dernières fleurs pâles de parahebe, s'abriter sous les tiges ramifiées et faire tomber quelques pétales rouges d'épilobe en picorant les délicieux fruits sucrés. Ce fut sa compagne qui le chassa, jaillie des rochers en éparpillant quelques gouttes de rosée sur les duveteuses feuilles bleues du genévrier.

La table aux oiseaux paraissait vivante, elle palpi-
tait de couleurs : les ailes qui voletaient, la cascade
d'or et de bleu des plumages, les petites têtes lisses
qui s'inclinaient et picoraient. Mina avait fini son
thé, mais elle s'attardait au soleil, à les contempler,
rêvant au passé.

C'est Timothy qui encourage Lydia à construire
cette rocaille. La cour, où les plantes en pot n'appa-
raîtront que bien plus tard, est un endroit plutôt
triste avec son mur de pierre et ses dalles moussues.
Lydia aime cuisiner, elle cultive des herbes aroma-
tiques à la porte de la cuisine, et Timothy lui montre
comment créer à cet endroit un jardin miniature
très coloré, qu'elle pourra voir lorsqu'elle est aux
fourneaux. Ambrose accepte avec le sourire tout ce
que Timothy suggère, et celui-ci part aussitôt à la
recherche de plantes appropriées dans les pépinières
d'Ilfracombe et de Barnstaple.
Georgie et Mina se démènent pour apporter
ensemble de lourdes pierres aux formes biscornues ;
même Henrietta participe, revenant de la plage avec
de beaux galets dans son seau. Ce jardin en rocaille
devient le principal sujet de conversation, leur grande
entreprise ; les catalogues de semences et les ouvrages
de référence jonchent la table de séjour, les variétés
de plantes désirées y sont cerclées à l'encre rouge.
Après le thé, tandis que Lydia coud, et qu'Henrietta et
Josie s'appliquent d'une main maladroite à leurs colo-
riages, Timothy raconte ses voyages dans les Pyrénées
et les Alpes, décrivant les fleurs qu'il a vues. Il les
agrémente de quelques histoires de bandits pour faire
plaisir à Mina ; elle l'écoute, les yeux ronds. Georgie
s'installe ostensiblement sur les genoux de son père,
qui contemple avec un sourire satisfait tout son petit
monde.

Plus tard, lorsque Lydia et les enfants sont à nouveau seuls, d'étranges paquets arrivent par la poste : de belles plantes rares, venues d'autres pays, destinées à la rocaille. Alors que l'enfant grandit en elle, Lydia chante et joue avec ses filles en attendant le printemps, quand les blanches hutchinsies des Alpes refleuriront, à côté des marguerites jaunes d'Afrique du Sud. Les soirs d'hiver, quand les enfants ont été mis au lit, elle sort les lettres de sa boîte à ouvrage : de minces feuilles de papier fragiles, dans des enveloppes bordées de bleu, estampillées de mystérieux timbres exotiques et couvertes d'une écriture cursive. La lueur rosée que diffuse le verre de la lampe à huile, le crépitement du bois dans la cheminée, quelques tiges de jasmin d'hiver dans un vase vert, tout cela joue son rôle durant le moment intime où elle vibre aux aventures de son amant, à ses peurs, et aux précieuses effusions de l'amour.

Le printemps est froid mais suave, et en fin d'après-midi, le chant paresseux et cassé du merle la remplit d'une poignante inquiétude. Quand l'heure des enfants est écoulée, elle les enveloppe dans des vêtements chauds et, à leur grand plaisir, les emmène à la plage. Le mouvement puissant de la mer, qui balaie le sable strié de rides, apaise son désir et calme son manque. Elle regarde ses enfants jouer, mais ses pensées sont bien loin. Georgie et Mina font la course ; elles marquent la ligne d'arrivée d'une pierre tranchante et choisissent un rocher bien particulier comme point de départ. Le sable mouillé vole sous leurs petits pieds durs alors qu'elles foncent, tête baissée, les jambes levées haut.

— J'ai gagné ! crie Georgie sans vergogne. Tu m'as vue, Mama ? Je suis arrivée la première.

Mina la rejoint, hors d'haleine, rassemble ses cheveux noirs qui flottent au vent, puis les attache avec un élastique. Lydia leur fait un signe, en riant, et lève les mains pour applaudir en silence, car elle garde un œil sur Josie qui tente d'escalader le bord de la piscine de roche. Elle sait que Georgie triche et c'est donc Mina qu'elle serre une seconde ou deux de plus contre elle quand elles reviennent en courant pour se jeter dans ses bras. Henrietta leur montre son panier de coquillages et de galets, et quand la lune se lève, emprisonnée par les branches nues des arbres qui croissent sur les pentes raides de la clive, elles rassemblent leurs affaires et repartent pour la maison dans le crépuscule. Des phalènes volent autour d'elles et des chauves-souris balaient l'air ou tombent en piqué juste au-dessus de leurs têtes, arrachant des cris à Henrietta.

— Ne fais pas la sotte, lui dit Georgie, qui singe le ton condescendant de Papa. Elles ne vont pas te faire de mal.

Mais Henrietta se cramponne à la main de Mama. Elle aime d'ailleurs crier, cela l'excite, et généralement elle ne tient aucun compte des admonestations de Georgie, rejetant le rôle d'adjointe de Papa que prétend endosser sa sœur aînée, car elle devine intuitivement que Mama ne l'approuve pas. Elle hurle de plus belle, juste pour bien enfoncer le clou, puis trottine joyeusement à côté de sa mère, dont elle ne lâche pas la main.

— Fatiguée, fait Josie, en s'asseyant tout à coup parmi les fougères, au bord du ruisseau. À bras, réclame-t-elle.

— Oh, ma chérie ! répond Lydia avec impatience. Ne peux-tu faire l'effort de quelques pas de plus ?

Elle se sent lasse, elle aussi, et Josie est lourde. Lydia redoute de perdre le bébé qu'elle a réussi – jusqu'ici – à garder en elle.

— Nous sommes très près de la maison. Essaie, ma chérie, s'il te plaît.

— Fatiguée, pleurniche Josie, qui commence à ronchonner, refusant de bouger, et c'est Mina qui la prend dans ses bras, chancelant sous son poids.

Josie, qui a retrouvé tout son allant, lance un sourire de triomphe à Henrietta, et sa sœur lui tire la langue.

Bientôt, le simple fait d'aller à pied jusqu'à la mer devient trop dur pour Lydia. Elle est confinée au jardin et à la maison. Jenna, la jeune femme qui l'aide pour faire les courses et le ménage, vient à vélo à Ottercombe presque tous les jours afin de s'occuper des petits, tandis que Georgie et Mina sont à l'école du village. Un matin, peu après le début des vacances de Pâques, Lydia ne se lève plus du tout. Des messages sont envoyés à Londres et le médecin, aussitôt appelé, arrive dans sa petite Ford noire.

— Je connais un secret.

Georgie suit furtivement Mina, tout en gardant un œil sur Jenna, qui déploie la nappe de leur pique-nique sur la pierre. Henrietta aide à lester le tissu avec des galets, tandis que Josie louche avidement sur le grand panier en osier. L'agitation a régné à Ottercombe ces derniers jours : leur père est descendu de Londres, débarquant avec une femme vêtue d'un uniforme d'infirmière, et Mama ne bouge plus de sa chambre. Georgie, arrivée en courant de la maison pour rejoindre les autres sur la plage, est à bout de souffle. Sa poitrine maigre se soulève sous le pull jacquard qu'on lui a ordonné d'enfiler, parce que le temps de cette fin d'avril, quoique ensoleillé, reste froid. Elle halète et presse sa main sur ses côtes.

— J'ai un point, dit-elle.

— On nous a dit de rester ici jusqu'à ce qu'on nous appelle, explique Mina, qui a aidé ses jeunes sœurs à construire un château de sable, magnifique avec son fossé et ses tours surmontées de petits drapeaux de papier. Où étais-tu donc ?

Mina sait que Mama va avoir un bébé, et cela lui fait peur. Quand Henrietta et Josie sont nées, elle était trop jeune pour réaliser comment viennent les bébés, mais elle comprend désormais que le bébé grandit à l'intérieur du ventre de Mama et se demande de quelle façon il va bien pouvoir en sortir. Mama paraît si calme et si heureuse que, de toute évidence, l'épreuve ne devrait pas être aussi terrible.

— C'est une sorte de miracle, a-t-elle dit à Mina, mais vous êtes encore trop jeunes pour comprendre. Plus tard, quand vous serez plus grandes, je vous expliquerai.

Un miracle. Peut-être que c'est comme Jésus guérissant le paralytique, une de ces histoires tirées de l'Évangile – et, après tout, Mama a déjà eu quatre bébés...

« Moi, je sais comment naissent les bébés, a dit Georgie en prenant un air important, mais je ne peux pas vous le dire. C'est un secret. » Mina ne l'a pas crue.

— Est-ce que Mama ne va pas bien ? demande-t-elle maintenant, anxieuse, le cœur lourd, le ventre glacé d'effroi.

— C'est un secret.

Georgie garde un œil sur le groupe au milieu des rochers.

— Tu ne devines pas ? Je vais te le dire, mais promets-moi d'avoir l'air surprise, plus tard, quand Papa nous le répétera.

— Je te le promets, répond une Mina tremblante, dont les cheveux noirs fouettent les joues. Croix de bois, croix de fer, si je mens je vais en enfer... Mama est morte ?

— Non, répond Georgie avec dédain. Bien sûr qu'elle n'est pas morte, idiote. Nous avons un petit frère.

Une pause. Un nuage couvre le soleil, les ombres ondulent sur le sable et le vent se fait froid contre leurs jambes nues. Mina est trop soulagée pour s'en soucier, tandis que Georgie, elle, adresse maintenant à sa sœur un regard craintif, toute pause oubliée.

— Un frère... Crois-tu que Papa va toujours nous aimer ?

Lyddie referma la porte, fit une pause pour caresser le Nemrod, profondément endormi dans l'étroit couloir, et monta la grande enveloppe à bulles jusqu'à son bureau. Elle contenait le manuscrit de son prochain texte à relire – une saga historique, par un auteur sur lequel elle avait travaillé auparavant – et elle avait hâte de s'y mettre. L'éditrice, vieille amie et ancien employeur de Lyddie, avait déjà discuté de certains points avec elle au téléphone.

— On a dû faire beaucoup de retouches et les nouveaux ajouts ne collent sans doute pas très bien avec le texte d'origine. Fais bien attention au timing, s'il te plaît.

Elle avait réservé Lyddie pour un autre projet, à traiter sur les deux premières semaines de décembre – un auteur qui chaque année accouchait d'un thriller –, avait bavardé et échangé avec elle quelques potins, puis avait raccroché, non sans dire à Lyddie combien elle l'enviait de pouvoir travailler en Cornouailles. Lyddie n'était pas déçue le moins du monde ; la plupart de ses collègues avaient été étonnés à l'idée qu'elle allait abandonner un emploi fixe pour du free lance, qui plus est à Truro. Elle avait réalisé qu'ils s'inquiétaient pour elle. L'histoire de sa rencontre avec Liam, lors de vacances en Cornouailles, la vitesse à laquelle leur attirance mutuelle s'était changée en histoire d'amour, cela ressemblait trop à une fiction. Le fait qu'il lui ait demandé de l'épouser allait un peu apaiser leurs craintes, mais c'était une très lourde décision.

— Ça a l'air merveilleux, avaient-ils prudemment admis – mais Londres n'allait-elle pas lui manquer ?

Lyddie se pencha sur son agenda, notant à l'encre bleue la date d'arrivée du manuscrit, avec un sourire en repensant à tout cela. Il avait été difficile de décrire son amour pour Liam ou d'expliquer sa volonté de quitter Londres pour la vieille ville de Truro et sa cathédrale. Une fois qu'elle leur avait présenté Liam, bien sûr, ses collègues s'étaient montrés plus compréhensifs. Et sachant qu'ils pouvaient faire confiance à Lyddie, ils étaient tout à fait prêts à lui donner du travail en free lance.

« Je détesterais m'arrêter complètement de bosser, avait-elle dit à Liam, et cet argent nous sera bien utile. »

Il ne pouvait pas le nier : l'emprunt contracté pour lancer L'Endroit n'était pas bon marché et il avait insisté pour le réaménager, lui donner un air chic, rien de tape-à-l'œil. Joe était tombé d'accord là-dessus avec lui. Liam connaissait la cible, il savait exactement ce qu'il fallait – et il avait eu raison. L'Endroit s'était attiré une clientèle un peu plus relevée que celle des pubs, dont pas mal d'habitués. L'hypothèque, cependant, était énorme.

Tout en notant à l'encre rouge la date de retour du manuscrit à l'éditeur, Lyddie se demanda si oui ou non elle devait proposer l'argent qu'elle pourrait tirer de la maison d'Iffley, une fois la transaction finalisée. Liam n'y avait pas fait allusion et, curieusement, elle avait senti chez lui une certaine retenue à aborder la question. Liam était très possessif dès qu'il s'agissait de son entreprise, c'était son bébé, son univers et, même s'il l'encourageait à venir déjeuner ou dîner sur place, il ne faisait rien pour qu'elle se sente partie prenante de l'affaire. Joe et lui étaient associés, L'Endroit était à eux. Ni l'un ni l'autre ne lui avait jamais demandé son avis ou un conseil, mais ils continuaient à la traiter en invitée très spéciale. À certains égards, elle aimait cela : il n'y avait pas de pressions, pas d'attentes. Dans l'arrière-salle, après une journée à faire de l'editing, elle pouvait tout simplement se détendre, laisser vagabonder son esprit, se relaxer. Elle n'était jamais obligée de finir précipitamment sa tasse de café, comme Rosie lorsqu'un client attendait au bar, et ses repas lui étaient servis avec toute la courtoisie que l'on réservait aux clients. Son statut particulier la faisait se sentir privilégiée, ce qui était plutôt amusant.

Voulait-elle changer cet équilibre ? Serait-elle capable de mettre une grosse somme dans une entreprise à laquelle elle n'était pas associée, sans vouloir s'impliquer de quelque façon que ce soit ? Après avoir investi son argent dans L'Endroit, pourrait-elle rester désintéressée ? Et d'ailleurs, pourquoi cela devrait-il faire une différence, si elle n'avait aucun contrôle ? Après tout, elle tirait déjà bénéfice de l'entreprise : elle en vivait en partie. Et Lyddie aidait à payer l'hypothèque de la petite maison mitoyenne – pas complètement, toutefois. Elle avait son propre travail, dont les profits contribuaient à réduire leur endettement, de plus Liam était très fier d'elle. Lorsqu'il tombait sur un article consacré à l'un des romans sur lesquels elle avait travaillé, ou qu'on en parlait à la radio, cela le remplissait d'orgueil.

Elle redoutait de modifier ce statu quo, mais l'idée de ne pas contribuer plus substantiellement aux finances du ménage, si elle en avait les moyens, la peinait. Peut-être devrait-elle en parler aux tantes avant de le proposer à Liam. Le lendemain était pour elle un jour de congé et elle avait prévu de faire un petit saut dans l'Exmoor ; elle s'en réjouissait d'avance. Elle enfila sa polaire, prit place à son bureau, et se remit au travail.

VI

Les trois chiens étaient assis au bout de la terrasse, les oreilles en alerte. Des éclats de voix se faisaient entendre depuis l'intérieur de la maison, montant et descendant, mais leur attention était fixée sur le Nemrod, qui se tenait gauchement dans l'encadrement de la porte-fenêtre, moitié dedans, moitié dehors. Il était beau, avec son poil brillant d'un noir de jais, son poitrail blanc et ses taches rousses, mais les sealyham-terriers ne se laissaient émouvoir ni par sa beauté ni par sa nature pacifique, considérée avec mépris – par le Chapitaine, du moins, qui y voyait un signe de faiblesse.

Le Nemrod fit quelques pas prudents, émergeant peu à peu sur la terrasse, sa queue ondulant douce-ment, avec une espèce de déférence. Le Chapitaine gronda, une oreille tendue vers le salon, et Boyo Bon-à-rien, qui ne voyait pas les choses sous un angle aussi net, se rassit, les oreilles baissées. Polly Garter, trop vieille pour réagir autrement que de manière symbolique à cette agression territoriale, bâilla largement, se roula en boule et s'installa pour dormir au soleil. Le Nemrod y vit une ouverture et s'avança encore un peu plus. Une fois dehors, il se coucha rapidement, de peur que les deux chiens ne se décident pour une volée d'aboiements destinés à défendre leur espace vital. Il voulait signifier que son approche était tout à fait amicale. Il posa la tête sur ses pattes, oreilles dressées avec méfiance, et sa queue battit sans bruit la pierre chaude.

Le Chapitaine, irrité, s'agita. Son tempérament de feu lui commandait de se précipiter sur l'intrus. Il fallait se lancer à l'assaut de l'envahisseur et l'expulser de leur endroit bien à eux, leur chère terrasse ; mais il savait par expérience que cette réponse pourtant parfaitement naturelle et raisonnable ne lui attirerait que des cris et des reproches, ou entraînerait même la privation de certaines friandises. Les pattes raides, le poil hérissé, frustré, il émit un grognement du fond de la gorge, fixant insolemment son grand, bel et doux adversaire, qui aurait pu faire son déjeuner des trois chiens s'il avait eu une once de susceptibilité.

Boyo Bon-à-rien gémit un peu. Une bonne bagarre ne lui déplaisait pas, mais son instinct lui dictait d'aborder le Nemrod avec une amicale prudence. Le Chapitaine commençait à sentir la situation lui échapper… Les trois femmes sortirent en plein soleil avant qu'elle ne dégénère. Aussitôt, l'équilibre des forces bascula et la tension se relâcha.

Le Nemrod se leva, remuant la queue avec frénésie maintenant, et se dépêcha de s'asseoir à côté du fauteuil de Lyddie. Boyo Bon-à-rien, les hostilités étant closes, alla examiner le contenu du plateau posé sur la table en bambou. Le Chapitaine lança quelques brefs aboiements, pour bien signifier au Nemrod – et lui faire honte, comme il le méritait – qu'il n'avait sauvé sa peau que grâce à une meute de femmes, et il vint s'installer à côté de Nest. Seule Polly Garter resta étendue à rêver au soleil, insensible à l'aiguillon du désir, n'ayant nulle envie de bagarre, d'amour ou même de nourriture ; toute passion abolie.

Mina tendit la main vers sa chaude livrée blanche, se souriant à elle-même au souvenir d'autres jours, plus anciens, puis elle commença à verser le café.

— Nous sommes parfaitement prêtes, dit-elle gaiement à Lyddie. Sa chambre a belle allure, il n'y manque plus que les fleurs. J'espère qu'elle lui plaira. C'est la chambre qu'elle et moi avons partagée quand nous étions enfants, pendant la guerre. Tu sais, nous ne l'avons pas vue depuis des lustres. Oh, plus d'un an au moins ! Ça va être amusant, n'est-ce pas, Nest ?

Nest battit des paupières à l'instant où Lyddie la regarda et sourit en prenant sa tasse.

— Je suis sûre qu'elle va aimer, répondit-elle. Nous allons lui offrir de vraies vacances.

Lyddie glissa son bras autour du cou du Nemrod assis à côté d'elle, solide et rassurant.

— Mais vous me le direz, n'est-ce pas, si les choses commençaient à... eh bien, vous échapper un tout petit peu ?

— Pauvre Georgie, dit Mina d'une voix légère. Elle n'a jamais été folle, tu sais. Elle devient seulement un peu vieille, un peu distraite. Après tout, ne le sommes-nous pas toutes ? Je ne pense pas que nous aurons besoin de restreindre ses mouvements.

— Et si cela devient nécessaire, ajouta Nest d'un ton badin, en sirotant son café, nous l'assommerons avec une triple dose de mon chlorhydrate de tramadol et nous l'attacherons à son lit.

— Je vous en crois bien capables, répondit Lyddie en pouffant. Vous êtes aussi dénuées de scrupules l'une que l'autre.

Mina haussa ironiquement les sourcils.

— Tu nous fais trop d'honneur... Alors, comment va Liam ?

Légère pause. Les deux femmes, tout en évitant soigneusement que leurs yeux ne se croisent, en profitèrent pour lui jeter un regard à la dérobée. Lyddie caressa la douce tête du Nemrod, chauffée par le soleil, en émiettant quelques morceaux de biscuit de sa main libre.

— Il va bien, dit-elle enfin. Parfaitement, même. Tout va bien. Mais, en fait, je voulais vous parler de quelque chose.

Elle hésita quelques secondes encore, tandis que Mina et Nest s'efforçaient de contenir leur nervosité.

— Rien de trop grave ? lança finalement Mina, incapable de supporter l'attente plus longtemps. Rien de...

Elle ne savait comment formuler ses craintes et jeta un regard d'impuissance à Nest, qui secoua la tête en guise d'avertissement.

— Non, non, dit Lyddie très vite. Bien sûr que non. C'est simplement ce que je dois faire avec mon argent une fois que Roger aura obtenu son prêt. Je devrais récupérer cent cinquante mille livres. Liam n'en a jamais parlé, mais je sais qu'il y a une grosse hypothèque sur L'Endroit. Pensez-vous que je devrais lui offrir cet argent pour l'aider à la rembourser ?

— Non, dit Nest tout de suite, d'une voix si forte que Mina et Lyddie la dévisagèrent avec surprise.

Lyddie eut un petit rire gêné.

— Eh bien, voilà qui est franc, au moins, concéda-t-elle – mais elle avait l'air inquiète.

— Désolée, ajouta Nest rapidement. J'ai répondu par réflexe, mais en tout cas j'ai été honnête. Désolée...

— Je vous ai posé la question, dit Lyddie, tu n'as donc pas à t'excuser. Mais pourquoi dis-tu cela ? Après tout, ce bar est aussi ce qui me fait vivre, non ? Et Liam est mon mari. Est-ce qu'on ne devrait pas être partenaires en tout ? Financièrement, émotionnellement et... enfin, vous voyez.

Elle haussa les épaules.

— Cet argent pourrait peut-être être investi, en prévision de temps plus difficiles, avança prudemment Mina. L'Endroit est un grand succès, tout le monde le voit bien, néanmoins les choses peuvent mal tourner et il pourrait être plus sage de...

— Mais ce n'est pas seulement ça, coupa Nest. Désolée, Mina, mais je pense que cela doit être posé – puisque Lyddie nous le demande. Mon point de vue, c'est que L'Endroit est avant tout l'affaire de Liam, son jouet. Ou disons le sien et celui de Joe. Il me semble que tu n'es pas incluse là-dedans. N'est-ce pas une observation juste ?

— Parfaitement juste.

Lyddie se redressa. Ses cheveux de soie luisaient au soleil, mais son mince visage avait pris un air triste. Ses grands yeux gris-vert étaient devenus pensifs, et les tantes sentirent leurs craintes monter d'un cran. Mina eut soudain envie de prendre Lyddie dans ses bras, comme elle le faisait quand sa nièce était petite, et Nest ressentit une poussée d'aversion injustifiée envers l'absent, Liam. Lyddie soupira un peu et tendit un bout de sablé au Nemrod. Boyo Bon-à-rien se faufila jusqu'à eux, et le grand chien contempla avec bienveillance ce petit opportuniste qui venait jouer les aspirateurs entre ses grosses pattes. Encouragé, Boyo remua la queue et s'installa sous la table, un œil sur le Chapitaine, qui détournait ostensiblement la tête.

— Tu as vraiment mis le doigt dessus, dit Lyddie à Nest, après une minute ou deux. Je ne suis pas du tout incluse, à tous les points de vue. Il n'en discute jamais avec moi. C'est assez bizarre, même si je peux le comprendre. Liam est capable de se montrer très possessif. Peut-être les choses seraient-elles différentes s'il n'avait pas d'associé.

— Mais la question est là, justement, non ? s'empressa de faire remarquer Nest. Il en a un. Tu ne financerais pas seulement Liam, tu renflouerais Joe, aussi.

— Il pourrait y avoir un moyen légal de partager en trois, de créer des parts, glissa Mina, déterminée à prendre en compte toutes les options. De cette façon, si Joe devait s'en aller ou s'il voulait sortir de ce partenariat…

Elle s'arrêta, fronçant les sourcils, pas très sûre de savoir où son propre raisonnement la conduisait.

— C'est risqué, tempéra Nest, fidèle à sa première réaction. Et puis, si Liam ne te le demande pas, pourquoi le lui proposer ? Liam est un garçon très indépendant et il préfère sans doute maintenir une stricte distinction entre son entreprise et sa vie de famille. C'est un choix fort sage. Lui et Joe peuvent régler d'éventuels différends entre eux, mais deux contre un, ce serait dangereux. Je pense qu'il te serait impossible, si tu mettais de l'argent dans cette affaire, de rester complètement détachée ensuite, surtout si les choses se mettaient à péricliter. Pour l'instant, c'est à Liam de se débrouiller, les décisions lui appartiennent, et toi, tu es libre de te tenir à l'écart de tout ça. Tu n'as pas besoin de poser de questions, de discuter, ni de te fâcher sur quoi que ce soit. Si tu lui faisais cette proposition, tu risquerais de rendre les choses bien plus difficiles pour lui.

— Je suis sûre, s'empressa d'ajouter Mina, que s'il espérait une aide financière de ta part, il l'aurait manifesté depuis longtemps.

— Tu as peut-être raison, admit Lyddie, l'air soudain plus gaie. Je vais y réfléchir sérieusement mais, grâce à vous, j'ai déjà les idées plus claires. Désolée d'avoir mis cette question sur le tapis et de vous ennuyer avec mes problèmes.

— Sottises ! s'exclama Mina. Tu sais bien que nous sommes là pour ça ! Allez, reprends donc un peu de sablé, et cette fois-ci, garde-le. Je l'ai fait spécialement à ton intention, pas pour le Nemrod ou pour Boyo. Tiens, avale ce beau morceau et parle-nous maintenant de ce que tu fais comme travail en ce moment. Une grande saga paysanne ? Un thriller sanguinolent ?

Voyant que la discussion était close, Lyddie accepta un sablé et se cala dans son siège pour leur parler de livres.

Beaucoup plus tard, une fois Nest couchée, Mina reprit place devant l'ordinateur. C'était son neveu Jack, le fils de Timmie, qui l'avait initiée à l'univers du Web – tout comme il l'avait auparavant initiée à *Private Eye*[1]. Durant les premiers mois qui avaient suivi l'accident, alors que Nest était dévastée par la douleur, le chagrin et la culpabilité, Jack avait montré à Mina comment communiquer avec des gens qui se trouvent dans une situation similaire : ces personnes qui sacrifient le meilleur d'eux-mêmes, avec chaleur, humour, patience et amour.

— Il faut te ménager un jardin à toi, lui avait-il dit, sinon tu vas te consacrer totalement à Nest et c'est dangereux. Surfe donc sur le Net. Parles-en à d'autres aidants, il y a tant de gens qui sont dans le même bateau. Échangez quelques blagues ensemble, défoulez-vous. Prends garde à ne pas devenir esclave du handicap de Nest, ne reproduis pas ce que tu as vécu avec grand-mère. Oh, je sais que tu l'adorais, et que tu étais heureuse de t'occuper d'elle, mais depuis dix ans, je t'ai vu vivre ta vie : tu es partie aux États-Unis rendre visite à tante Josie et aux garçons, tu es

---

1. Magazine satirique anglais créé en 1961.

allée à Oxford, tu t'es acheté des chiens. Je ne veux pas te voir sombrer à nouveau, avait-il conclu en l'embrassant avec affection.

Il était étrange qu'il persiste à l'embrasser plutôt qu'à simplement l'étreindre, étrange de sentir ses lèvres toucher sa peau sèche. Après son départ, elle avait pressé doucement sa joue pour y retenir son baiser. *Darling Jack...* Si grand, si blond. Exactement comme Timmie, tout son père.

Ambrose, débordant de fierté, insiste pour que Timothy soit le parrain de son fils, et il annonce tout de go à Lydia :

— Nous allons l'appeler Timothy. Qu'en dis-tu ? J'avais songé à le baptiser Ernest, comme mon père. Mais nous allons lui donner le prénom de ce cher vieux Timothy, n'est-ce pas, chérie ?

Lydia accepte avec gratitude, berçant son nouveau-né, s'émerveillant de sa blondeur après quatre filles aux cheveux noirs. Ambrose retourne à Londres et c'est pour lui un déchirement, tandis que Lydia et les filles s'installent dans un nouveau mode de vie. La joie d'Ambrose a soufflé un vent de bonheur sur l'ensemble de sa famille ; il est devenu plus expansif, plus ouvert, plus affectueux envers tout le monde, et même Georgie, pour l'instant, ne se sent aucune jalousie. Timmie – « Timothy » est rapidement raccourci par Josie – est un bébé épanoui, joyeux ; ses sœurs se disputent la responsabilité de veiller sur lui et elles veulent toutes aller le montrer aux rares voisins.

— Comme c'est bizarre, murmure Enid Goodenough, penchée au-dessus du berceau. Si blond. Pas du tout comme ses sœurs, n'est-ce pas ?

Les yeux brillants, elle adresse un clin d'œil malveillant à son frère, Claude, posté près de la porte-fenêtre, qui se dandine tout en se lissant la moustache.

Il émet un petit gloussement, ponctué d'un battement de paupières à destination d'Enid.

— Un sacré changement !

Lydia verse le thé sans se troubler.

— Il tient de mon père, leur dit-elle. Il était très blond et très grand.

— Bien sûr, ça explique tout, susurre Enid Goodenough, si bas que Lydia ne saisit pas très bien ses paroles.

Mais Mina, jamais très loin de son frère, a tout entendu et cela l'intrigue.

— Je n'aime pas les Goodenough, déclare-t-elle à Georgie après leur départ. Ils sont… tordus.

Georgie est trop occupée à jouer son rôle d'aînée (« une vraie petite maman », a dit un voisin), pour se soucier d'Enid et de Claude. Elle s'empresse d'aller faire une course importante qu'on lui a confiée, abandonnant Mina à elle-même. Mina essaie de comprendre. Pourquoi les Goodenough ont-ils laissé tant de nervosité dans leur sillage ? Mama ne paraît plus aussi tranquille après leur visite, elle semble même inquiète lorsqu'elle soulève le bébé de son berceau et presse contre sa joue la petite tête blonde toute ronde. Mina voudrait rétablir l'harmonie que les Goodenough ont détruite.

— C'est l'heure des enfants, Mama, dit-elle, toute prête à s'évader dans un autre univers. Crois-tu que Sophie la Vilaine va trouver une nouvelle histoire à raconter à Baron le Voleur ? Je suis impatiente d'entendre la suite ! Puis-je appeler les autres ?

Mama sourit, touchant les cheveux de Mina. Elle hoche la tête, les lignes soucieuses s'effacent de son front. Mina pousse sans même s'en rendre compte un soupir de soulagement en filant chercher ses sœurs. À neuf ans, les livres sont son principal plaisir, son plus grand réconfort. Leurs mondes sont sa réalité. Elle peuple la vallée et la plage de personnages de fiction. Elle les connaît si bien que leurs paroles s'échappent facilement de ses propres lèvres. Sophia la Vilaine se prête particulièrement bien à une réincarnation dans l'univers de Mina. L'heure des enfants est, pour la fillette, le moment le plus magique de la journée.

Bientôt, tout le monde est prêt : Georgie et Mina sur le canapé, entourant Timmie, soigneusement installé entre elles ; Josie allongée sur le sol, avec son puzzle de bois ; Henrietta sur le tabouret, d'où elle peut voir les images. Les fenêtres sont ouvertes, laissant pénétrer les senteurs de l'été et le chant des oiseaux du jardin. Un tableau si tranquille... Mina se détend, calée contre les coussins, en attendant que s'élève la voix de sa mère. Le livre est ouvert et Mama commence à lire : « Chapitre dix-sept. Comment on raconte aux Voleurs une histoire de Fantômes... »

Mina, en fredonnant, promena son curseur sur l'écran et cliqua pour ouvrir une fenêtre, tout en se demandant à quel point sa vie avait été influencée et même conditionnée par les livres. Longtemps, elle avait cru ne jamais parvenir à quitter le monde clos de l'imaginaire, et dormir toute sa vie au fond de ce bel étang ; mais elle se remémora aussitôt sa propre histoire d'amour brisée, les années du Blitz à Londres et son mariage, suivi par la mort de son jeune époux à Jérusalem, à la fin de la guerre. Quel contraste ! À cette poignée d'années, avec leur atmosphère unique, quand la peur et les tragédies quotidiennes se mêlaient à un si fervent, un si ardent désir de vivre, succédait aujourd'hui le calme, la routine d'une existence auprès d'une invalide. Son amour des livres l'avait sauvée de l'ennui et de la frustration et, quand elle était revenue habiter à Ottercombe, elle s'était engouffrée dans d'autres mondes, des vies qui n'étaient pas la sienne, à tel point qu'elle avait souvent du mal à s'en détacher. C'était sa passion pour la littérature qui lui avait fait connaître Elyot. Son épouse était invalide et, lui aussi, il utilisait Internet pour rester en contact avec les autres, au-delà de son univers étroit. Mina et lui fréquentaient un forum de discussion littéraire et, tous les deux enthousiastes à propos d'un même livre en particulier, ils avaient commencé à échanger plus directement opinions et conseils de lectures. Il était tout simplement « Elyot ». Peu à peu, leur correspondance s'était élargie à d'autres sujets. Avec prudence, sans pour autant se montrer indiscrets, ils s'étaient mis à parler de leurs frustrations, de leurs craintes, s'encourageant, sympathisant et se remontant le moral.

Il était difficile dans de telles conditions de ne pas devenir plus intimes. Mina avait certainement envie d'en savoir plus au sujet de cet homme intelligent, spirituel, mais elle savait bien que la déception la guettait si elle cédait à l'envie de le sonder de trop près. En attendant, ils s'étaient créé un petit monde à eux, peuplé de personnages de fiction, agrémenté de badinages ou de conversations plus sérieuses. Enfant unique, il était fasciné par ce qu'elle lui racontait sur sa famille et attendait-il avec autant d'impatience qu'elle la visite de Georgie. Son dernier e-mail débordait d'admiration pour elle.

De : Elyot
À : Mina
Quelle femme courageuse vous êtes. Je vais résister à la tentation d'une référence littéraire aux trois sœurs[1] – plus sérieusement, j'espère que vous n'allez pas être débordée. J'espère aussi que vous ne serez pas trop occupée, ma chère amie, pour « m'e-crire ».

1. Les trois sœurs Brontë : Anne, Emily, Charlotte.

Son cœur avait battu follement, réchauffé par ces simples mots, « ma chère amie », et dans l'espoir de le faire sourire elle aussi par une allusion littéraire aux « noires sorcières de minuit[1] », elle lui avait assuré qu'elle maintiendrait le contact.

Enfin prête à se détacher de ses problèmes les plus pressants et à oublier un instant l'arrivée imminente de Georgie, Mina commença à ouvrir ses e-mails.

---

1. Les trois sorcières de *Macbeth*.

VII

— Thé, annonça Liam, en posant prudemment la tasse au milieu des papiers éparpillés sur le bureau de Lyddie. Alors, comment ça avance ?

Lyddie, qui vérifiait un anachronisme dans son exemplaire du *Oxford Twentieth-Century Words*, repoussa le dictionnaire et s'étira, les bras levés au-dessus de la tête, en lui souriant.

— Nous avons une Jenny, une Janie et une Julie, dit-elle, ce qui est très déroutant. Je crains que l'auteur ne doive en rebaptiser au moins une, et probablement deux.

Liam était impressionné par cet espace de travail, organisé dans les règles de l'art, bien loin de la confusion qui régnait sur son propre bureau. Le manuscrit de la saga historique sur lequel elle travaillait était parsemé de corrections au crayon, des questions étaient inscrites sur une feuille de format A4 placée à côté, et elle avait à portée de main son vieux dictionnaire *Collins* qu'elle adorait, ainsi que d'autres ouvrages de référence. Lyddie s'était enveloppée dans un long et doux manteau tricoté, d'un sombre vert sapin. Liam regarda autour de lui, fronçant un peu les sourcils.

— Seigneur, qu'est-ce qu'il fait froid, ici ! Tu vas te raidir complètement, à rester assise là pendant des heures, avec l'hiver qui arrive.

Lyddie haussa les épaules, s'emparant de sa tasse, qu'elle tint à deux mains.

— C'est agréable et confortable dès qu'il y a un peu de soleil, dit-elle. De toute façon, la pièce est trop petite pour ajouter un radiateur électrique, avec le Nemrod qui se niche là-dessous. Son pelage flamberait.

Le grand chien, qui occupait tout l'espace disponible au sol, ouvrit un œil en entendant son nom, et sa queue battit l'air une fois ou deux.

— Tu ne préférerais pas plutôt un radiateur ? fit Liam en taquinant le Nemrod du bout du pied.

— Ah non, ça non ! s'indigna Lyddie. Il me tient compagnie. C'est d'ailleurs bien pour ça que tu me l'as acheté. Tu te souviens ?

— Bien sûr.

Il appuya ses deux mains sur le bureau et se pencha pour l'embrasser.

— Bien sûr que je m'en souviens… Tu es très belle, te l'ai-je dit ? Tes yeux sont verts aujourd'hui, pas du tout gris. Un vert foncé, magnifique. Impressionnant !

Il se recula pour l'admirer, s'inclina à nouveau pour l'embrasser et se redressa.

— Je dois faire un saut en ville. Je te verrai plus tard. Si je ne reviens pas, tu me trouveras à L'Endroit.

— Oh, mais…, commença-t-elle, déçue. Je vais avoir fini dans une heure ou deux et j'espérais avoir le temps de faire une promenade avec toi, maintenant que la pluie semble s'être arrêtée.

— Désolé, mon amour, répondit-il en contournant le Nemrod. Pas cet après-midi. Peut-être demain.

— Tu vas au cash and carry ?

Elle se sentait bêtement abandonnée, tant elle comptait sur cette poignée d'heures avec lui, les jours où elle terminait vers cinq heures et qu'il ne se rendait au bar à vins qu'à sept heures.

— Est-ce que tu prends la voiture ?

— Non, fit-il en secouant la tête. Je n'en ai pas besoin. Tu peux t'en servir si tu veux aller faire un tour dans la nature.

— Je vais voir comment je me sens. Avec les jours qui raccourcissent, je pense que je vais aller promener le Nemrod un peu plus tôt. Alors, tu vas où ?

— Oh, ici et là. Je dois voir un gars au sujet d'une pub dans un magazine local. Et passer à la banque. Deux ou trois trucs.

Son mouvement d'épaules, accompagné d'un geste des mains, exprimait l'ennui que représentaient pour lui ces corvées.

— On se voit après...

Elle l'entendit descendre l'escalier d'un pas pressé et, quelques instants plus tard, la porte se referma derrière lui. Lyddie sirota son thé. Sa concentration avait été brisée par la brève visite de Liam et son baiser l'avait ébranlée. Liam avait multiplié les passages à la banque tout récemment, bien qu'il n'en ait jamais discuté ensuite avec elle, et il paraissait un peu préoccupé. Il se montrait attentionné, plein d'amour envers elle, et professionnel comme toujours quand il était de service, mais elle pouvait sentir chez lui une sorte de réserve que Liam, avec toute son habileté, ne pouvait dissimuler. Sa façon de lui faire l'amour exprimait un pressant besoin d'elle qui l'excitait et stimulait son plaisir, cependant il lui était très désagréable de se dire qu'il n'arrivait pas à se confier à elle. L'une des choses qui l'avait attirée en lui était l'absence de toute puérilité. Il était séduisant, fort, tout à fait maître de lui, et qu'il l'ait choisie, elle, alors qu'il en avait tant d'autres à sa disposition, avait été terriblement bon pour son ego.

Fermant les yeux, elle se rappela l'instant où il s'était approché de sa table, alors qu'elle déjeunait à L'Endroit, la fixant avec une intensité flatteuse.

— Êtes-vous heureuse ? lui avait-il demandé, comme s'il voulait vraiment le savoir, comme s'il s'en souciait vraiment.

Elle avait éclaté de rire. C'était si bizarre d'être abordée de cette façon.

— Presque, avait-elle répondu avec une surprenante insouciance – car elle était en général plutôt timide vis-à-vis des inconnus. Presque, mais pas tout à fait.

Le visage de Liam s'était éclairé d'un désarmant sourire et l'éclat qu'avaient alors pris ses yeux bruns lui avait fait battre violemment le cœur.

— Eh bien, voyons, qu'est-ce qu'on pourrait faire pour que votre félicité soit complète ? avait-il demandé. Vous apporter encore un peu de café ? Ou un cognac ? C'est une chose terrible que d'être presque heureuse, mais pas tout à fait. Mieux vaut être entièrement malheureuse.

Elle avait fait semblant de méditer une réponse qu'elle voulait spirituelle, originale, mais savait très bien qu'elle n'en trouverait pas. Elle l'avait regardé parcourir la salle, s'arrêter à chaque table, faire rire les hommes et provoquer les femmes. Elle voulait se montrer différente, imprévisible.

— Oh, je ne dirais pas comme vous, avait-elle répondu tranquillement. Et je crois que, après un repas aussi délicieux, ce que j'aimerais le plus, c'est une promenade.

Elle lui avait adressé un sourire presque dédaigneux, même si cela lui coûtait un énorme effort de ne pas regarder dans sa direction, de ramasser son sac et d'y plonger la main, l'air indifférente, pour attraper son porte-monnaie.

— Et vous avez raison, avait-il fait, en la fixant, songeur. Je connais l'endroit idéal par un bel après-midi comme ça, tout à côté d'ici. Moi-même je m'apprêtais à y aller, et je serais ravi de vous le montrer. Ensuite, vous voudrez peut-être revenir ici pour une dernière tasse de café ?

Cela avait été un moment de pure folie, un instant magique. Le silence était tombé au milieu des tables lorsqu'il avait levé la main pour faire signe à Joe et qu'ils étaient sortis ensemble, allant marcher le long de la rivière.

— Pourquoi avoir baptisé votre bar L'Endroit ? lui avait-elle demandé.

— Parce que c'est le meilleur endroit où aller, le seul endroit où aller, l'endroit où être vu, celui où tout se passe, et quoi d'autre encore ? avait-il répliqué en haussant les épaules, et elle avait ri.

— Êtes-vous tout à fait heureuse, maintenant ? avait-il dit plus tard, alors qu'ils s'abritaient un instant dans l'ombre de la cathédrale.

— Entièrement heureuse, avait-elle répondu avec insouciance.

Et c'est comme cela que tout avait commencé.

— Je n'ai jamais vu ce vieux Liam dans un état pareil, lui avait assuré Joe. Vous l'avez vraiment tourneboulé. Remarquez, je peux le comprendre.

Il lui avait adressé un clin d'œil approbateur, envieux même, et elle avait eu l'impression qu'une autre femme s'était glissée dans sa peau. Plus sûre d'elle, plus audacieuse, plus sexy, plus intelligente. Liam l'aimait et il voulait l'épouser ; oh, oui, elle était tout à fait heureuse…

Plus tard, en le regardant faire la navette entre les tables, et en voyant les expressions presque vides de toutes ces femmes qui le dévoraient des yeux, elle avait eu un frisson et s'était sentie plus faible, plus vulnérable. Mais il lui semblait que la véritable force motrice, dans la vie de Liam, c'était L'Endroit ; cela n'avait rien à voir avec son amour pour elle, mais lui était néanmoins absolument nécessaire. Il se battait pour ça, il bossait dur, c'était sa *raison d'être*[1]. Était-il possible que l'avenir de ce bar pût un jour être menacé ?

Après sa visite aux tantes, elle avait décidé de ne pas proposer de mettre de l'argent dans l'affaire, à moins que Liam ne le lui demande expressément. S'il le faisait, alors elle devrait reconsidérer sa position vis-à-vis de L'Endroit. C'était horrible, cependant, de songer que ses crédits le tenaillaient, alors même qu'elle était en mesure de l'aider. Toutefois, jusqu'à ce que Roger soit parvenu à régler cette histoire de rachat de ses parts sur la maison d'Iffley, elle ne disposait pas encore de la somme. On n'en était donc encore qu'au stade des hypothèses.

Lyddie finit son thé, reprit son crayon et se replongea en plein XVIIIe siècle.

Mina, qui ramassait les feuilles sur la pelouse, entendit la voiture approcher. Celle-ci mit un peu de temps à apparaître dans son champ de vision, puis en fin de compte elle vint se garer dans l'allée de gravier, sur le côté de la maison. Mina avait laissé tomber son râteau et s'était dépêchée de traverser la pelouse, précédée par les chiens. Georgie avait pris place sur le siège passager, Helena conduisait. Pendant quelques secondes, les deux sœurs se dévisagèrent à travers le pare-brise, tandis qu'Helena coupait le contact et commençait à sortir. Georgie restait immobile, affichant un air buté, mécontent, comme si elle nourrissait une secrète rancune. Vêtue très proprement d'un jersey marron d'où dépassait le col blanc de son chemisier montant et d'une jupe écossaise, marron elle aussi, elle avait tout à fait

---

1. En français dans le texte.

l'apparence d'une personne âgée – et en même temps on eût dit une enfant.

Mina songea qu'elle avait exactement la même allure que du temps où elles étaient à l'école à Londres. Elle portait un uniforme de cette couleur, avec jersey et jupe écossaise. *Oh, ma sœur chérie. Tu as l'air tant vieillie...*

À la vue de cette sœur aînée devenue si vulnérable, elle se sentit bouleversée d'amour et de pitié. Elle se hâta de lui ouvrir la portière.

— Georgie, dit-elle vivement. C'est si amusant que tu viennes. Quel plaisir de te voir.

Helena s'empressa de faire le tour de la voiture, embrassa Mina et se pencha en étendant le bras pour aider sa mère à s'extirper de son siège.

— Voiiilààà ! s'exclama-t-elle. Magnifique. Nous avons fait un beau trajet à travers la lande, tante Mina. N'est-ce pas, maman ?

Georgie se laissa aider à descendre de voiture, et son regard glissa vers le visage de Mina, guettant une réaction. Mina, qui savait Helena capable d'une insupportable condescendance, sourit brièvement à sa sœur, lui envoya un petit clin d'œil et, pour un bref instant, le temps fit marche arrière. Elles se retrouvèrent unies à nouveau par cette inexplicable complicité entre sœurs, faite de moments partagés... Georgie, maintenant debout, écarta le bras de sa fille et regarda alentour, en demandant :

— Où est Nest ?

Mina réprima un sourire : c'était bien elle, ça, d'exiger un comité d'accueil au grand complet.

— Elle dort, probablement, répondit-elle. La pauvre Nest fait de mauvaises nuits, alors elle se rattrape avec une petite sieste après le déjeuner.

Georgie renifla avec mépris.

— Je n'ai jamais dormi durant la journée de toute ma vie, dit-elle. C'est un signe de vieillesse et de sénilité.

— Tu n'es pas paralysée depuis un accident de la route, répliqua sèchement Mina.

— Si elle ne dormait pas tout l'après-midi, elle dormirait sans doute mieux la nuit, insista Georgie, en ignorant les chiens qui rivalisaient pour attirer son attention, puis elle se tourna vers la maison.

— C'est la douleur physique qui empêche Nest de dormir, pas une banale insomnie, fit Mina, dont la sympathie pour sa sœur aînée s'était très vite désintégrée, laissant place à une certaine irritation. Réfléchis-y deux secondes !

— Allons, allons ! Pas de querelles ! s'écria gaiement Helena, en déchargeant plusieurs bagages de la voiture. Nous savons tous que l'endurance de maman est extraordinaire. Elle va vous épuiser, vous verrez.

Georgie détourna brusquement la tête, et Mina la regarda avec curiosité. Il était clair que Georgie se sentait humiliée ; elle était vieille et sans défense, et voilà qu'on se la passait comme un vulgaire paquet. Sa fierté ombrageuse était balayée ; une terne résignation la remplaçait. Un frisson traversa le cœur de Mina au plus profond. Combien de temps Nest et elle seraient capables de gérer la situation ? Et ensuite, qui donc prendrait soin d'elle ?

— Venez, le thé est prêt, dit-elle.

Elle réalisa que toute manifestation de sympathie envers Georgie blesserait sa dignité – ou le peu qui lui restait – et elle prit soin de conserver un ton tout à fait impassible. Georgie avança en titubant, refusant d'accepter le rôle d'invitée, déterminée à revendiquer l'égalité avec ses sœurs.

— Rien n'a changé ici, dit-elle avec satisfaction, balayant l'entrée du regard. Où allez-vous me mettre ?

— Dans notre ancienne chambre. Celle que nous avons partagée, toi et moi, pendant la guerre, précisa Mina, qui guettait une réaction négative. J'ai pensé que tu aimerais la retrouver.

— Hum, fit Georgie sans se prononcer, refusant d'accorder à Mina son approbation. Il faut que j'aille aux toilettes.

Elle traversa le vestibule et fila directement à l'étage – alors qu'il y en avait aussi en bas. Mina se tourna vers Helena, les sourcils levés.

— Elle me semble en très bonne forme.

C'était en réalité une question, et Helena y répondit, sur la défensive.

— Dans une forme splendide, oui. Entièrement d'accord avec toi. Et elle semble parfaitement lucide. Mais…, dit-elle en hochant la tête, levant pompeusement le menton, les lèvres pincées… Attends de voir. Il y aura un changement progressif. Perte de mémoire, des mots qu'elle ne parvient plus à trouver, ce genre de choses…

— Vraiment ?

Mina semblait sceptique.

— Oui, vraiment !

Helena commençait déjà à perdre patience, mais elle se rappela tout à coup qu'il serait insensé de dramatiser les problèmes de Georgie.

Mina la dévisagea, amusée par le dilemme de sa nièce qui avait soudain bien du mal à contrôler ses émotions.

— Écoute, tante Mina, je te jure que nous faisons ce que nous pensons être le meilleur pour elle. Et le médecin traitant est d'accord avec nous – c'est rassurant. Cette maison de retraite est absolument charmante et elle sera beaucoup plus heureuse là-bas que coincée toute la journée dans une pièce, avec une sorte d'assistante maternelle, Rupert et moi autour d'elle. Et en plus – l'expression d'Helena tourna soudain à l'abattement complet –, on ne peut pas dire qu'elle ait jamais beaucoup apprécié Rupert.

— Je sais, appuya Mina, touchée par l'authentique souffrance de sa nièce. Je comprends vos difficultés.

— Oui, c'est dur.

Helena la fixa comme si elle allait brusquement éclater en sanglots. À cet instant, son assurance et son self-control parurent près de s'effondrer.

— Pour être franche, nous avons passé beaucoup de temps avec elle, en disposant rarement d'une heure à nous, et elle se montre tout à fait ingrate. Elle est impolie avec Rupert et rien de ce que je fais ne trouve grâce à ses yeux. Pourtant, je me sens aussi terriblement coupable de la mettre en maison. Je sais ce que vous pensez tous, mais je ne vois pas quoi faire d'autre. Nous ne sommes jamais arrivés à trouver quelqu'un qui la supporte à plein temps et je ne vois pas pourquoi je devrais renoncer à mon travail quand elle ne me témoigne jamais la moindre affection.

Une porte claqua à l'étage et Helena se tut, se mordant les lèvres. Mina toucha légèrement le bras de sa nièce, étonnée par un tel déchaînement de la part d'Helena, d'habitude si réservée.

— Je suis sûre que ce que vous faites est la bonne chose, lui dit-elle avec douceur. Nous ne sommes pas là pour vous juger. Et rappelle-toi, je connais Georgie mieux que quiconque.

Helena la dévisagea.

— Oui, dit-elle. Oui, bien sûr que tu sais tout ça. Et ce ne sera pas pour longtemps, honnêtement.

— Ne t'en fais pas, répondit Mina. Nous allons nous débrouiller.

Georgie descendit l'escalier et les rejoignit, un discret sourire sur ses lèvres jointes.

— Ça a l'air bien, dit-elle à Mina. Très confortable. Alors, et ce thé ?

— Juste une petite tasse, ce serait parfait, fit Helena en reprenant son sang-froid. Je dois reprendre la route. J'ai un long trajet devant moi.

— Eh bien, nous n'allons pas te retenir ! siffla Georgie. Prends-tu encore le thé au salon, Mina ?

— Oui, toujours, répondit Mina, mais puisque Helena doit repartir, nous allons faire plus simple et le boire dans la cuisine. Ensuite, quand Nest se lèvera, nous prendrons un vrai thé à trois. C'est ce que nous faisons habituellement.

Quelques minutes plus tard, lorsque les deux sœurs adressèrent un dernier au revoir à Helena, Mina sentit un accès de panique lui soulever les côtes. Georgie la regardait avec une expression étrange quand le bruit du moteur s'éteignit, et Mina se demanda ce qu'elle devait dire à sa sœur aînée. « Bienvenue » ? « C'est bon de t'avoir à nouveau à la maison » ? Au lieu de cela, elle se surprit à lui lancer quelque chose de tout à fait différent :

— Te souviens-tu, lui demanda-t-elle, que nous avions l'habitude de grimper vers le haut de la route pour aller y attendre Papa ou Timothy, et que nous montions sur le marchepied de la voiture ?

Le silence qui régnait dans le jardin ensoleillé s'emplit alors de souvenirs. Mina vit Georgie déglutir. Son visage se chiffonna.

— Allez, lui dit-elle en lui prenant le bras. Viens, allons voir la mer.

Après la naissance de Nest, c'est Timothy, plutôt qu'Ambrose, qui fait le plus grand nombre de visites à Ottercombe.

— Encore une fille…, a dit Ambrose, presque indifférent.

Avoir un fils a perdu pour lui de son attrait tout neuf au profit de l'affection grandissante qu'il voue à la belle veuve de St John's Wood. Bien née, jouissant d'une belle position sociale, elle n'a aucun enfant pour la distraire de leurs envies communes, et elle sait s'entourer à merveille pour l'amuser et encourager son ambition. Lydia et les enfants sont incités à passer plus de temps dans l'Exmoor et la naissance de Nest donne à Ambrose une excuse parfaite pour envoyer Lydia hors de Londres durant les grandes vacances, en insistant sur son besoin de tranquillité et de repos, pour sa santé.

— Nous allons l'appeler Ernestina, d'après le prénom de mon père, a décidé Ambrose – et cette fois c'est Timmie, du haut de ses deux ans, qui, incapable de prononcer ce prénom en entier, la rebaptise « Nest ».

La petite fille au teint pâle et aux cheveux noirs comme ses sœurs grandit dans les pas de Timmie : on les surnomme « les Minis ». Lydia est trop heureuse de permettre à Mina de les materner et, même si elle n'a que sept ans, Josie se considère comme une adulte par rapport à eux.

Timothy passe souvent, leur apportant des jouets étranges et de délicieux gâteaux. Il leur témoigne une tendresse que ne leur a jamais montrée leur père. Ses visites sont attendues avec une telle impatience que, quand ils entendent le tut-tut familier du klaxon de sa voiture résonner dans la vallée, les enfants grimpent jusqu'en haut du virage pour aller à sa rencontre. Accrochés comme des singes aux portières, ils se juchent sur le marchepied de la traction, poussant des cris d'excitation sur le chemin cahoteux. On le tire de la voiture, chacun le harcèle pour lui montrer ses derniers progrès ou l'entraîner jusqu'à la mer. La mer est la récompense naturelle pour qui vient jusqu'à Ottercombe House et les enfants aiment à partager la joie et le plaisir du visiteur. Mais « Mama d'abord », insiste Timothy, et ils attendent avec impatience pendant qu'il va dire bonjour à Lydia au salon. Timothy se voit accorder d'instinct les privilèges dont jouit d'habitude Papa. Il reste un moment en tête à tête avec elle, tandis qu'ils se chamaillent pour décider ce qu'il devra faire ensuite.

Ils le savent tous pourtant, ce sera exactement comme d'habitude, ce qui les rassure : d'abord la longue randonnée à pied jusqu'à la mer et les jeux sur la plage, puis le retour à la maison pour prendre le thé au salon, et enfin le dernier chapitre du livre en cours. C'est le moment de calme, quand toutes les petites préoccupations de la journée s'effacent : l'heure des enfants.

VIII

— Allô ! Pardon, qui... ? Oh, Jack, désolée, je rentre à l'instant d'une promenade. Comment vas-tu ?

Serrant le combiné, Lyddie laissa tomber son manteau sur l'une des chaises de la cuisine et traversa la longue pièce pour aller se percher à l'extrémité de la table.

— ... Et comment va ma filleule ?

— Ta filleule est une vraie petite sauvage. Si elle veut vivre jusqu'à son deuxième anniversaire, elle va devoir faire des efforts... Comment ça se passe, à Truro ?

— Très bien, fit Lyddie en riant... Pauvre Flora. Qu'a-t-elle fait encore ?

— Pauvre Flora !? répéta Jack avec indignation. Et nous, alors ? Hannah et moi, on est épuisés, sur les genoux, Tobes se fait harceler et terroriser, et toi tu dis : « Pauvre Flora ! »... Bon, quand est-ce que tu viens nous voir ?

— Oh, Jack, j'aimerais tant...

Elle visualisa la vieille maison de pierre du Dorset, dans le petit parc attenant à l'école, et les huit garçons qui vivaient avec Hannah et Jack leur première année d'école préparatoire. Hannah était vive, chaleureuse ; elle était idéalement assortie à l'imperturbable Jack, solide comme un roc, et les garçons les adoraient autant l'un que l'autre. Le petit Toby, quatre ans, avait huit grands frères d'adoption, qui gâtaient honteusement Flora. Quelques jours passés chez eux faisaient l'effet d'un véritable remontant, capable de retaper Lyddie quand elle était à plat. Leur maison était pour elle un sanctuaire, où elle se sentait parfaitement en accord avec elle-même.

— Les vacances de mi-trimestre se profilent, glissa Jack d'une voix enthousiaste. La semaine prochaine, les garçons auront disparu – Dieu soit loué ! – et ta filleule adorerait te voir.

— Oh, ce serait merveilleux, répondit Lyddie, qui se mit à calculer très vite. Peut-être juste pour une nuit, alors ? Je vais vérifier avec Liam. Ce serait formidable de pouvoir venir. C'est si gentil de ta part, d'autant que vous êtes probablement crevés, tous les deux.

— Eh bien, dit Jack d'un ton taquin, pour être honnête, c'est le Nemrod qu'on voudrait vraiment voir, mais on sait bien qu'il ne peut pas venir ici sans toi… Sérieusement, comment vont les tantes ? Tu les as vues ?

— Pas depuis que tante Georgie est arrivée. Mais on s'est parlé au téléphone. Tante Mina semblait bien. Visiblement, elle n'était pas seule et ne pouvait pas trop discuter, mais elle m'a paru très gaie. J'espère aller y passer une heure ou deux dimanche.

— On se demandait si on n'allait pas faire une petite descente là-bas pour les vacances, avança Jack, prudent. Ça pourrait leur plaire, à ton avis ?

— Elles seraient enchantées. Allez, Jack ! Tu le sais bien. Toi, Han et les gamins, vous êtes leurs chouchous…

— Ne te sous-estime pas…, répondit-il doucement, mais merci. Oui, je sais que Mina et Nest sont toujours contentes de nous voir, cependant je ne serais pas aussi catégorique en ce qui concerne tante Georgie. Si elle devient un peu… Eh bien, si elle commence à… sucrer les fraises, cela pourrait devenir assez délicat. Je ne veux pas causer de problèmes à tante Mina. Quatre personnes de plus, ça ferait beaucoup, et Flora – bénie soit-elle – nous donne pas mal de fil à retordre en ce moment.

— Mais non, elles vont gérer ça très bien, tu vas voir, assura Lyddie d'une voix confiante. Alors, quand pensiez-vous y aller ?

— Eh bien, c'est la raison de mon appel. Si toi tu peux caser une visite chez nous, on planifiera notre excursion là-bas en fonction de ça. Je sais que tu as des délais à tenir.

— Oui, merci, c'est vrai. Écoute, je vérifie mon planning, je vois avec Liam et je te rappelle ce soir… Ça te convient ?

— Super ! On attend que tu nous dises, alors. Je crois qu'Hannah va être enchantée d'avoir un peu de compagnie féminine… autre que Flora.

— Fais-lui un câlin de ma part. Et encore merci, Jack. J'adorerais que ça se fasse.

— Alors à plus, tu me rappelles.

Il raccrocha vivement, tandis qu'elle replaçait plus lentement le téléphone sur son support. C'était étrange, et un tout petit peu dérangeant : cette image fugace de la vieille maison de pierre et l'idée – à la fois soulagement et tentation – que là-bas elle pourrait être enfin elle-même. Cela ne signifiait-il pas que, par contre, sa vie ici à Truro, avec Liam, avait quelque chose d'insincère ? Elle attrapa son manteau, soudain pensive, et réalisa qu'il existait un certain degré de peur dans sa relation avec Liam. Oh, pas une peur physique, mais la peur de le perdre si elle s'opposait trop directement à lui sur deux choses qui pourtant lui tenaient à cœur : le besoin de participer à tous les aspects de sa vie, et le désir lancinant d'avoir un enfant. Chacune de ses tentatives d'approche en ces deux domaines avait été habilement esquivée, d'un sourire, d'un haussement d'épaules, d'une caresse. Elle luttait pour découvrir une faille, même minuscule, dans le mur qu'il opposait à ses timides avances. Mais devait-elle vraiment se montrer aussi prudente ? Pourquoi ne pas lui parler plus franchement ? Qu'est-ce qui la retenait d'exprimer ce genre de désirs, parfaitement raisonnables et tout à fait naturels ? Elle connaissait la réponse, même si au fond elle ne voulait pas l'admettre : Liam n'avait pas besoin qu'elle participe à tous les aspects de sa vie, et fonder une famille n'était clairement pas à son programme pour le moment. Il était de ceux qui refusent de révéler une partie vitale d'eux-mêmes et en tirent leur force. Et de ceux qui peuvent décider, par leur seule volonté, d'accorder ou de retirer leur affection. Une sorte d'instinct atavique la mettait en garde contre le risque de trop exiger de lui.

Lyddie frissonna à l'idée de le perdre, en se souvenant que James était parti parce qu'il était incapable de s'impliquer sérieusement dans leur relation. Liam, au moins, lui avait très vite demandé sa main – et le reste allait sûrement suivre. Elle devait patienter encore un peu.

L'arrivée de Georgie n'était pas faite pour apaiser les craintes de Nest ; au contraire, la présence de sa sœur avait encore accru son anxiété. Il était devenu clair, au bout de quelques jours seulement, que Georgie avançait sur un chemin périlleux, entre normalité et instabilité. Elle refusait le rôle d'invitée avec une assurance presque agressive, et se comportait comme si toutes les trois étaient encore jeunes et qu'elle-même, en tant qu'aînée, devait régenter ses sœurs. Les repas avaient été modifiés (« Vous ne prenez tout de même pas que des céréales au petit-déjeuner ? »), et leurs soirées tranquilles n'étaient plus que du passé (« C'est l'heure de mon feuilleton. Impossible de rater un seul épisode, ou je ne saurai plus où j'en suis. Ça ne vous dérange pas si j'allume le poste ? »). Chaque journée devait être organisée en fonction de ses besoins particuliers.

— Aujourd'hui, Barnstaple ! lançait-elle au petit-déjeuner, mangeant son porridge à la petite cuillère tout en jetant un œil à Mina, pour s'assurer que ses œufs brouillés allaient être bientôt prêts. J'ai besoin de laine à tricoter, et de quelque chose de nouveau à lire… Mon toast n'est-il pas en train de brûler ? Tu sais que j'ai toujours détesté les toasts brûlés.

— Je vais la tuer, jura Nest après une journée particulièrement éprouvante.

Georgie était partie se coucher plus tôt, prétextant un mal de tête, et Mina et elle faisaient la vaisselle du dîner.

— Ma sympathie, je dois le dire, va maintenant entièrement à Helena et Rupert. Remarque, je ne crois même pas que cette maison de retraite acceptera de la garder plus d'une semaine. Ils vont probablement l'expulser… Peut-on vous expulser d'une maison de retraite ?

— Non, pas quand on paie autant, répondit Mina d'un ton désabusé. Plus tu paies, plus on tolère tes frasques, c'est ce que j'ai toujours constaté.

— Alors, il va falloir payer très cher, déclara Nest d'une voix sinistre. Bien sûr, elle a toujours été très « cheftaine », n'est-ce pas ? Mais quand même, à ce point…

— Elle ne peut pas supporter de perdre la face, fit observer Mina. Songe à quel point c'est humiliant pour elle de nous être confiée comme un paquet, pendant qu'Helena vend son appartement et prend des dispositions pour l'expédier en maison de retraite... Ce sentiment d'impuissance, pour quelqu'un comme Georgie, qui a toujours voulu tout contrôler, doit être terrible.

— Étant donné qu'elle te traite pratiquement comme sa servante, je trouve ton discours très noble.

Nest était presque irritée par la compassion dont Mina faisait preuve.

— Après tout, ajouta-t-elle, tu es chez toi, ici. C'est à toi que Mama a laissé la maison. Georgie se comporte comme si nous étions toutes retombées cinquante ans en arrière.

— Je pense que c'est exactement ce qui lui arrive en ce moment. Je m'attends à ce que...

La porte s'ouvrit, très lentement et silencieusement, et Georgie se tint devant ses sœurs. Elles se regardèrent, figées sur place, se demandant depuis combien de temps elle était là, essayant à toute vitesse de se rappeler ce qu'elles venaient de dire. Même les chiens n'avaient pas bougé, couchés dans leurs paniers, oreilles dressées à présent. Georgie fut la première à rompre le silence.

— J'avais besoin d'un verre d'eau...

Elle fronça un peu les sourcils, comme si elle avait du mal à se repérer, et avança de quelques pas encore dans la cuisine. Ses cheveux d'un blanc argenté, tout ébouriffés, lui faisaient comme un halo autour de la tête, et ses yeux paraissaient vides, son regard fixe et vague. Sa longue robe de chambre à col haut et sa nuisette lui donnaient l'air d'un être de cauchemar. La scène n'avait rien d'agréable. Nest déglutit nerveusement.

— Je pensais t'en avoir donné un, dit Mina d'une voix calme. Peu importe. Retourne au lit, je t'en apporte un. Ou préfères-tu une boisson chaude ?

Le visage de Georgie se chiffonna, ses yeux se brouillèrent de larmes et elle afficha soudain un air de tristesse insupportable – mais, avant que l'une de ses sœurs pût ajouter quoi que ce soit, son expression changea à nouveau et prit une allure étrange, lointaine, irréelle, comme si elle prêtait l'oreille à une conversation que nul ne pouvait entendre.

— Où est maman ? gémit-elle.

Ses yeux égarés passèrent de l'une à l'autre et Mina la saisit par le bras.

— Elle n'est pas là. Pas pour le moment. Tu dois retourner au lit, maintenant. Je viens avec toi.

Elles partirent ensemble, Georgie se laissant conduire comme une enfant. Nest demeura quasi immobile, surprise, effrayée, jusqu'à ce que Mina revienne, les chiens se précipitant cette fois vers elle.

— Est-ce que ça va aller ? s'enquit Nest d'une voix hésitante.

— Je pense que oui.

Mina, l'air ébranlée, se pencha et caressa ses chéris, autant pour leur faire plaisir que pour se rassurer elle-même.

— On dirait qu'elle ne savait plus tout à fait où elle était. Pendant un instant, elle a cru que j'étais maman.

— Tu lui ressembles, dit Nest. Nous lui ressemblons toutes. C'est assez étonnant. Mais toi plus que les autres, je crois. Oh, Mina, je me suis demandé si elle n'était pas somnambule ! Quand elle a surgi, elle avait presque l'air d'une folle.

Mina lui toucha le bras mais elle paraissait préoccupée, elle aussi.

— À vrai dire, Helena m'avait prévenue qu'elle pouvait avoir ce genre d'absences, cependant je ne l'imaginais pas comme ça.

— Ça m'a glacé le sang, dit Nest en frissonnant. Crois-tu qu'elle pourrait se relever la nuit et déambuler dans la maison ?

— J'espère que non, répondit Mina avec inquiétude. Je n'oserais pas l'enfermer dans sa chambre, même si j'avais une clé. Elle pourrait redevenir tout à fait normale cinq minutes après ; songe à quel point ce serait embarrassant.

— Et puis, elle pourrait avoir besoin d'aller aux toilettes...

Elles se regardèrent nerveusement, tout à coup près d'éclater d'un rire hystérique, et Mina prit une profonde inspiration.

— Va te coucher, dit-elle. Je vais écouter un peu, tout en me déshabillant. Et ne reste pas dans ton lit à te ronger les sangs en dressant l'oreille. Prends un somnifère. C'est ton jour de kiné, demain, tu as besoin d'être aussi détendue que possible.

— Oui, je vais faire ça.

Elles s'embrassèrent et Nest dirigea son fauteuil vers sa chambre. Une fois seule, comme elle se préparait à aller au lit, elle se surprit à tendre l'oreille, guettant le moindre mouvement, le moindre éclat de voix ; son angoisse la rendit maladroite et ralentit ses efforts. Une fois allongée, elle attendit que le cachet fasse son effet. Alors, rêves et souvenirs se fondirent dans son esprit, prenant des formes confuses et, enfin, elle s'endormit.

— Je connais un secret, fait Georgie d'un air important.

L'après-midi est chaud mais le bouquet de grands hêtres, près de la pelouse, offre un abri contre le vent et le soleil. Dans un petit coin frais et ombragé, Timmie et Nest servent le thé à leurs poupées.

— Je parie que vous, vous n'en connaissez pas...

Josie, onze ans, dans sa petite robe vichy, tire son chariot à jouets sur le gazon parsemé de mousse.

Les Minis se rapprochent. Ils envient Josie de savoir rester indifférente aux secrets de Georgie. Parfois, ces secrets peuvent être effrayants – les deux petits se souviennent encore du jour où elle leur a montré les cadavres de trois bébés oiseaux morts, dans leur nid.

— C'est une leçon, leur a dit Georgie en savourant leur répulsion, pour vous apprendre à ne pas déranger les oiseaux en grimpant aux arbres au printemps. Papa l'a dit. Mais ne le répétez à personne et vous n'aurez pas d'ennuis. Car c'est un secret.

Les lèvres de Timmie tremblent mais il les serre fermement en un sourire, tout en tenant la main de Nest – la plus petite. Ils laissent derrière eux leurs poupées, un lapin tricoté et deux oursons, appuyés contre la table de la dînette, et se rapprochent encore, fixant Georgie qui se penche vers eux.

— Il va y avoir la guerre, souffle-t-elle.

Ils la regardent fixement, sans comprendre, presque soulagés.

— Qu'est-ce que c'est, la guerre ? demande Timmie, qui a six ans maintenant. Qu'est-ce que ça veut dire ?

Avant qu'elle ne puisse répondre, Mina sort de la maison, afin d'appeler les enfants à rentrer pour le thé.

— Ne dites rien, leur glisse très vite Georgie. C'est un secret. Papa serait fâché.

Mais Timmie commence à comprendre que Georgie triche, en les liant par des menaces qui ne sont pas fondées, et il ressent d'instinct la nécessité de protéger Nest de toutes ces horreurs, à commencer par les épouvantables cadavres de ces oisillons.

— Qu'est-ce que c'est ? demande-t-il d'une voix plus forte, encouragé par la présence de Mina à portée de voix. C'est quoi, la guerre ?

Georgie se tourne vers Mina, essayant de prendre un air nonchalant. Elle espère que Mina n'a pas

96

entendu la question de Timmie – en vain, car son timbre aigu, sa voix forte et claire ont porté, dans le silence feutré du jardin. Mina est en colère, maintenant, ce qui, curieusement, fait encore plus peur à Timmie. Elle lance un regard noir à Georgie, au-dessus des vestiges pathétiques de la petite *tea party*.

— Maman t'avait dit de ne pas leur dire, gronde-t-elle d'une voix basse et furieuse. Elle l'a bien recommandé à tout le monde.

Georgie hausse les épaules, feignant l'indifférence alors qu'elle est mal à l'aise. Nest, bouleversée par cette colère inhabituelle, se met à pleurer, ce qui détourne l'attention de Mina. Georgie en profite pour s'éclipser à la hâte.

— C'est quoi la guerre ?

Timmie a vraiment peur, tout à coup, il sent que c'est quelque chose de grave, de beaucoup plus grave, peut-être, que la mort de trois oisillons.

— Elle n'arrivera pas jusqu'ici.

Mina réconforte Nest, faisant semblant de donner au lapin tricoté un peu de lait pour la distraire. Les larmes de Nest, qui aussitôt se met à rire, sèchent sur ses joues. Elle prend la tasse pour donner elle-même du thé à son lapin, et Mina regarde Timmie.

— Ça n'a rien à voir avec nous. Cela arrive quand plusieurs pays veulent tous la même chose. Leurs chefs se disputent au sujet de bouts de terre, puis ils se mettent à se battre et tout le monde prend parti. Tu comprends ?

— Oui, je crois. (Il fronce les sourcils.) Comme Josie et Henrietta avec les chaussures de tennis… Elles les voulaient toutes les deux, mais on ne savait pas vraiment à qui c'était.

Mina lui sourit.

— C'est ça, mais en plus grand. En tout cas, il ne va rien se passer ici, sauf que nous verrons un peu moins Papa. Nous allons rester à Ottercombe en attendant que les choses se passent tandis que Papa, lui, devra vivre à Londres. On a besoin de lui, là-bas. Il ne sera pas réellement en danger, mais ce qu'il faut savoir, avec la guerre, c'est que ça touche beaucoup de gens, même s'ils ne vont pas se battre.

Timmie réfléchit à tout ceci un moment.

— On ne voit pas beaucoup Papa, de toute façon, fait-il remarquer pour finir, gaiement.

Une autre pensée le frappe :

— Est-ce qu'on verra encore Timothy ? demande-t-il avec anxiété. Est-ce qu'il devra se battre ?

— Je ne sais pas. Il faudra attendre et voir. Mais toi et Nest, vous êtes tout à fait en sécurité, ici. Maintenant, venez prendre le thé.

Elle hésite.

— Peut-être qu'il vaut mieux ne plus en parler, Timmie. Nest s'est arrêtée de pleurer...

Ils regardent la petite fille, occupée à redresser son ours en peluche en se chantant à elle-même une comptine.

— ... et Mama est... fatiguée.

Il hoche la tête, éprouvant un délicieux sentiment de complicité avec sa grande sœur, et les Minis la suivent sur le gazon, jusqu'à la porte-fenêtre. Leurs jouets restent où ils étaient, oubliés, abandonnés. Peu à peu le crépuscule tombe et les ombres s'étirent sur la pelouse.

IX

D'autres souvenirs encore affluèrent à la mémoire de Mina lorsqu'elle envoya les chiens se coucher dans leurs paniers. Elle avait laissé sa porte entrouverte pour pouvoir entendre Georgie, si celle-ci se levait de nouveau. Le décor familier de sa chambre, qu'elle adorait, l'apaisait. Enveloppée dans sa longue robe de chambre molletonnée – un cadeau d'anniversaire de Lyddie –, elle se sentait maintenant prête pour sa balade du soir sur le Net. Elle trouva dans sa boîte de réception un e-mail de Josie, plein de questions à propos de Georgie, et lui fit un compte rendu prudemment calibré. Il n'y avait aucune raison d'inquiéter Josie, qui vivait bien trop loin pour être en mesure de les aider en quoi que ce soit : cela ne ferait que renforcer sa frustration. Avec Elyot, cependant, elle se montra beaucoup plus franche.

De : Elyot
À : Mina
Comment vont les choses de votre côté ? Aujourd'hui, Lavinia était dans un très mauvais jour. Elle ne me reconnaissait pas et hurlait de terreur lorsque je m'approchais d'elle. Il y a déjà eu des moments où elle me confondait avec d'autres personnes, mais cette fois, ce fut terriblement angoissant. Elle est au lit maintenant, mais je vais

rester un petit moment devant l'ordi et j'espère que nous aurons l'occasion de « tchater » en direct, si vous vous connectez ce soir.

Le simple fait de savoir que lui aussi se rongeait d'inquiétude pour un proche soulagea d'une certaine façon Mina, qui se sentit moins seule. Elle ne prit pas autant de précautions que d'ordinaire pour lui décrire les événements de la soirée. Et il répondit presque sur-le-champ.

De : Elyot
À : Mina
Un mélange d'impuissance et de peur, non ? Je ressens aussi ça. Parfois, j'ai envie de lui crier dessus tant il semble impossible qu'elle ne me reconnaisse pas ou qu'elle puisse imaginer que je veux lui faire du mal. Je me sens blessé et très, très seul.

Mina fixa l'écran, incapable de détacher son regard de ces mots ; elle voulait pouvoir le consoler, réchauffée par ce parallèle, ce sentiment de camaraderie qui existait entre eux.

De : Mina
À : Elyot
Cher Elyot, si seulement je pouvais vous être vraiment utile… Avez-vous des amis qui puissent vous soulager temporairement de cette charge ? Ou bien Lavinia est-elle décidément trop apeurée ? Ce n'est pas la première fois que vous me décrivez certaines scènes disons « particulières », mais vous en faites si peu de cas que j'ai probablement sous-estimé combien les choses étaient difficiles pour vous. Comparé à cela, Georgie, ce n'est rien. Nous avons eu une relation très mouvementée tout au long de notre enfance, puis nous nous sommes très peu vues l'une l'autre au cours de ces quarante dernières années. Vous et Lavinia avez vécu ensemble pendant tout ce temps et cela doit être terrible pour vous, non seule-

ment de se sentir si exclu, mais de voir quelqu'un que vous aimez se dégrader. L'ayant éprouvé moi-même (à bien plus petite échelle), je ne peux qu'être impressionnée par votre courage.

Sa réponse ne tarda pas :

De : Elyot
À : Mina
Votre expérience a été différente, ma chère et bonne amie, mais tout aussi rude. Vous avez vu votre sœur bien-aimée devenir infirme puis subir les affres de la frustration et du remords. Frappée par cette catastrophe traumatisante, vous avez pourtant tout de suite su vous adapter. Non seulement vous vous êtes occupée de Nest, mais d'autres membres de votre famille se sont lourdement appuyés sur vous. Il y a une brutalité dans tout ce que vous avez vécu qui n'existe pas dans ma propre histoire. Nous n'avons fait, Lavinia et moi, que nous enfoncer lentement dans une sorte de brouillard... Incertitude (« Étais-je censée être de retour pour le déjeuner ? Eh bien, je n'avais pas bien compris, ça arrive à tout le monde, ce n'est pas grave »). Absence (« Je ne peux tout simplement pas me rappeler ce qui m'a poussée à entrer dans cette boutique »). Confusion (« J'ai oublié ce que je voulais dire. J'ai la tête complètement vide »). Tout cela, en soi, reste assez innocent, jusqu'à ce que vous vous rendiez compte que cette légère brume s'aggrave de façon insidieuse, devenant cet épais brouillard à travers lequel ni moi ni elle n'arrivons plus à trouver nos repères. Et il faut que je garde le moral, pour la préserver de ses angoisses.

Cette dernière phrase emplit Mina d'un terrible sentiment de pitié et, lui causant un choc presque physique, elle lui rappela la situation de Mama durant les années de guerre à Ottercombe. Elle resta figée un certain temps, hésitant sur ce qu'elle devait faire. Enfin, elle tapa sa réponse :

De : Mina
À : Elyot

Depuis le début de notre correspondance, pas une seule fois vous ne m'avez dit prendre ne serait-ce que quelques jours de vacances loin de Lavinia. Ne serait-il pas raisonnable de faire une pause ?

Y a-t-il quelqu'un à qui vous pourriez confier Lavinia sans vous sentir inquiet ou coupable ? Bien que dans l'état actuel des choses la proposition puisse ne pas paraître très alléchante, vous pourriez toujours venir ici passer quelques jours. Ne me répondez pas tout de suite. Songez-y d'abord. Nous en reparlerons demain. Bonsoir, Elyot.

Elle éteignit l'ordinateur. Son cœur cognait bêtement dans sa poitrine. Allait-il accepter ? Allait-elle enfin pouvoir rencontrer l'homme qui avait été pour elle une telle source de réconfort, ces derniers temps ?

— Tu es une vieille folle, se murmura-t-elle, prêtant une dernière fois l'oreille au moindre son en provenance de la chambre de Georgie, avant d'aller fermer sa porte.

Les chiens s'agitèrent, grognant un peu, et Mina s'arrêta un bref instant près de la table en bois de rose. Elle contempla les quelques objets posés là, ces souvenirs familiers si chers à son cœur. Deux ou trois petites choses qui n'avaient pas quitté la table de chevet de Mama, vers la fin de sa vie : un chapelet en bois délicatement tourné ; un joli bol de porcelaine Wedgwood au décor de fleurs, pour des friandises spéciales ; un haut et étroit vase ciselé, destiné à une ou deux fleurs délicates ; et, enfin, le petit coffret d'argent avec, à l'intérieur, un flacon vert.

Mina ouvrit le fermoir du coffret et passa le flacon sous son nez. Même maintenant, vingt ans après la mort de Mama, la légère odeur des sels avait le pouvoir de la ramener loin en arrière, vers les ultimes années de la vie de sa mère, et bien au-delà, jusqu'au début de la guerre.

— Je veux aller à Londres avec Papa, déclare Georgie un matin de juillet 1940. Je ne vais pas rester coincée ici alors qu'il y a une guerre ! Il doit bien y avoir quelque chose que je puisse faire pour me rendre utile, et en attendant de trouver quoi, je pourrais m'occuper de lui.

Lydia glisse les fines feuilles de papier à lettres bleu dans leur enveloppe et regarde sa fille aînée. Qu'elle est jolie, avec ses soyeux cheveux noirs coupés au bol et sa peau si blanche, si nette, si claire ; comme elle est jolie – et déterminée.

— Tu n'as pas encore fini l'école, répond-elle d'un ton patient mais ferme, et tu as dix-sept ans à peine…

Les Minis les dévisagent anxieusement, cuillères suspendues en l'air. Ce n'est pas la première confrontation entre mère et fille à la table du petit-déjeuner.

— Ça ne sert plus à rien d'aller au lycée ! s'écrie Georgie, exaspérée par le refus de sa mère de faire face à la dure réalité. Si j'attends encore un an, je pourrais bien ne plus pouvoir choisir mon destin. Papa dit qu'il peut me trouver un emploi de chauffeur au ministère de la Guerre.

Lydia saisit sa tasse de café, puis la repose. Ses doigts lissent nerveusement l'enveloppe placée à côté de son assiette vide.

— Dans un an, tout ceci sera peut-être fini, dit-elle à ses enfants.

— Oh, honnêtement ! (Georgie roule des yeux indignés.) C'est ce qu'on disait déjà au début de la dernière guerre : « Ce sera terminé pour Noël. » Cela n'a pas été le cas !

Seule Mina a entendu la note presque suppliante dans la voix de Mama et la voit tressaillir en entendant Georgie lui répondre. Elle regarde les doigts nerveux de sa mère et les ombres bistre sous ses yeux inquiets.

— À mon avis, dit Mina, ce serait une bonne idée pour Georgie d'aller à Londres...

Georgie lui adresse un rapide coup d'œil, plein de gratitude.

— Il va falloir qu'elle choisisse sa voie de toute façon, continue Mina, et il serait bon pour Papa de l'avoir à ses côtés. Ils pourraient veiller l'un sur l'autre. Je peux comprendre qu'elle veuille se rendre utile. Nous le voulons tous...

Lydia la dévisage.

— Toi aussi, alors, tu veux...

— Non, pas moi, répond Mina avec un sourire rassurant. Pas de cette façon. Je dois rester ici pour m'occuper de vous tous. Mais je suis d'accord avec Georgie. Il est inutile de retourner en cours. D'autre part, tu ne peux pas tout affronter toute seule. Plus maintenant, du moins, avec Jean et Sarah et leurs bébés, en plus des Minis.

Deux jeunes cousins de Lydia et leurs enfants ont été évacués sur Ottercombe – c'est aussi l'une des raisons qui poussent Georgie au départ. Elle n'est plus très intéressée par les petits et devoir partager sa chambre avec Mina lui déplaît. Les deux jeunes mamans, avec leurs bébés et un enfant qui marche à peine, prennent beaucoup de place. D'autre part, le reste de la marmaille ne va pas encore à l'école, ce qui demande beaucoup d'organisation.

— Quelle chance pour vous, dit Enid Goodenough, qui vient toujours en visite avec son frère, quoique moins souvent en raison des pénuries d'essence. Vous avez assez de parents pour remplir la maison – à cette époque, les évacués de Bristol et Croydon pleuvent sur l'Exmoor –, ainsi vous n'êtes pas obligée d'accueillir des inconnus !

— Sans doute, reconnaît Lydia d'une voix douce, ignorant comme d'habitude ses sous-entendus, mais neuf enfants, c'est une lourde charge, compte tenu de ce dont nous disposons ici.

— On n'a qu'une seule salle de bains, ajoute Henrietta du haut de ses douze ans, mais on a beaucoup de pots de chambre, heureusement. Bien que les bébés…

— Et Ambrose ? demande Enid, qui change rapidement de sujet, ne souhaitant pas s'attarder sur la question des pots de chambre et des bébés. Comment fait-il, tout seul ?

Elle a réussi à glisser dans ces deux derniers mots une subtile insinuation qui alerte Mina et arrache même à Lydia un froncement de sourcils.

— Il s'en sort très bien, répond-elle avec calme, et Mme Ponting vient tous les jours, maintenant que nous avons pris des dispositions en ce sens. Elle travaille pour nous depuis des années et je suis sûre qu'Ambrose a tout ce qu'il lui faut.

— Oh, quant à cela, je pense que vous pouvez en être parfaitement sûre.

Au souvenir de ces mots et du sourire narquois qui les accompagnait, Lydia se dit tout à coup, à la table du petit-déjeuner, que l'idée de Georgie est peut-être une bonne chose.

— Bon. Je vais en parler à Papa. Je vois bien qu'il doit être frustrant pour toi de rester ici, maintenant que tu grandis. Jamais de petite fête, ni de bal, personne de ton âge. Et tu ne peux jouer aucun rôle, même le plus simple, dans cette terrible tragédie qui frappe notre pays. Je vais lui en parler, je te le promets.

— Merci, dit un peu plus tard Georgie à Mina, dans leur chambre, juste avant le déjeuner. Merci de ne pas m'avoir lâchée. Même si c'est un peu vache, sans doute, de te laisser te débrouiller avec tout ça.

Elle passe en revue leur garde-robe, sélectionnant ou rejetant tel ou tel habit, et s'examine dans le grand miroir.

— Oh, ça ne me dérange absolument pas, répond Mina avec franchise. Je ne retournerai pas non plus là-bas au prochain semestre. Je vais faire l'école à Henrietta et Josie, et aux Minis. Ça sera pour moi un bon entraînement, si je veux devenir institutrice après la guerre. Et Mama ne peut absolument pas gérer la maison seule. Quoi qu'il en soit, ça va être chouette pour Papa – s'il est d'accord. Mais tu ne crains pas les raids aériens ?

— Bah, il n'y en a eu aucun jusqu'ici, non ?

Georgie hausse les épaules, se détourne du miroir et va s'étendre de tout son long sur son lit.

— Ça va être amusant. Sally Hunter m'a dit qu'elle passait de très bons moments. Il y a beaucoup de beaux jeunes officiers, des fêtes, il se passe plein de choses… Elle promène un vieux général en voiture, c'est elle qui m'a fait penser à ça. Je pourrais rejoindre tout de suite le corps des auxiliaires féminines de l'armée.

— Et Papa a vraiment dit qu'il pourrait t'obtenir une place de chauffeur ?

Georgie hoche la tête, les mains sur la nuque.

— Si tu veux savoir, il en a un peu marre d'être seul tout le temps. Il m'a beaucoup sortie quand je suis allée à Londres la dernière fois. Il m'a « affichée » un peu partout. Tu vois ce que je veux dire ? « Voici ma fille aînée, qui est venue s'occuper de son vieux père », ce genre de choses. J'ai plutôt aimé. Il est encore très séduisant, non ? Bien conservé. Je n'avais pas réalisé à quel point c'était un homme important et tout le monde était très gentil avec moi. Sauf qu'il y avait une femme que l'on croisait un peu partout où on allait et qui semblait ne pas trop apprécier ça. Elle était très désinvolte avec moi. Une fois, c'était bizarre, je l'ai vue pleurer. Il se disputait avec elle, l'air terriblement mal à l'aise, ajoute Georgie en fronçant les sourcils au souvenir de sa propre réaction : un certain dégoût de voir son père, d'habitude si distingué, obligé de se montrer, disons, fuyant, peu digne.

Les sœurs échangent un regard perplexe, soudain un peu inquiètes. Elles sont sur le point de toucher un secret d'adultes. D'instinct, chacune se retient alors de poursuivre sur ce sujet.

— Eh bien, c'est décidément une bonne chose que tu ailles là-bas…, ajoute Mina. Tu pourras me prévenir quand il y aura des fêtes et j'essaierai d'y aller, une fois.

— Bien sûr que je le ferai ! dit Georgie avec un enthousiasme sincère. Mais tu auras besoin de quelques vêtements décents. Quel plaisir ce sera…

Mina regarde sa sœur aînée sauter hors du lit et remarque la jupe plissée qui tombe sur ses longues jambes blanches.

— N'est-ce pas une jupe de maman ?

— Elle vient de chez Fortuny, répond Georgie en tournant sur elle-même. Je l'ai trouvée dans sa penderie à Londres. Elle l'a achetée à Venise il y a des années et elle ne l'a tout simplement jamais portée, alors j'ai demandé à l'emprunter. Après tout, elle n'en a pas vraiment l'usage ici, non ? Il y a des tas de choses qu'elle ne porte plus jamais, maintenant. Regarde cette veste. Elle est en vigogne.

Georgie virevolte à nouveau et plaque le tissu contre elle.

— Qu'est-ce que tu en penses ?

Mina, baissant les yeux sur sa petite robe de coton, éprouve un pincement de jalousie pure.

— C'est un peu faiblard, dit-elle avec désinvolture.

Georgie décoche à sa sœur un regard acéré.

« Faiblard » est l'un de leurs mots favoris, depuis qu'elles ont redécouvert *The Young Visiters* sur l'étagère, dans la nurserie. C'est une sorte de code entre elles, qu'elles appliquent secrètement à des personnes, des lieux, des événements, et qui peut les entraîner dans des crises de fou rire. Tout à coup, Georgie éprouve un grand élan d'amour pour Mina. Leurs différences sont oubliées, elle ressent une poussée inattendue de véritable affection pour sa sœur.

— Tu viendras à Londres, n'est-ce pas ? Tu verras, Sally dit qu'elle n'arrête pas de rencontrer des tas de beaux garçons.

— Bien sûr que oui, répond Mina. En attendant, tu pourras m'écrire pour me raconter tout ça. Allez, dépêche-toi de te changer, le déjeuner va être bientôt prêt.

En descendant, Mina devine la présence de quelqu'un dans le salon, et lorsqu'elle traverse le couloir, elle se demande si ce n'est pas l'un des Minis – mais non, c'est leur mère, assise sur les talons devant sa boîte à ouvrage, où elle range quelque chose. Lydia jette un œil par-dessus son épaule en entendant arriver Mina, qui perçoit un froissement de papier et le petit claquement sec du fermoir.

— Je pensais que c'était Nest ou Timmie, explique Mina. En ce moment, ils aiment jouer à se cacher juste avant d'aller à table… Tu ne te sens pas bien, Mama ?

Lydia se redresse en prenant appui sur le dos du canapé.

— Non, non, ça va. Ou bien peut-être un peu fatiguée. Les bébés ont encore pleuré hier soir, mais ce n'est pas leur faute, les pauvres chéris.

Ses traits sont tirés et il y a tant de douleur dans ses yeux que Mina en est choquée : il doit s'agir de quelque chose de bien plus grave que des bébés qui pleurent. Elle n'a jamais posé de question directe à sa mère, mais elle sent un changement subtil dans leurs relations, qui pourrait conduire à un nouveau genre de complicité entre elles.

— Est-ce cette lettre... ? Je t'ai vue la lire au petit-déjeuner. As-tu reçu de mauvaises nouvelles ?

Mina la fixe bien droit, d'un regard grave, plein de compassion, et Lydia languit désespérément de pouvoir se confier à quelqu'un. Elle doit se trouver une confidente – pourquoi pas Mina, celle de ses filles qui lui est la plus chère ?

— C'était une lettre de Timothy, chuchote-t-elle. Il est envoyé en mission secrète. Il ne peut pas en parler... Mais il voulait nous faire savoir qu'il sera absent un certain temps.

Ses yeux s'embuent de larmes, ses lèvres tremblent, alors Mina passe instinctivement le bras autour des épaules de sa mère, comme elle le ferait avec Timmie ou Nest.

— Oh, pauvre maman. Il va tous nous manquer, non ? Pourrons-nous au moins lui dire au revoir ?

Son innocence, le calme avec lequel elle accepte cette réalité nouvelle, apaisent la culpabilité de Lydia et lui redonnent du courage. Le simple fait de pouvoir prononcer le nom de Timothy tout haut est une joie immense.

— Non, non, dit-elle. Il ne peut absolument pas se déplacer, mais je suis heureuse de pouvoir partager cela avec toi, Mina. Je m'y attendais. Il prend cela à la légère, naturellement, mais c'est dangereux. Je sais bien que ça l'est...

Elle hésite, fixant avec anxiété les yeux clairs de sa fille, encore épargnés par les soucis.

— Peut-être vaudrait-il mieux ne pas en parler aux autres ?

— Oh oui, approuve aussitôt Mina. Ils ne comprendraient pas et cela pourrait faire peur aux Minis.

— Oui, répète Lydia, soulagée mais soudain faible. C'est ce que je pensais. Cela restera un secret entre toi et moi, ma chère enfant.

Mina, qui se sent fière et pleinement adulte, dépose un léger baiser sur la joue de sa mère.

— C'est l'heure du déjeuner, ajoute-t-elle. Va donc te rafraîchir pendant que je regroupe les petits.

Elle se hâte de sortir pour intercepter les enfants qui rentrent du jardin, et Lydia monte à l'étage, réconfortée.

X

À Truro, dans la petite maison de ville, il se passait quelque chose d'inhabituel. Le Nemrod était affalé dans l'étroit couloir, au pied des marches, museau sur les pattes, mais il était loin de s'assoupir. Ses yeux angoissés observaient les deux humains qu'il voyait aller et venir dans la grande pièce qui s'étirait du devant de la maison jusqu'à la cour. Il écoutait leurs voix. Tout chien qu'il était, il savait très bien qu'une note importante manquait, une tonalité joyeuse, le signe que tout allait pour le mieux. Chaque fois que l'un d'eux s'approchait de la porte d'entrée, grande ouverte, sa queue battait humblement le parquet et ses oreilles se dressaient avec espoir. Une fois ou deux, il s'était assis afin de capter leur attention, mais ni l'un ni l'autre ne l'avait remarqué. Leurs pieds passaient devant lui, laissant des traces furieuses sur la moquette, et l'odeur aigre et triste qu'il percevait le remplissait de souffrance. Il émit un tout petit gémissement et se recoucha, posant à nouveau le museau sur les pattes, puis attendit, à l'écoute.

— OK, donc, c'est moi qui suis complètement en tort. J'ai fauté en te reprochant d'avoir ouvert une lettre qui m'était adressée. C'est ça, n'est-ce pas ?

— Oh, mon Dieu ! fit Lyddie, tremblante de colère et de surprise.

La réaction de Liam avait été d'une violence inattendue.

— J'ai commis une erreur, reprit-elle. Je n'ai pas bien regardé l'adresse. Pas de quoi en faire un fromage. Souviens-toi que nous avons un compte joint à cette banque. Et puis, à quoi bon tous ces secrets ? Nous sommes mariés, après tout ! Est-ce vraiment si atroce, que j'ouvre une de tes lettres par erreur ?

Il cessa d'arpenter la pièce et la toisa. Elle fut frappée de constater qu'il lui était complètement étranger. Le flux d'énergie qui les liait et les faisait fusionner en une entité unique semblait tari. Lyddie se sentit à la fois seule et terrifiée.

— OK, dit-il, sauf que, tu vois, je ne te crois pas quand tu prétends que c'est par erreur.

Lyddie déglutit, détourna les yeux de son regard pénétrant, totalement hostile. Malheureusement, les soupçons de son mari étaient fondés. Car l'irritabilité croissante de Liam avait commencé à l'inquiéter, au point que lorsque cette lettre était arrivée, avec son rabat mal cacheté, elle n'avait pu résister à l'envie de savoir ce qu'il se passait à la banque. Elle était profondément honteuse ; malgré tout, elle ne se serait jamais attendue à une telle explosion de fureur de la part de Liam.

— L'enveloppe n'était pas correctement fermée, répéta-t-elle d'un ton neutre en s'asseyant à la table, bras croisés sous sa poitrine. Et je n'ai pas pensé à vérifier à qui de nous deux la lettre était adressée – il y avait beaucoup de courrier – mais, oui, OK, après avoir réalisé que ça concernait L'Endroit et pas nous deux, j'ai tout de même regardé de quoi il s'agissait. Je me fais du souci à ton sujet et je me disais que tu tentais de me protéger de... de je-ne-sais-quoi.

Il se fendit d'un rictus déplaisant.

— Ah, tu te faisais du souci pour moi... Quelle épouse dévouée, voyez-vous ça !

Lyddie se mordit les lèvres et sentit ses joues s'enflammer.

— C'est très difficile pour moi de rester complètement coupée de cette entreprise que tu aimes tant et qui nous fait vivre. C'est... eh bien, ce n'est pas naturel. Ne le vois-tu pas ? Tu sais tout de mon travail et de mes revenus...

— Et tu sais tout de L'Endroit. Mon Dieu, tu y viens chaque jour, on t'y traite comme une tsarine ! Comment peux-tu dire que tu en es complètement coupée ?

Elle décroisa les bras, joignit les mains, tentant de mettre de l'ordre dans ses pensées.

— Sans doute, oui, je suis traitée comme une invitée d'honneur, admit-elle enfin. Oui, j'en suis consciente – et j'avoue que ça me plaît. Tout le monde aime se sentir privilégié, moi comprise. Mais, en même temps, j'en sais moins sur L'Endroit que... Rosie, par exemple.

— Que sait Rosie de plus que toi ? rétorqua-t-il durement.

Elle le regarda, étonnée.

— Tu vois ce que je veux dire. Elle est... impliquée. D'accord, à un niveau superficiel, mais plus que moi.

— Tu es mon épouse, je ne vois pas en quoi tu te sentirais concernée par ce que mes serveuses croient savoir, trancha-t-il.

— Mais non, ce n'est pas ça. Je ne veux pas travailler au bar ou... Oh, arrêtons-nous là, d'accord ?

Il haussa les sourcils, puis lui adressa un regard de travers.

— Est-ce qu'on le peut ? Je n'en suis pas sûr.

— Oh, Liam, je suis sincèrement désolée.

Elle se retint d'aller vers lui : tout son langage corporel la maintenait à distance.

— J'ai eu tout à fait tort de lire ta lettre, mais tu ne me dis rien. Que ferais-tu si tu te rendais compte que quelque chose m'inquiétait et que je ne le partageais pas avec toi ?

— Je me dirais que tu es une adulte, que tu as droit à ta vie privée et je respecterais ce droit.

Il aurait tout aussi bien pu lui flanquer une gifle.

— Oui…, finit-elle par soupirer après avoir pris une très profonde, très longue inspiration. Eh bien, il n'y a rien à répondre à cela.

— Et donc, maintenant que tu es au courant de mes problèmes, quel est ton plan pour me soulager de ce fardeau qui pèse sur mes épaules ?

Elle sentit l'humiliation la brûler en silence.

— Tu vois, continua-t-il après un moment, il n'y a pas que moi. Il y a aussi Joe, n'est-ce pas. Il n'apprécierait peut-être pas que tu découvres tous ses secrets.

— Mais la lettre n'était pas adressée à Joe, se défendit-elle pauvrement, déterminée cependant à mettre les pendules à l'heure. Je suppose que la correspondance de l'entreprise est adressée à « L'Endroit ». Ceci t'était destiné à toi, à titre personnel.

— Certes. Mais tu l'as tout de même lue.

— Oui, fit-elle, fatiguée. Je l'ai tout de même lue et je sais désormais que tu vas augmenter l'hypothèque sur la maison.

Le silence régna. Elle posa les yeux sur lui, son air sombre, saturnien, son allure élégante. Elle se consumait toujours de désir pour lui. Il devenait primordial d'abattre cette barrière qui bloquait leur amour.

— Pourquoi ? plaida-t-elle. Pourquoi, Liam, alors que tu sais que je peux obtenir de l'argent grâce à ma part sur la maison d'Iffley ?

Sa conversation avec les tantes et sa décision sub-
séquente n'étaient plus que cendres et poussière, soudain, face à ce rejet glacial.

— Pourquoi ne me laisses-tu pas t'aider ?

— Je ne veux pas qu'on m'aide, fit-il avec dégoût.
J'ai lancé cette affaire et son destin repose entre mes
mains. Ne peux-tu comprendre ça ?

— Si. Je peux le comprendre. Mais ne suis-je donc
pas impliquée du tout ? Cette maison t'appartient,
d'accord, mais nous la partageons, maintenant.
Imaginons que tu la mettes en péril en augmentant
cette hypothèque ? C'est aussi ma maison.

— Sans doute. Mais je ne te laisserai pas tomber.
Tu dois apprendre à me faire confiance.

Il fit une petite pause, puis relâcha un peu la tension de ses muscles.

— Est-ce si difficile pour toi ?

— Non, bien sûr que non.

Elle se sentait trop misérable pour continuer à
protester – elle ne désirait plus que le retour de leur
harmonie habituelle.

— Il est évident que L'Endroit est un franc succès...

Elle hésita, par peur de mettre en danger le très
léger réchauffement de l'atmosphère, plutôt polaire
jusque-là.

— Je suis vraiment désolée, Liam...

— Et moi aussi.

Il était impossible de savoir s'il parlait du petit
délit qu'elle avait commis ou s'il tentait de demander
pardon, mais il lui passa avec légèreté la main sur
la tête avant de se diriger rapidement vers la porte
d'entrée.

— J'ai rendez-vous en ville et j'irai directement à
L'Endroit. On se voit pour le dîner, je suppose.

La porte se referma sur lui. Lyddie demeura assise
sans bouger. C'était horrible d'aimer à un point tel

que presque rien ne comptait hormis le contact physique avec l'être aimé. Elle se tordit les mains, humiliée par la force du besoin qu'elle avait de le toucher, souhaitant son retour. Mais seul le Nemrod revint s'asseoir à ses côtés, d'un pas feutré, inquiet, pour lui offrir la chaleur bienfaisante de son amour reconnaissant.

Cet après-midi-là, au moment même où Jack et sa famille se rassemblaient pour le rituel du thé, le téléphone sonna. D'un air résigné, Jack se précipita vers son bureau, tandis qu'Hannah grinçait des dents. Sa vivacité et son énergie l'avaient fait demeurer aussi svelte à trente-trois ans qu'elle l'était à vingt. Elle était belle, elle avait du style et suivait la mode de près. On aurait facilement pu l'imaginer dans un restaurant chic, mais elle était ravie au milieu de ses ustensiles de cuisine, dans cette école de campagne au fin fond du Dorset. Tout en prenant soin de Jack et de leurs enfants, sans compter leurs huit petits pensionnaires, elle parvenait à gérer sa propre entreprise de traiteur – même si ses activités du moment ne consistaient qu'à préparer quelques déjeuners de fête, pour des occasions spéciales. Elle se dévouait à ses enfants et adorait Jack, qui la poussait à bout, la rendait folle par son absence d'organisation et sa terreur secrète à l'idée que quoi que ce soit puisse arriver à ses trois amours. Hannah savait tout de cette terreur bien réelle et de son désir de protéger sa famille de toute menace. Elle tâchait de guider son équipage sur une route à la fois raisonnablement sûre et favorable à leur épanouissement naturel.

Jack revint dans la cuisine l'air préoccupé, mais il sourit à Toby en s'asseyant face à lui, à côté de la chaise haute de sa fille.

— Qui était-ce ? demanda Hannah, et pourquoi le téléphone sonne-t-il au moment précis où nous nous mettons à table ? C'est une conspiration.

— Miel, plaida Flora. Pas confiture. Non, non, non…

— Le mot « non » a-t-il donc une résonance particulièrement plaisante dans l'imaginaire enfantin ? s'étonna son père, tout en éloignant le pot de miel des mains collantes de Flora. Pourquoi pas « oui » ou « s'il te plaît » ? « Non », il me semble que ça a été le premier mot que notre fille ait prononcé. Pas « mamamama » ou « papapapa », comme j'ai cru comprendre que c'était généralement le cas, mais plutôt « non ».

— En fait, répondit Hannah en garnissant l'assiette de Toby de bâtonnets de pain de mie grillés, son premier mot a été « Casse-toi ! » » – et on le doit au petit Jackson.

Toby écarquilla les yeux et fit mine de dire « Casse-toi ! » à son père, qui lui adressa un clin d'œil.

— Quel adorable garçon, soupira-t-il. Quand il a fini par nous quitter, notre dette envers lui était immense.

— Oui, acquiesça Hannah d'un air sinistre. Le vocabulaire de Toby s'était étonnamment étoffé… D'accord, Flora ! Si tu n'en veux pas, je le donne à Caligula.

Flora regarda le monstrueux prédateur tigré posté sous sa chaise et renifla tristement, les yeux emplis de larmes de frustration. Toby la fixait avec empathie, sachant que son orgueil gigantesque réclamait d'être amadoué avant qu'elle puisse battre en retraite.

— C'est de la nouvelle confiture, l'encouragea-t-il. Pas comme la vieille. Celle-là est vraiment bonne.

La lèvre inférieure de Flora reprit sa taille normale et ses membres arc-boutés se relaxèrent un peu.

Elle permit à contrecœur qu'une minuscule portion de pain et de confiture soit insérée dans sa bouche. Constatant que rien ne ressortait de l'orifice, ses parents prirent une profonde inspiration et se sourirent, comme si un immense objectif avait été atteint.

— Toby a son avenir tout tracé dans le corps diplomatique, observa Jack, s'il en existe toujours un dans vingt ans.

— C'est bien possible, admit Hannah. Mais qui était-ce, au téléphone ?

— Ah, oui !

Le visage de Jack se défit.

— C'était Lyddie. Elle ne pourra pas nous rendre visite.

— Oh, non ! fit Hannah en posant sa tasse de thé. Pourquoi diable ?

Il hésita.

— Je ne suis pas complètement sûr d'avoir compris. Elle semblait vraiment triste mais elle affirmait que tout allait bien. Elle a simplement dit qu'elle était dépassée par les événements et qu'elle ne pourrait pas se libérer.

— Zut ! dit Hannah, agacée. J'avais tellement hâte de la voir. Comme nous tous, d'ailleurs !

— Je voulais lui montrer que j'arrive à pédaler sur mon nouveau vélo, dit Toby tristement. Et lui faire voir mon dessin.

— Et Flora voulait lui dire son nouveau mot, ajouta Jack, espérant leur remonter un peu le moral. N'est-ce pas, ma chérie ?

Flora se renfrogna, les joues gonflées, bourrées de pain et de confiture. Il lui sourit.

— Quel nouveau mot ? demanda Toby.

— Jack, avertit Hannah. Ça suffit... Ce n'est pas le genre de Lyddie de nous poser un lapin. Es-tu certain qu'elle va bien ?

— Pas vraiment. Je n'ai rien réussi à lui arracher. La bonne nouvelle, c'est qu'elle a accepté de nous rejoindre à Ottercombe samedi. Elle a envie de voir les tantes et je le lui ai fait promettre en la menaçant de lancer Flora contre elle.

— Bon, c'est toujours ça. Mais on ne pourra pas papoter tout à notre aise.

— Est-ce qu'elle viendra avec le Nemrod ? demanda Toby. Je l'aime tellement… Et Flora aussi, n'est-ce pas, Flora ? Ce serait super si nous avions un chien.

— Je sais, dit Hannah. En fait, tu en as déjà parlé. Une fois ou deux.

— Voire dix fois par jour. Mais oui, Lyddie viendra avec le Nemrod et tu pourras aller à la plage avec lui.

— La plage…

Le visage de Toby s'éclaira.

— Flora, on va à la mer !

— Bicui, exigea Flora d'un air menaçant, martelant son plateau. Bicui !

— On emmènera Flora nager dans l'océan, dit Jack, les yeux brûlant d'intentions inavouables. N'y a-t-il pas eu une découverte scientifique qui prouve que les enfants en bas âge ne peuvent pas se noyer ? Ne devrions-nous pas tester cette affirmation ?

— Ne me soumets pas à la tentation, soupira Hannah d'un ton rêveur, tout en donnant à la petite un bout de biscuit. Ne m'y soumets pas, c'est tout ce que je dis.

Elle pela une orange et en offrit un quartier à son fils.

— Allez, Toby, mange. Ensuite, on ira tous se balader. Tous, répéta-t-elle avec fermeté tandis que Jack avalait les dernières gorgées de son thé et regardait ostensiblement sa montre. Ça nous fera du bien.

Le visage de Jack prit une série d'expressions successives qui firent éclater Toby de rire, et même Hannah ne put réprimer un sourire.

— Rien à faire, dit-elle. Les gamins de huit ans sont de meilleurs exemples que toi. Non, Flora, ça suffit, les biscuits. Pomme, maintenant. Mange et on ira au bord de la rivière. Tu pourras prendre ta bicyclette, Toby. Et papa te portera sur son dos, Flora. Ça te plaît ça, non ?

Flora, qui considérait qu'effectivement la situation était convenable lorsque sa tête dominait toutes les autres, se mit à dévorer ses quartiers de pomme avec enthousiasme. Jack toisa sa femme.

— Merci. Il n'y a rien que j'aime davantage que de me faire tordre violemment les deux oreilles pendant qu'une paire de petits talons d'acier me pulvérise la clavicule.

— Parfait, répondit-elle d'une voix douce. Je suis heureuse lorsque tout le monde y trouve son compte. Je vais chercher les manteaux. Et ne saute pas sur les derniers biscuits, Jack. Je les ai comptés.

Elle quitta la cuisine et un silence s'ensuivit, interrompu seulement par Flora, qui mastiquait un bout de pomme. Toby termina ses quartiers d'orange et sourit à son père, qui lui adressa un clin d'œil complice. Puis, d'un air pensif :

— Dis-moi, Toby, est-ce qu'on t'a déjà appris le mot « sorcière » ?

XI

Nest se réveilla en sursaut. Son cœur battait la chamade et elle parvenait difficilement à reprendre conscience. Elle chercha à apercevoir son réveil. Avant même de déchiffrer les heures lumineuses, elle sut que la nuit était terminée. L'épaisseur des rideaux ne bloquait pas complètement la douce lumière matinale, qui se glissait entre les plis du lourd tissu, peignant dans la chambre de délicates touches rosées, caressant les acajous et les surfaces vitreuses d'un pâle éclat luisant. La maison reposait dans un silence absolu. En ces matins, la profonde vallée se remplissait de brumes rampantes recouvrant jusqu'à la cime des plus grands arbres, tandis que la mer, assoupie sous ses couvertures humides, attendait cette chaleur irradiante qui venait de commencer à se frayer un chemin dans la chambre de Nest.

Lors des mois qui avaient suivi l'accident, son impuissance la remplissait de cauchemars, de jour comme de nuit. Et si la maison était la proie d'un incendie ? Et si un intrus se glissait à l'intérieur ? Son incapacité à bouger rapidement ou à se défendre lui infligeait des crises de terreur fiévreuse que Jack et Mina avaient tenté de calmer par des moyens pragmatiques : un excellent système d'alarme, des détecteurs de fumée et des barreaux à ses fenêtres. Le petit salon, pratiquement abandonné depuis la mort de Lydia, avait semblé l'endroit idéal où installer les quartiers de Nest. La pièce était adossée à la cuisine, ce qui avait simplifié les travaux de plomberie nécessaires à la construction d'une petite salle de bains privée. Située au rez-de-chaussée, cette chambre lui donnait un accès facile aux pièces communes de la maison, mais augmentait ses terreurs nocturnes. Mina refusait de lui permettre de s'y enfermer, mais les barreaux avaient été d'un grand secours.

— C'est tellement stupide, avait pleurniché Nest, frustrée, au bord des larmes. Je suis bien jusqu'au moment de me mettre au lit. Alors, avec l'obscurité...

Et Mina s'était souvenue de Nest, plus petite, qui criait dans la nuit, après une séance de lecture consacrée à Hans Brinker. Le chapitre « Le Lion rouge devient dangereux » racontait comment les jeunes Hollandais étaient tombés sur un intrus. L'idée de ce voleur se glissant en silence dans la maison, marchant lentement sur les planchers blancs de lune, un couteau à la main, avait hanté la petite Nest longtemps après le couvre-feu. Après ce cauchemar, on lui avait permis de terminer la nuit dans le lit de Mina. Depuis l'accident, elle s'était peu à peu adaptée à cet aspect de son handicap, mais elle souffrait toujours de rêves horribles et de terreurs en plein jour.

En même temps qu'elle parvint à voir le réveil, Nest se raidit subitement. Quelqu'un dans la pièce. Tendue, sur le qui-vive, une boule dans la gorge, elle tenta de voir plus clairement la forme sombre et dense qui se tenait près de la porte. L'ombre demeurait là, en attente, mais pourtant, dans le silence, ses sens en alerte détectèrent une certaine confusion chez l'intrus. Un bref instant, Nest se demanda si elle n'avait pas affaire à un rêve particulièrement saisissant mais, avant qu'elle ait pu rejeter cette idée, il y eut un mouvement : on tourna discrètement une poignée, un filet de lumière s'étendit devant la porte puis elle se referma avec un léger déclic. Nest fut trempée en un instant par une sueur de soulagement et relâcha douloureusement ses muscles bandés par la peur. Elle déglutit plusieurs fois, paupières closes, et commença à prendre délibérément de profondes respirations. Elle repoussa ensuite les couvertures et entama son long processus d'habillage. Un peu plus tard encore, elle roula vers la cuisine pour le petit-déjeuner.

La pièce était inondée d'une lumière réconfortante et Boyo Bon-à-rien vint l'accueillir. Elle se pencha de son fauteuil pour le caresser tout en saluant ses sœurs.

Georgie était plongée dans un catalogue, mais Mina plia puis rangea *The Spectator*, souriant à Nest – elle ne commentait jamais les misères nocturnes de sa sœur, préférant plutôt se concentrer de manière plus optimiste sur les plaisirs potentiels de la journée naissante. Elle lui versa du café avant d'entamer la conversation.

— Bonne nouvelle ! Jack m'a envoyé un e-mail, hier soir. Ils viennent nous rendre visite samedi, toute la journée. Lyddie sera avec eux.

Nest souleva la bouilloire pour la poser sur la plaque, ragaillardie par la bonne humeur de Mina.

— Superbe, répondit-elle joyeusement. N'est-ce pas, Georgie ? Il y a combien de temps que tu n'as pas vu Toby et Flora ? Depuis le baptême, non ?

— Quelle journée ça a été…, se remémora Mina. Cette charmante chapelle. C'était une si bonne idée de faire la cérémonie à l'école, n'est-ce pas ?

— Tu te souviens, Georgie ? insista Nest, tandis que Georgie tournait gauchement une page. Tu te souviens de Flora ?

— Bien sûr qu'elle s'en souvient, intervint Mina avec précipitation, sa joie menaçant de s'évaporer devant l'insistance de Nest. Et de ce cher petit Toby aussi.

— Quand viennent-ils ? demanda Georgie. Quand ?...

Elle s'affaissa dans une étrange posture d'écoute, les yeux vides, la tête un peu penchée – Mina regarda Nest, pleine de désarroi. Nest roula vers Georgie et posa la main sur son poignet ; elle aperçut des taches d'œuf toutes fraîches sur le pull de sa grande sœur et vit que sa chevelure n'était pas peignée.

— Georgie, dit-elle doucement en lui secouant le poignet, tout flasque. Jack et Hannah nous rendent visite samedi. C'est bien, non ?

Le regard de Georgie dériva lentement de son poignet au visage de Nest.

— Je connais un secret.

Elle se mit à sourire légèrement, d'un air malin. Sa voix était plus forte, maintenant, et elle avait pris cette vieille intonation chantante. La peur piqua Nest au ventre. Elle se tourna vers Mina, qui regardait Georgie avec une expression inquiète semblable à la sienne, et lâcha le bras de sa sœur de façon plutôt abrupte.

Mina repoussa sa chaise.

— Eh oui, fit-elle avec une bonne humeur forcée. Samedi ! Comme ça va être amusant.

Puis elle appela les chiens et sortit dans le jardin. Après un moment, Georgie retourna à son catalogue comme si de rien n'était et Nest roula vers la bouilloire qui, entre-temps, s'était mise à siffler. Pensive, elle entreprit de faire le café.

— Ce ne peut être que Georgie, dit-elle à Mina lorsqu'elles furent toutes les deux seules au salon.

Tu n'entres jamais dans ma chambre sans frapper. C'était le matin. Qui d'autre aurait pu ?

— Il arrive qu'elle perde pied, avança Mina. Tu le sais. Oh, mon Dieu...

— Mais pourquoi rester là dans le noir, sans parler ? J'étais terrifiée.

La peur de Nest, maintenant, prenait des accents de colère.

— Si elle commence à se faufiler ici ou là, je vais devoir verrouiller ma porte. La prochaine fois, elle le fera en plein milieu de la nuit. As-tu idée à quel point ça peut être terrifiant de se réveiller et de réaliser que quelqu'un est là, dans la chambre ?

— Oui, enfin, non... Mais je peux l'imaginer, répondit Mina avec détresse. Oh, je suis tellement désolée.

— Ce n'est pas ta faute, reprit Nest, que le désarroi faisait se sentir coupable à son tour. Il est évident que tu n'y es pour rien. Mais je ne peux pas accepter ça.

Il y eut un silence.

— Mina. Crois-tu qu'il soit possible que Georgie... sache quelque chose ?

Leur véritable terreur resurgissait désormais au grand jour. Les yeux de Mina croisèrent brièvement ceux de sa sœur, avant de se détourner.

— Je... Je n'en sais trop rien.

— Mais personne d'autre n'est au courant, pressa Nest, qui regarda la porte fermée du salon et baissa la voix instinctivement.

— Seules toi, Mama et moi...

— Je ne l'ai certainement jamais dit à Georgie.

— Crois-tu que Mama pourrait lui avoir dit quoi que ce soit ?

— Je ne peux pas croire qu'elle l'aurait fait, mais ça n'exclut pas que Georgie ait peut-être pu... entendre quelque chose.

— Oh, mon Dieu !

— Écoute, fit rapidement Mina. Ne paniquons pas. Elle souffre de toute évidence d'une sorte de délire. La démence… Je ne sais pas de quoi il s'agit au juste, mais il serait idiot d'en tirer des conclusions hâtives. Elle croit probablement savoir quelque chose, simplement. Après tout, il y a de nombreux secrets.

— D'autres secrets ?

— Eh bien, non, coupa vite Mina. Pas des… vrais secrets. Georgie continue seulement à être elle-même.

Nest se tourna vers le jardin.

— J'espère que tu as raison, poursuivit Mina. Et je t'en prie, ne verrouille pas ta porte. Je serais si inquiète. Si tu entends quoi que ce soit, appuie sur le bouton de ta sonnette. C'est pour ça qu'on l'a installée, après tout. Je comprends bien que, cette fois-ci, tu aies été complètement prise au dépourvu, mais la prochaine fois…

— J'espère qu'il n'y aura pas de prochaine fois, répondit Nest, renfrognée.

Elle fit franchir à son fauteuil la porte-fenêtre pour gagner la terrasse et Mina resta toute seule. Elle demeura ainsi assise, presque immobile, si ce n'est l'une de ses mains qui, inconsciemment, continuait à caresser la boîte à ouvrage en bois de rose de sa mère, qui reposait depuis la nuit des temps à sa place, près du fauteuil.

Timothy parvient à rendre une dernière visite à Ottercombe avant de disparaître à nouveau en Europe. Ambrose et Georgie sont désormais fixés à Londres, se manipulant l'un l'autre afin d'atteindre leurs objectifs. Les rationnements d'essence et les restrictions de circulation leur fournissent d'excellentes excuses pour éviter le long voyage vers l'Exmoor mais, d'une façon ou d'une autre, Timothy trouve le moyen de se rendre là-bas. Il prend un train jusqu'à

Barnstaple, puis la dernière correspondance pour Parracombe, et fait le reste à pied, près de dix kilomètres à travers la lande. Il arrive tard, une folle soirée de mars, et seules Lydia et Mina sont encore debout pour l'accueillir. Sa peau, d'un brun foncé, a été brûlée par un lointain soleil, sa chevelure s'est éclaircie, devenant couleur de paille, et aux yeux de Mina, il offre une vision plus excitante et romantique que jamais.

Lydia ne parvient pas à contenir sa joie ni son soulagement. Elle se précipite à travers le vestibule, se jette dans ses bras, le serrant fort. Timothy, entraîné à contrôler ses émotions, parvient à sourire à Mina, détournant son attention d'une Lydia bouleversée.

— Tu t'es fait du souci ? lui demande-t-il, les yeux rieurs. Tu as eu peur pour moi, qui traversais la lande dans le noir ? Tu as craint que je croise Mister Hyde ou Ali Baba ?

Mina rit, charmée par sa capacité à établir si rapidement une connexion, touchée par le fait qu'il se souvienne que toute sa vie tournait autour de personnages de roman.

— J'ai eu peur, admet-elle, lorsque tu as téléphoné de Barnstaple et que ça a fait bip-bip puis que ça a raccroché. Nous avions toutes deux peur. Nous savions qu'il te faudrait marcher depuis Parracombe, mais j'ai dit à Mama que ce n'était rien en comparaison de ce que tu as l'habitude d'affronter.

Elle sourit à sa mère avec indulgence. Celle-ci se calme un peu, même si ses yeux brillent étrangement et si ses joues sont cramoisies.

— Mais nous n'avons rien dit aux Minis, hein, Mama ? Parce qu'ils n'auraient jamais voulu monter se coucher.

— Tu dois avoir faim, fait Lydia d'une voix qu'elle voudrait posée.

Il baisse les yeux sur elle, souriant. Puis leurs regards, plongés l'un dans l'autre, demeurent ainsi. Sa main serre sa manche de chemise. Mina est déjà en route pour la cuisine.

— Nous avons beaucoup de chance, leur crie-t-elle de là. Il y a une ferme juste à côté. Ils nous donnent de la crème, des œufs et du fromage. Et Jenna – tu te souviens de Jenna ? – nous apporte parfois un poulet ou des lapins que Seth attrape. Je crois que c'est mieux d'être à la campagne en temps de guerre, mais Georgie trouve ça très ennuyeux. As-tu vu Papa et Georgie, à Londres ?

— Non.

Ils sont maintenant tous à la cuisine.

— Non, j'avais à peine le temps de sauter dans le train. Ils vont bien ?

— Oh, oui.

La bouilloire siffle sur le fourneau. Tout en préparant à manger, Mina bavarde joyeusement.

— Ils ont survécu au Blitz, au moins. Bien que Mama ait tenté de faire revenir Georgie à la maison. Georgie a répondu que c'était une grande aventure et insisté pour rester avec Papa. Elle voudrait que je les rejoigne là-bas à Londres, mais Mama a besoin de moi et je fais classe aux plus jeunes, même si Henrietta et Josie sont presque trop grandes – elles iront à l'école cet automne. Timmie va à Trentishoe, c'est le vicaire qui lui fait classe. Papa dit qu'il devra bientôt aller à l'école, lui aussi.

Son babil s'éteint lorsqu'elle prend conscience du silence derrière elle. Ils lui sourient tous deux quand elle regarde par-dessus son épaule, mais elle sent une tension.

— Tu dois être épuisé, dit-elle à Timothy. Nous avons ramassé du bois tout l'après-midi dans la vallée, et il y a donc un bon feu au salon. Pourquoi n'y apporterais-tu pas ton dîner sur un plateau ? Tout est prêt.

— C'est une délicieuse idée, dit Lydia en tremblant. Même avec le four allumé, il fait froid, ici. Bonne nuit, ma chère enfant. Il est très tard et demain nous aurons une journée bien remplie. Allez, au lit.

— La maison est pleine, dit Mina en embrassant Timothy. Nos cousins sont ici avec leurs bébés. On a dû te mettre dans le dressing de Papa, près de Mama. C'est minuscule, mais nous avons fait en sorte que ça soit confortable, n'est-ce pas, Mama ?

— Très confortable, sourit Lydia. N'aie crainte, il dormira bien ce soir.

Elle regarde Timothy d'un air presque coquin, mais il semble soucieux, presque impatient. En les observant, quoiqu'elle ait contribué à accueillir Timothy, Mina se sent soudainement exclue, mise à l'écart. Lydia soulève le plateau et Timothy la suit dans le vestibule ; ni l'un ni l'autre ne regardent Mina tandis qu'elle grimpe les marches et passe au-dessus d'eux en leur chuchotant un ultime : « Bonne nuit. »

Les petits sont fous de joie lorsqu'il apparaît au petit-déjeuner. Même Henrietta et Josie, qui se font concurrence dans le registre de la jeune fille sophistiquée, oublient leurs conflits et retrouvent rapidement leur complicité avec lui. Il apporte à chacune un joli foulard de soie fleuri – bleu pour Henrietta, vert pour Josie, mais identiques en tous points. Ravies qu'il ne les ait pas classées au rang des Minis, impressionnées par la beauté de la soie, elles courent chercher des accessoires avec lesquels marier ces splendeurs.

— C'est habile de ta part de leur donner la même chose, autrement elles se seraient disputées, confie Mina.

Elle ne saisit pas les doux regards qu'échangent Lydia et Timothy, et ne se doute pas non plus que les cadeaux offerts ont fait l'objet d'une consultation entre eux deux. Timmie reçoit un modèle réduit de Spitfire qui le rend muet d'excitation, alors que Nest est la nouvelle propriétaire d'une magnifique poupée de chiffon, accompagnée de toute une sélection de minuscules vêtements de rechange.

— Rendez-vous compte que tout ça tient dans ce minuscule sac, s'étonne Mina.

Il ne lui vient pas à l'esprit, maintenant qu'elle est adulte, qu'on puisse lui faire également un cadeau. Pas plus qu'elle ne se doute que Mama a reçu un cadeau en privé. Elle regarde les Minis avec un plaisir profond tandis qu'ils examinent leurs jouets. Timothy attend d'être seul avec elle pour saisir sa chance.

— J'ai quelque chose pour toi, dit-il, alors qu'elle est en train d'éplucher des pommes de terre dans l'arrière-cuisine.

Jean et Sarah ont emmené les plus jeunes à la plage et la maison est silencieuse. Il lui tend le paquet et la dévisage. Elle essuie rapidement ses mains sur la serviette avant de sortir le livre de son sac. Le seul fait que ce soit un livre, doublement précieux en ces temps, la fait soupirer de plaisir. Mais lorsqu'elle voit le titre, elle s'écrie :

— Oh, non, pas un M. J. Farrell ! Oh, c'est le plus beau cadeau que tu pouvais m'offrir. J'ai adoré *Taking Chances* et *Devoted Ladies*, et je les ai lus si souvent qu'ils tombent en lambeaux. Ça doit être son tout dernier. Oh, merci…

Elle saute dans ses bras et le serre fort.

— Tu m'as écrit un mot dedans, n'est-ce pas ?

Elle s'en assure, puis lui sourit à nouveau.

— J'ai hâte de l'entamer.

130

— Il faudra que tu attendes encore un peu, sourit-il, comme toujours touché par sa gentillesse et sa ressemblance avec Lydia. Je voudrais que tu prennes quelques photographies, pour moi.

— Moi ? demande-t-elle, surprise mais flattée. Je ne suis pas très bonne, je te préviens. Je coupe les têtes et les pieds des gens, mais je veux bien essayer.

— Brave petite, dit-il. La plupart des enfants sont à la plage mais Nest et Mama sont là. Tu pourrais t'entraîner avec elles en attendant que les autres reviennent et, lorsqu'ils seront là, tu seras devenue une photographe aguerrie.

Elle pose encore les yeux sur le livre, imagine les trésors qu'il recèle, puis le glisse soigneusement dans son sac.

— Viens avant que nous ne perdions la lumière du soleil.

Elle le suit dans le vestibule et ils sortent au jardin.

C'est Ambrose qui annonce la nouvelle, quatre mois plus tard, en téléphonant de Londres. Par une chaude journée de juillet, alors que les enfants sont à la plage. Il ne se doute de rien et croit que c'est d'abord à lui-même qu'ira la sympathie de chacun. Il vient, après tout, de perdre un très bon ami.

— L'un des meilleurs, répète-t-il sans cesse, jusqu'à ce que Lydia se sente sur le point d'écrabouiller le combiné. Pauvre vieux Timothy, je l'avais toujours cru indestructible. Il va vraiment me manquer. On n'en fera plus, des comme lui. Il était l'un des meilleurs...

Lorsque Mina rentre, Lydia est assise au salon, les yeux secs. Ses mains caressent et polissent la dernière lettre qu'elle a reçue, la semaine précédente. Elle regarde Mina, grimace un peu, les yeux vides.

— Mama ?...

— Il est mort, dit-elle comme si de rien n'était. Mort.

Mina sait immédiatement qu'il est question de Timothy, et non de Papa, et elle quitte tout de suite la pièce pour se rendre dans le vestibule où les enfants se débarrassent de leurs filets de pêche et de leurs seaux tout en se disputant.

— Emmène-les à la cuisine, dit-elle à Henrietta. Et ensuite, va trouver Jean ou Sarah et demande-leur de vous faire du thé. Essaie de les tenir tranquilles, Henrietta, si possible. Mama ne va pas bien.

Au salon, Lydia est toujours assise, immobile, dans le fauteuil près de la boîte à ouvrage. Mina attrape un tabouret et se perche près d'elle. Elle lui prend la lettre de manière à pouvoir serrer ses mains dans les siennes. Elle range soigneusement l'enveloppe sur le dessus de la boîte. Elles restent assises en silence, Mina berce les mains glacées de sa mère, et le soleil s'enfonce lentement derrière la falaise. Le jardin se couvre d'ombres.

Pas un mot n'est prononcé.

Les larmes viendront plus tard.

XII

— Pardonne-moi, dit Nest en nettoyant la cuisine après le déjeuner. J'ai eu une panne complète de sens de l'humour. Je suis certaine que tu as raison et qu'elle est seulement un peu perdue. De toute manière, tu n'as rien à voir là-dedans.

— Je me demandais si je n'allais pas annoncer à Helena que nous sommes tout simplement incapables de gérer la situation, fit Mina en vidant l'eau de vaisselle et en nettoyant l'évier. S'il s'agit d'un processus de dégradation, cela pourrait se dérouler par paliers. Nous parvenons à le gérer aujourd'hui, demain nous ne le pourrons plus. Je n'aurais pas dû accepter du tout.

— Nous avons accepté. Ça a été une décision commune. C'est juste le fait qu'elle se soit glissée dans ma chambre…

— Je sais, coupa Mina. Je suis certaine qu'elle ne pensait pas à mal. Et puis tu as toujours souffert d'un trop-plein d'imagination.

Nest se mit à rire.

— Je crois que c'est notre cas à toutes les deux. Tous ces livres que nous avons lus… Je ne réussis plus à me rappeler de combien de personnages j'ai été amoureuse… M. Rochester. Steerforth. Ralph Hingston… Tu te souviens de Mama nous lisant *Portrait of Clare* ? Comme j'adorais Ralph !

— Oh, mon Dieu, oui. (Mina rangea la dernière assiette et marqua une pause.) Albert Campion. Berry. Richard Hannay. Et Peter Wimsey...

— Non. (Nest secouait la tête.) Non, pas Wimsey. Il était plutôt faiblard.

Mina lui sourit.

— « Personnellement, j'ai une certaine prédilection pour les gens faiblards... », cita-t-elle.

Elles éclatèrent de rire toutes les deux et un passé commun resurgit entre elles, majestueux.

— Qu'est-ce qui vous fait rire ?

Georgie les observait, postée dans l'encadrement de la porte.

— Ah, ce n'est rien, dit Nest, luttant contre son mauvais instinct, se rappelant les petites et amères disputes de l'enfance, les luttes de pouvoir, résistant à la tentation d'exclure sa sœur aînée. Nous parlions des gens dont nous avons été amoureuses. Nous faisions les idiotes.

— C'est drôle que tu dises cela, appuya Georgie en entrant dans la cuisine, souriante, l'air rusée. Je songeais justement à Tony Luttrell. Tu te souviens de lui, Mina ?

— Oui, dit Mina après une hésitation. Bien sûr que je me souviens de lui.

— Je me souviens de lui moi aussi, fit Nest, fronçant les sourcils pensivement. Mais je devais être très jeune. Comme c'est étrange ! Je me souviens de lui avec Mama, il était dans tous ses états.

Elle vit trop tard le visage de Mina, triste et blessée. Confuse, prise par surprise, elle se hâta de réparer sa bévue.

— Georgie, dit-elle, nous pensions sortir. Aller voir la mer des Rochers... Je me demande si le salon de thé de la Mère Meldrum est toujours ouvert.

Elle s'entendait bafouiller, consciente du regard attentif, presque amusé, que Georgie posait sur l'une puis sur l'autre de ses sœurs.

— Certainement, affirma Mina, qui avait recouvré sa sérénité. Par un temps comme celui-ci, elle sera ouverte au moins jusqu'aux vacances. Il y a des chances pour que nous puissions faire une promenade, donc prends ta veste, Georgie. Je vais aller chercher les chiens, Nest, après quoi on hissera ton fauteuil dans le camping-car.

La voiture grimpa lentement l'allée en pente, vira à gauche, direction l'est, vers Lynton, puis passa sur le haut chemin qui longeait le gouffre plongeant à pic dans le canal de Bristol. Cet après-midi-là, l'eau miroitait dans le soleil automnal, la peau soyeuse de la mer se hérissait, rutilante, jusqu'aux falaises grises et acérées, où elle se rompait en mousses crémeuses contre la pierre impitoyable. Les fougères mourantes zébraient les landes d'ombres ambrées et roussâtres, camouflant les daims timides et leurs robes fauves, tandis que les poneys hirsutes, leurs têtes lourdes, ruaient de-ci de-là ou paissaient parmi les herbes courtes de leurs verts pâturages. En dessous d'eux dérivait vers la grève un radeau de goélands, blancs comme neige contre le saphir des flots, raillés par leurs confrères postés dans des nids précaires accrochés aux rebords rocheux de la falaise.

Le véhicule serra à gauche à Holdstone Down Cross et plongea dans l'étroite ruelle qui menait à l'église de Trentishoe. Nest songeait à l'expression sur le visage de Mina. Elle regardait les grands buissons d'ajoncs épineux fleuris de pétales de soufre clair, observait un vol de pinsons palpitants au-dessus d'un mat de frêne, et sentait toujours qu'elle s'était involontairement immiscée dans une affaire profondément secrète.

Tony Luttrell. Je me souviens de lui.

Elle s'accrocha au dossier du fauteuil de Georgie, murmura des petits riens rassurants aux chiens tandis que le camping-car sautillait brutalement dans la descente de la colline, longeant l'église puis dépassant le mur de pierre d'un grand cottage et la vieille ferme, entourée de ses bâtiments récemment convertis. Elles pénétrèrent alors dans la vallée, profondément encaissée, empruntant l'unique chemin, à une seule voie. Des images se formaient dans sa tête : un jeune homme debout sur la terrasse, riant avec Mina et Mama, tenant une cigarette de deux doigts désinvoltes alors qu'il gesticulait de l'autre main, embellissant une anecdote qu'il est en train de leur raconter. Un visage mince doté d'une bouche large et mobile. Tony Luttrell. Comme il était étrange que Georgie pense à lui, après toutes ces années.

— J'avais oublié, dit Georgie lentement alors que la route plongeait dans les allées boisées de Heddon Valley, j'avais oublié à quel point c'est splendide, ici.

Les deux autres sourirent. Sa remarque les rapprochait brièvement et, pendant un temps, elles voyagèrent dans un silence paisible et harmonieux, entre les flancs de pierre aux durs visages, surmontés de haies de hêtre joliment taillées, dans le tourbillon de leurs feuilles rutilantes d'or et de cuivre.

Défilant comme dans un film muet, les images continuaient à se projeter dans la mémoire de Nest : une jeune Mina avec Tony Luttrell dans un uniforme cintré, assis ensemble sur le canapé du salon. Puis, très élégant en smoking, Mina à son bras, habillée de mousseline rose diaphane. Nest grimaça, se creusa les méninges. Consciente qu'une atmosphère affectueuse baignait ces souvenirs, se rappelant qu'elle aussi, elle avait eu de l'amitié pour lui. Il avait été gentil, pensa-t-elle. Il avait joué à cache-cache avec

Timmie et elle, et oh, oui... il possédait une petite voiture de sport décapotable, si fringante et romantique. Ils avaient pris place chacun leur tour dans le fauteuil du pilote, feignant de conduire. Timmie avait enfilé les gants de cuir jaune de Tony, dix fois trop grands pour ses petites mains.

Nest se sourit à elle-même tandis que le camping-car ralentissait en atteignant l'Auberge du Chasseur, où tout un autobus de badauds se tenait ; certains se dirigeant vers la boutique du parc naturel, d'autres portant de véritables chaussures de marche.

— Nous pourrions prendre le thé ici au retour, proposa Mina. Jan nous dorlote toujours et Georgie aimerait sans doute Charlie-le-paon, qu'en penses-tu, Nest ?

— Hum ? Oh, oui, certainement. Nous verrons quelle heure il sera lorsque nous arriverons chez la Mère Meldrum, d'accord ? Tu te souviens des paons sauvages, Georgie ?

— Mais bien sûr que je m'en souviens, fit Georgie avec mauvaise humeur, comme chaque fois qu'on la traitait en visiteuse plutôt qu'en femme de la région. Bien sûr que je m'en souviens.

La fragile harmonie risquait d'éclater en morceaux et Nest se sentit en proie au malaise d'une culpabilité familière.

— Désolée, marmonna-t-elle. Désolée. J'ai été bête.

Elle se pencha pour caresser Polly Garter, roulée en boule sur la couverture à ses pieds.

— Nous y sommes presque, avança Mina pacifiquement.

Le véhicule ronronnait par les chemins dominant les falaises couvertes de champs de Woody Bay, et Nest étira la tête pour voir un pétrolier qui sortait du port d'Avonmouth et passait lentement le canal de Bristol. Plus loin, sur la rive lointaine, les collines du pays de Galles rêvassaient tranquillement, chimériques et mystérieuses.

Georgie regardait par la fenêtre, calmée par toute cette beauté et toute cette paix, l'esprit temporairement ancré dans la joie du présent. Elle se tendit légèrement dans son fauteuil lorsque Mina ralentit le camping-car sur le pont moussu pour leur permettre de voir la chute qui dévalait la pente rocheuse, là où l'aulne et le noisetier se serrent l'un contre l'autre, là où la langue de cerf et le nombril de Vénus se dissimulent dans les crevasses.

— Voilà la folie, dit-elle en indiquant avec excitation la tour de Duty Point, dressée au-dessus du bois de Cuddycleave.

Elle sombra à nouveau dans le silence, mais demeura alerte tandis que Mina étendait le bras pour payer leur passage et que le camping-car avançait lentement, au-delà de l'abbaye de Lee, par l'étroit chemin de la vallée, louvoyant entre le chaos de rochers comme taillés à la serpe. Des voix de son enfance murmuraient à ses oreilles ; des souvenirs d'autres balades en voiture au côté de frère et sœurs agités, et Mama, toujours prête à retenir l'impatience de Papa, en proposant des jeux : l'espion, ou l'observation.

— Qui sera le premier à apercevoir un poney ?

Ou encore :

— Un chocolat pour le premier qui aperçoit une buse…

Et Georgie, assise, le nez écrasé dans la vitre, attentive, déterminée à être la première…

— Castle Rock ! cria-t-elle triomphalement, heureuse d'être encore la première, déterminée à prouver ses connaissances locales. Regarde, Mina, tu vois les chèvres ? Là-haut, sur Rugged Jack ?

Mina, trop heureuse de cette démonstration de santé mentale pour la priver de son triomphe, s'adressa durement au Chapitaine – qui avait la drôle de manie de détester les chèvres – et permit encore à Georgie de marquer un point avec la montagne de White Lady, ce qui restaura entièrement la bonne humeur de sa sœur.

Nest observait les chèvres sauvages, leur barbe et leurs cornes, qui jouaient parmi les rochers, sur les pentes couvertes de fougères. Sa mémoire tournait lentement, soixante ans plus loin. Tony suppliant Mama, son visage tendu par le désespoir et, plus tard, Mina pleurant. Pourquoi ? Mama avait-elle refusé d'approuver leur union ? Pourquoi l'aurait-elle désapprouvée ?

Cette soirée-là, quand Georgie fut au lit, épuisée par la sortie, et Nest enfin installée dans sa chambre, Mina fut heureuse de se rendre dans sa propre chambre, entourée de sa petite meute de chiens bruyants. La veille au soir, elle n'avait pas trouvé trace d'Elyot dans sa boîte mail et elle commençait à craindre d'avoir été trop brutale en lui suggérant de lui rendre visite à Ottercombe. Peut-être lui était-il difficile de rédiger un refus qui serait à la fois ferme et poli ?

— Po-po-po.

L'air s'échappa de ses lèvres pendant qu'elle se déshabillait. Manœuvrer le camping-car à travers ces campagnes escarpées commençait à représenter un grand effort pour elle, et son cou et ses bras étaient endoloris. Pourtant, elle craignait le jour où elle ne pourrait plus conduire. Comment se débrouilleraient-elles, si loin des magasins, si isolées, s'il fallait qu'elle cesse de conduire ?

Mina écarta ses peurs, réconfortée comme toujours par son bric-à-brac familier. Elle murmura des mots d'amour à l'intention des chiens qui s'étiraient et bâillaient dans leurs paniers. Le désespoir – l'ennemi de l'intérieur – était toujours là, prêt à foncer pour se tailler une place en un moment joyeux, à plaquer au sol un instant de fragile contentement. Elle se déshabilla lentement, avec douleur, heureuse de la chaleur que dispensait le radiateur. Le chauffage central, comme l'électricité, était arrivé tard à Ottercombe, et Mina se souvenait encore des années dans les chambres glacées où l'on se vêtait sous les draps, du temps où l'on se rassemblait autour du feu dans le salon. Seule la cuisine, dotée de son grand fourneau, plus tard remplacé par le four à pétrole Esse, restait vraiment chaude.

Elle se débarrassa de ses vêtements d'un geste vif, s'emmitoufla dans un très long châle de laine, et une légère excitation flotta dans sa poitrine. Elle rangea un peu, prolongeant délibérément l'attente, fit danser la marionnette magicienne sur son crochet, puis se rendit dans l'alcôve. Angoissée, maintenant, elle mit l'ordinateur sous tension, bougea la souris, les yeux fixés sur l'écran. Cinq messages non lus. L'un venait d'Elyot. Émue, soulagée, elle l'ouvrit, le parcourut rapidement à la recherche de changements importants puis, rassurée, le relut lentement, le cœur léger à nouveau.

De : Elyot
À : Mina

Tout ne va pas pour le mieux, ici. Hier, l'aide-soignante est venue s'occuper de Lavinia tandis que je profitais de ces quelques heures pour me dégourdir les jambes aux champs. La température était plus proche de mai que d'octobre, n'est-ce pas ? J'ai fait une merveilleuse promenade à travers les collines, si rafraîchissante et revigorante. Malheureusement, sur le chemin du retour, j'ai égratigné une voiture garée et je me sens encore ridiculement ébranlé par l'épisode. Le propriétaire, un jeune homme, s'est montré peu généreux au sujet des « vieux débris » à qui on permet de sévir sur les routes et je me suis senti étrangement humilié. Il y a pire. Lorsque je suis arrivé à la maison, j'ai appris que Lavinia s'était révélée très peu coopérative et que la soignante se faisait du souci pour elle, suggérant que son état se détériorait et qu'il était possible que je ne puisse plus la prendre en charge pour très longtemps.

Je peux vous dire, ma chère amie, qu'après son départ, j'ai sombré dans une terrible dépression. S'ajoutant à mon stupide accident, cette nouvelle est parvenue à réduire à néant mes batteries. Que pourrai-je faire lorsque je ne serai plus en mesure de conduire ? Comment pourrais-je placer Lavinia dans un centre de soins et l'abandonner là ? J'étais trop déprimé pour vous « parler », hier soir – et je ne vais pas bien mieux aujourd'hui, en fait –, mais j'avais besoin de prendre contact. En ces moments, les seules personnes capables de m'aider sont celles qui se trouvent dans une situation semblable et votre offre d'aller passer quelques jours de vacances chez vous m'a fait l'effet d'une petite étincelle de lumière au bout d'un long et sombre tunnel. Soyez bénie. Même s'il fallait que cela ne se réalise jamais, la simple évocation de cette possibilité permet (tout juste) de m'éviter de devenir fou. En espérant que tout va raisonnablement bien par chez vous ?

Mina demeura quelques instants assise. Plongée dans ses pensées. Elle se mit enfin à taper, à sa manière précautionneuse, à deux doigts.

De : Mina
À : Elyot
Comme il est étrange, Elyot, à quel point nos récentes expériences paraissent se ressembler de près. Georgie et Lavinia souffrent clairement de problèmes mentaux similaires et ma sœur commence à nous causer des soucis – quoique Georgie en ait toujours causé ! Mais ce sont ses allers-retours du présent au passé qui m'angoissent. Elle a bouleversé Nest en se glissant dans sa chambre ce matin, sans parler, sans bouger, en restant simplement debout en silence, dans le noir. Pauvre Nest, qui a toujours

été nerveuse, elle a failli en mourir de terreur et était très affectée. Le problème, c'est qu'il est impossible d'en parler directement à Georgie parce que je n'ai aucune idée de ce que pourrait être sa réaction. Il est clair qu'au plan mental, elle est instable. Son cas est loin d'être aussi grave que celui de votre femme, j'en conviens. Et de toute manière, je ne suis pas responsable de Georgie. Si j'insistais, Helena viendrait la reprendre. Mais elle est ma sœur. Le problème c'est qu'elle trouble Nest, lui parle d'un « secret »... Eh bien, nous en avons tous, n'est-ce pas, mais il s'agit ici d'une chose plutôt sérieuse. Je voudrais seulement savoir quel est ce secret que croit connaître Georgie. Oh, mon cher ! Comme cela nous fait paraître étranges, mais c'est un grand soulagement de pouvoir vous en « parler ».

Pour ce qui est de la conduite, oui ! C'est également ma terreur. J'étais tellement fatiguée après notre balade de cet après-midi que, comme vous, je me suis vue envahie de peurs en me demandant combien de temps encore je pourrais continuer. Il ne faut pas que nous laissions ça nous déprimer. Je sais que vous avez lu *The Screwtape Letters*, mais je me demande si vous avez lu *Hope is the Remedy*, de Bernard Haring ? Son oncle Screwtape est Super-Moufette, devenu président du Congrès universel des moufettes, et leur ordre du jour est de transformer leur ennemi, l'Église, en parfait sacrement du pessimisme. Il sait que les chrétiens – et la plupart des gens, en fait – ne peuvent pas survivre si le pessimisme se répand et que l'espoir est réduit à néant. Nous ne pouvons pas nous permettre le désespoir, mon vieil ami. Un jour, vous viendrez à Ottercombe, j'en suis certaine et, en attendant, nous possédons le luxe de ces échanges.

Ne m'avez-vous pas dit que votre fils allait rentrer de l'étranger plus tard dans l'année ? Voilà une chose à laquelle se raccrocher, non ? De notre côté, nous avons Jack et sa famille, ainsi que Lyddie, qui nous rendent visite samedi. Ils nous mettront certainement de bonne humeur. Pardonnez-moi si je commence à me montrer dangereusement banale, mais je sais à quel point nous nous trouvons tous deux au bord du gouffre.

Gardez le contact, Elyot.

Vous êtes dans mes pensées.

La réponse ne se fit pas attendre.

De : Elyot
À : Mina
Ma chère Mina, vous m'avez fait le plus grand bien. Je n'ai pas lu *Hope is the Remedy*, mais je vais m'assurer de le faire. Je crois que j'en ai besoin !
Bonne nuit et que Dieu vous bénisse.

Mina respira, profondément soulagée, auréolée d'un chaud bonheur. Avec un petit sourire, elle entreprit d'ouvrir ses autres messages.

XIII

Un peu plus tôt au cours de la même soirée, Lyddie s'était précipitée dans le dédale des ruelles, espérant se rendre à L'Endroit avant que la pluie ne se mette véritablement à tomber. Une douce brume grisâtre avait rampé sur la ville, en provenance de l'ouest, et demeurait suspendue comme un rideau de crépine filtrant le soleil couchant. La nuée épongeait la splendeur éclatante de l'astre, de telle façon que ses couleurs se mêlaient les unes aux autres, or, écarlate et améthyste se combinant pour peindre un crépuscule délicat et nacré. Lyddie l'avait observé depuis la barrière du parc sur la route qui dominait la ville, tandis que le Nemrod furetait auprès d'elle. Elle avait attendu la disparition de l'ultime touche de rosé avant de rentrer à la maison pour se changer et revêtir des atours qui la mettraient en confiance lors du dîner à L'Endroit. Au cours des deux derniers jours, depuis cette dispute au sujet de la lettre, une sorte de trêve s'éternisait entre eux, et Lyddie avait peine à supporter la fatigue que lui causait l'obligation de se comporter comme une étrangère vis-à-vis de lui. Elle avait été plutôt choquée – puis terrifiée – de découvrir que Liam semblait pratiquement indifférent à la disparition de leur joie commune. Ce soir-là, après la dispute, elle s'était sentie incapable de pénétrer dans L'Endroit comme si de rien n'était. Comment pourrait-elle le côtoyer ainsi, en public, après ce qui venait de se produire entre eux ?

Il était rentré aux petites heures du matin et avait été surpris de la trouver là, assise à l'attendre.

— Pourquoi n'es-tu pas au lit ? avait-il demandé, avec une pointe d'impatience.

Lorsqu'elle était allée vers lui, espérant le radoucir, pour lui expliquer pourquoi elle s'était sentie incapable de se rendre à L'Endroit, il avait déclaré qu'il était trop tard pour les effusions sentimentales et qu'ils avaient tous deux besoin de sommeil. Réduite au silence, humiliée, elle l'avait suivi à l'étage, en se demandant s'il allait se montrer plus détendu lorsqu'ils seraient couchés. Il lui avait tourné le dos immédiatement et, en un instant, s'était endormi. Elle était restée là, étendue toute droite, malheureuse, à écouter sa respiration régulière et sereine. Elle avait ensuite quitté le lit et était descendue faire du thé, qu'elle avait bu en passant un bras autour du cou du Nemrod. Il était ravi de la voir, enchanté par cette rupture dans la routine, et s'était montré déçu lorsqu'elle était finalement remontée se coucher, s'éloignant de lui pour se fondre dans l'obscurité. Vers l'aube, elle avait enfin sombré dans un lourd sommeil et, lorsqu'elle s'était réveillée, Liam était parti.

Il avait laissé pour elle une note sur son bureau : « Ma journée va être très occupée – l'inspecteur vient nous contrôler. On se verra ce soir pour dîner, comme d'habitude. »

Elle avait pris la chose comme un drapeau blanc et, désireuse de tirer parti ne serait-ce que de ce tout petit point positif, elle s'était rendue comme d'habitude au bar pour dîner. Liam, cependant, était demeuré dans son bureau toute la soirée et même Joe arborait une expression soucieuse qui n'encourageait pas la moindre intimité. Quand ils étaient rentrés à pied, elle n'avait pas osé demander à Liam comment s'était déroulée la visite de l'inspecteur, de peur qu'il ne l'interprète comme une curiosité déplacée, mais elle avait réussi à signifier son espoir qu'ils puissent bientôt parvenir à recouvrer leur aisance habituelle à communiquer. Il était clair que Liam avait bu, ce qu'il faisait rarement en travaillant. Il était plus facile d'approche que le soir précédent, mais une étrange indifférence demeurait, un soupçon de brutalité dans ses manières qui la terrifiait. Cette fois, il lui fit l'amour avec passion, mais sans la moindre tendresse. Pourtant, elle s'accrocha à lui, déterminée à percer cette façade qui lui bloquait l'accès au vrai Liam, celui qu'elle aimait, et qui le transformait en un étranger.

Comme la veille, il s'endormit immédiatement ; cependant, cette fois, il restait un simulacre d'intimité et, réconfortée par son corps chaud et détendu, elle parvint à dormir. Lorsqu'il lui apporta une tasse de thé, au petit matin, sa retenue était toujours présente, bien qu'elle eût tenté de lui sourire, de lui témoigner son amour.

— Alors, quand pars-tu chez ton cousin Jack ? lui avait-il demandé.

Quand elle lui annonça qu'elle avait annulé sa visite, il sembla bel et bien déçu.

— Comment pourrais-je y aller, avec ce qu'il se passe entre nous ? avait-elle plaidé. Ne vois-tu pas que ça serait impossible ?

— Seigneur Dieu ! s'était-il exclamé. Quelle enfant tu fais !

Mais il s'était aussitôt calmé et lui avait tendu la main.

— J'avais l'intention de prendre une journée de congé, de toute façon, avait-elle dit en serrant sa main très fort, alors ne pourrions-nous pas plutôt passer du temps ensemble ? Nous pourrions emmener le Nemrod et faire une grande balade quelque part ? On dirait que la journée va être magnifique.

— Ça m'est impossible, répondit-il, détournant la tête pour ne pas voir sa déception et dégageant sa main. L'inspecteur n'en a pas fini avec nous, j'en ai bien peur. Je serai coincé dans le bureau avec lui jusqu'à l'heure du déjeuner, peut-être même plus tard.

— Mais tu seras à la maison cet après-midi ?

— Je l'espère. Dans le cas contraire, je pourrai certainement manger avec toi ce soir. C'est un rendez-vous ?

— Oh oui, avait-elle répondu, heureuse de voir la conversation reprendre un tour plus léger.

Ainsi était-elle là, à se dépêcher, avec le Nemrod qui piétinait à ses côtés. Ils se hâtèrent de se mettre à l'abri avant la pluie. Elle arrivait un peu avant l'heure habituelle, mais c'était délibéré. Elle espérait se trouver à sa place ordinaire, bien installée, avant que le café ne s'emplisse de clients.

Elle savait bien que c'était puéril mais elle grimaçait à l'idée d'affronter les regards de ces clients désormais familiers, de se frayer un chemin entre les tables occupées, croyant que ceux qui la connaissaient pourraient deviner, simplement en voyant son visage, que tout n'allait pas pour le mieux entre Liam et elle.

C'est avec un petit choc bien malvenu qu'elle le réalisa : elle se considérait toujours comme une étrangère, à L'Endroit ; aucune cordialité, aucune amitié réelle ne l'attendait ici ; seules des salutations polies et la certitude que toute disgrâce causerait les délices de quelques clients réguliers. Bien sûr, il y avait Joe…

Elle s'arrêta derrière la porte, lâchant la laisse du Nemrod, contente de voir que L'Endroit était presque vide. Deux hommes étaient assis au bar et bavardaient tranquillement tandis que de la musique – un album d'Aretha Franklin – leur offrait une certaine intimité de conversation. Lyddie se redressa et regarda autour d'elle comme si c'était la première fois, appréciant les dalles noires et blanches du sol, les murs de brique lavés à la javel et les glaces aux larges cadres. De confortables fauteuils en rotin étaient disposés de-ci de-là autour de tables rondes, en hêtre, chacune ornée d'un pot de fleurs et de bougies posées dans des chandeliers. Le long comptoir cerné de hauts tabourets longeait l'un des murs et la petite arrière-salle était située juste au fond, tout près de la porte des cuisines. Dans un coin, un escalier étroit s'élevait en colimaçon vers l'étage supérieur, où se situaient les bureaux, les réserves et les toilettes. De discrètes lampes fixées aux murs diffusaient une lueur intime. C'était frais, propre et accueillant ici. Et par les portes vitrées de la cuisine, Lyddie pouvait apercevoir les employés qui s'affairaient ensemble dans la bonne humeur, comme dans un film muet, coupés du petit monde extérieur par leur porte insonorisée.

Elle se fraya un chemin entre les tables et était presque arrivée dans l'arrière-salle lorsqu'elle surprit une conversation, chuchotée mais vive. Les mots n'étaient pas clairs, mais le ton l'était. Elle reconnut les voix de Joe et de Rosie – ils se disputaient. La musique de fond l'empêchait d'entendre et elle couvrit également le son de ses pas, alors qu'elle s'approchait. Lyddie se figea, angoissée, se demandant quoi faire. Le Nemrod, cependant, ne se compliquait pas tant l'existence. Il la planta là, passant devant elle et fonçant s'installer dans l'arrière-salle, certain d'être le bienvenu. Les voix se turent brusquement et, avant que Rosie ne fasse son apparition,

Lyddie eut le temps de reculer dans la pièce et elle s'affaira à retirer son imperméable.

— Oh, bonjour, sourit Lyddie à Rosie, affectant la surprise. Il commence à pleuvoir très fort. Je suis arrivée juste à temps. Je croyais qu'il n'y avait personne ici.

Rosie la regarda un moment, sans parler, jusqu'à ce que Joe sorte de l'arrière-salle lui aussi. Lyddie réussit à lui sourire aussi, aussi naturellement que possible.

— Je suis arrivée un peu en avance, commença-t-elle.

Soudain, à son grand soulagement, un couple entra, poussant des exclamations au sujet de la température, et Rosie se dirigea vers le bar.

— Viens t'asseoir, fit Joe en souriant à Lyddie. Tu es là un peu plus tôt que d'habitude... et Liam est toujours au bureau, mais nous allons te servir un verre et j'irai lui dire que tu es arrivée. Je sais qu'il a l'intention de manger avec toi ce soir. On m'a donné des instructions.

Le cœur rassuré par ces mots et par son accueil, elle sentit le courage irriguer à nouveau ses veines. Elle prit place dans un coin de l'arrière-salle, le Nemrod s'étira juste à l'entrée, et Lyddie attendit son verre.

— Alors...

Joe posa un verre de vin devant elle et se glissa dans le fauteuil qui lui faisait face.

— ... Comment vas-tu ? Je n'ai pas eu l'occasion de te parler hier soir, nous étions trop préoccupés par cet inspecteur, mais je crois qu'il a maintenant décidé de nous laisser en paix et que nous avons passé tous les tests haut la main !

Le ton de sa voix était amical et il était confortablement installé, mais Lyddie détectait un malaise derrière cette boutade.

— Je me fais du souci pour Liam.

Elle avait prononcé ces mots sans trop y penser, ils avaient semblé jaillir de ses lèvres telles des grenouilles de la bouche d'une princesse, et elle vit son expression changer.

— Du souci ?

Joe ne buvait jamais en travaillant. Ainsi, sans la moindre activité pour occuper ses mains, dépourvu de quelque chose à siroter tandis qu'il songeait à une réponse légère, il se contenta de croiser les bras sur sa poitrine et fronça un peu les sourcils.

— À propos de quoi ? Il me semble aller très bien !

Mais il ne la regardait pas, et à la place, gigotait sur son siège. Il étendit une jambe le long de la banquette, de manière à pouvoir pivoter légèrement pour avoir l'œil sur l'ouverture de l'arrière-salle.

— Je l'ignore, dit-elle en posant les coudes sur la table. J'espérais que tu pourrais me le dire. Il garde tellement secret tout ce qui touche à ses affaires... Mais il a quelque chose en tête...

Elle vit qu'il paraissait soulagé et le regarda se détendre un peu.

— Oh, ça, c'est bien lui, dit-il. Je ne sais pas moi-même ce qui se passe, côté business. C'est son bébé, et ça l'a toujours été. Inutile de s'en faire pour ça.

— Ce n'est pas tout à fait la question.

Elle se demanda à quel point elle pouvait se confier à Joe.

— Le truc, c'est que je me demande si L'Endroit n'aurait pas besoin d'argent. Si... Oh, bon sang, je ne sais pas comment exprimer ça. Nous nous sommes un peu disputés à ce sujet, en fait.

Elle eut l'air si triste que Joe retira sa jambe de la banquette et lui fit face pour la fixer directement, par-dessus la table.

— OK, fit-il. Je sais que tu as vu une lettre. Liam m'en a touché un mot et ça l'a complètement tourneboulé, si tu veux mon avis. Tu es sa femme, après tout, et je crois qu'il est trop obsédé – possessif, en tout cas – quand il s'agit de L'Endroit. C'est tout son monde ! Il va te falloir accepter ça... Mais il n'y a pas de quoi se faire du souci pour le côté financier des choses. Honnêtement. Il n'est pas rare d'emprunter un peu d'argent en hypothéquant ses biens immobiliers, lorsqu'on est entrepreneur. Cela signifie que les dettes seront également partagées. Nous devons moderniser la cuisine, voilà toute l'histoire. Je fais de même en hypothéquant mon appartement... Et Rosie n'est pas enchantée à cette idée, crois-moi.

— Était-ce à ce sujet que vous vous disputiez ? demanda-t-elle, réconfortée par son approche pragmatique.

Il rougit, nettement embarrassé, et elle se maudit d'avoir, dans son soulagement, manqué de tact.

— De toute manière, fit-elle rapidement, remplissant le vide de la conversation, c'est simplement que je pourrais avoir de l'argent à disposition, et je me demandais s'il n'y avait pas moyen de lui donner un coup de main. Tu sais, pour lui éviter d'emprunter encore, conclut-elle en haussant les épaules.

— Liam est un vrai maniaque du contrôle, lui dit-il. Il aime tout faire lui-même. C'est génial que tu aies de l'argent et que tu sois prête à l'en faire profiter, mais c'est Liam !

– « Et qui donc prononce ainsi mon nom en vain[1] ? »

Liam apparut dans l'entrée, souriant face à leur déconfiture, et caressa la tête du Nemrod.

— Quels mensonges peut-il bien être en train de te raconter à mon sujet ?

---

1. Allusion familière à la Bible : « *to take God's name in vain* » (Exode, 20 : 7).

Il était évident qu'entre Aretha Franklin et les conversations qui avaient commencé à résonner dans le café, Liam n'avait pu entendre que leurs tout derniers mots – Lyddie ravala sa salive, la gorge sèche, avant de prendre une rapide et nerveuse gorgée de vin. Joe se leva, arborant un sourire avenant.

— Je lui disais à l'instant quel genre de salaud et de fils de pute arrogant tu étais. Mais je suis certain qu'elle le sait déjà, la pauvre.

— Elle le sait, en effet, dit Liam, prenant la place de Joe tout en baisant la main de Lyddie. Je ne la mérite pas du tout, mais ça, tout le monde le sait.

Joe se détourna en riant.

— Je vais aller te chercher une bière, dit-il. Et ensuite, vous me direz ce que vous avez envie de manger.

— C'est la pure vérité, admit-il, tenant toujours la main de son épouse. Je suis un salopard, un fils de pute arrogant. Peux-tu me pardonner ?

— Oh, Liam.

Elle était tellement joyeuse de le voir si sympathique et charmeur, plein d'amour dans les yeux... Elle sut qu'elle pourrait tout lui pardonner.

— Je suis vraiment désolée pour cette lettre. Je n'aurais vraiment jamais dû...

— Et si on oubliait cette vieille lettre ? L'inspecteur est parti, Dieu soit loué, et je me sens comme un homme en rémission. Pourrais-tu t'occuper d'aller nous chercher un autre verre de vin ?

— Oui, dit-elle avec gratitude. Oui, je peux faire ça...

Il se pencha pour l'embrasser, avec empressement au début, puis longuement, jusqu'à ce que Joe, revenant avec les menus, soit obligé de frapper sur la table pour attirer leur attention. Tous les trois éclatèrent de rire en même temps. L'harmonie était revenue.

XIV

Tandis qu'elle conduisait vers Ottercombe, samedi matin, Lyddie se sentait soulagée et heureuse d'avoir pu faire la paix avec Liam. Dans ses relations, Lyddie était du genre tout ou rien. Elle était incapable de vivre dans le conflit, ne tolérait pas les attitudes revêches ou les ambiances glaciales. Elle aimait les discussions ouvertes, même douloureuses, et préférait la communication à l'accumulation de frustrations. De simples incompréhensions pouvaient si facilement se transformer en ressentiments à grande échelle et les vexations devenir des allergies profondes. Elle croyait que toute relation qui vaille la peine d'être entretenue nécessitait de prêter attention aux détails. Elle avait découvert assez tôt dans la vie que tout le monde ne fonctionnait pas de la même manière et elle respectait sans mal les principes des autres, même si, jusqu'à présent, elle n'avait jamais eu à compromettre les siens.

À cet instant, malgré son bonheur et son soulagement, elle ressentait les premiers picotements d'une anxiété naissante. Elle était forcée d'admettre qu'il y avait une grande part de la vie de Liam à laquelle elle n'avait pas accès : c'était un espace interdit, qui lui était fermé. Cela avait-il été clair dès le départ, ou s'était-elle volontairement laissé emporter dans cette galère par la force de son désir ? Même maintenant, alors que Liam s'était confondu en excuses et qu'un courant d'amour circulait de nouveau entre eux, Lyddie était forcée de constater qu'il n'avait pas bougé d'un centimètre, restant sur sa position d'origine. L'Endroit était à lui et elle n'y avait ni rôle à jouer, ni droit de parole. La question de la nouvelle hypothèque ainsi que sa proposition avaient été simplement reléguées sur une voie de garage ; c'était comme s'il n'en avait jamais été question et, malgré sa politique de négociation à tout prix, Lyddie s'était trouvée incapable de réactiver ces deux thèmes. Elle savait pourquoi : le retour de leurs habitudes de vie, chaleureuses, tendres et désinvoltes, était trop précieux pour qu'elle le mette en péril. Il avait exhibé ses armes – par le retrait de son affection, son silence, sa froideur – et elle avait tremblé devant leur puissance.

Elle tenta de se convaincre que ça n'était que le commencement, qu'il ne servait à rien de s'attendre à ce que Liam change du jour au lendemain, en ce qui concernait sa passion pour son entreprise. Après tout, elle savait ce que c'était que d'aimer son travail, elle avait côtoyé des professionnels qui conciliaient travail et famille ; elle savait qu'un certain degré de cloisonnement et beaucoup d'autodiscipline étaient nécessaires. Liam avait consacré cinq ans de sa vie à ce bar à vins : c'était tout son monde. Elle devait faire des concessions, lui laisser de la place, s'adapter. Une des raisons de leur dispute, se disait-elle aussi, avait été la visite de cet inspecteur. C'était le pire moment pour y ajouter des tensions dans leur couple et il lui paraissait maintenant évident que Liam avait été stressé jusqu'à la fin des vérifications. Il avait ensuite très rapidement présenté ses excuses, avait admis ses fautes, et rejetait toutes ses tentatives à elle de demander pardon. Cependant, il était également clair que le sujet était clos, hors jeu. Par un accord tacite, trop heureuse de voir revenir son affection, elle lui avait offert la capitulation sans conditions de ses propres principes.

La voiture filait à toute allure le long de l'A39, quittant Hartland Point et Bude vers l'ouest. Elle contourna Barnstaple et accéléra à nouveau vers la sortie à la hauteur de Kentisbury Ford. Lyddie tenta de se convaincre qu'elle avait exagéré, qu'ils récupéraient tous deux de leur toute première dispute sérieuse, et que Liam relâcherait peu à peu son emprise sur son affaire, pour lui permettre d'y participer elle aussi. Il fallait qu'elle soit patiente. La peur demeurait, cependant. Une ombre minuscule s'était installée en travers de son bonheur.

Mina et Nest le perçurent toutes les deux, en la regardant jouer avec Toby et Flora, ou plaisanter avec Jack et Hannah. Sa bonne humeur avait un côté fébrile qui les inquiétait l'une comme l'autre, mais Georgie leur causait trop de soucis pour qu'elles puissent se permettre d'attacher beaucoup d'importance à la question. Elles supposèrent que ça avait un rapport avec Liam et, quoique mécontentes de leur impuissance, forcées de regarder souffrir une enfant qu'elles aimaient, elles savaient bien que le mariage avec un homme tel que Liam serait parsemé d'embûches. Comme les amies londoniennes de Lyddie, elles arrivaient à voir au travers de son charme et de son côté sexy, au-delà de la fascination qu'il exerçait et du défi qu'il incarnait, pour entrevoir la détermination impitoyable qui possédait son âme ; mais après tout, elles n'étaient pas amoureuses de lui.

Après le déjeuner, Georgie commença à se comporter assez bizarrement pour les accaparer tout à fait. Elle avait bien commencé la journée, semblant exercer une emprise assez bonne sur la réalité. Nest

155

avait réussi à ne pas la froisser ; elle avait pris garde de ne pas tomber dans le piège en lui demandant si elle se souvenait d'Hannah et des enfants ; elle avait plutôt bavardé avec Mina au sujet de leur petite famille à la table du petit-déjeuner. Georgie n'avait rien dit, mais semblait à l'écoute.

— Après tout, avait déclaré Mina avec philosophie alors qu'elle et Nest nettoyaient la cuisine, Jack et Hannah savent tout. Je serais étonnée qu'ils se sentent offensés si Georgie les prend pour d'autres, et les enfants ne comprendront pas, de toute manière.

— Pour autant qu'elle ne… (Nest hésita.) Tu sais. Qu'elle ne révèle pas quelque chose…

Mina sentit l'angoisse lui creuser le ventre.

— Le hic, c'est que nous ignorons ce qu'elle pourrait révéler.

À l'instant même où elles se lançaient des regards apeurés, on entendit un raffut à l'extérieur. Jack et sa famille étaient arrivés. Les sœurs se lancèrent dans le vestibule, précédées de leurs chiens, et allèrent au jardin. Jack avait déjà libéré Toby de son siège ; le petit garçon contourna la voiture à toute vitesse pour rejoindre les chiens, tandis qu'on entendait Flora lutter contre Hannah en gémissant :

— Non, non ! Descendre, descendre !

Jack embrassa ses tantes et regarda sa famille avec bonhomie. Flora avait dans un premier temps réussi à s'évader de la voiture, puis à échapper à la poigne de sa mère, et se tenait dans l'allée de gravier, dansant d'un pied sur l'autre, le regard fixé sur les chiens.

— Lequel est Boyo Bon-à-rien ? demanda Toby, agenouillé au milieu d'eux.

Il trouvait ce nom extrêmement drôle.

— Pourquoi il s'appelle Boyo ? Pourquoi il est bon à rien ?

— Parce que c'est un mauvais garçon, expliqua Mina. Et qu'il est gallois.

— C'est quoi, gallois ? demanda Toby, intrigué, qui caressait la tête du chien et se laissait lécher la joue. Pourquoi il est gallois ?

— Stop, murmura Jack. Je vous en prie, chère tante, stop. Après « non » et quelques autres mots en vogue plutôt indignes, il ne fait que répéter « pourquoi », « comment » et « quoi », dans cet ordre. N'y ajoutez pas « gallois », je vous en supplie. Ensuite ça sera Dylan Thomas, sa vie, son œuvre, et dix minutes plus tard vous serez en train de donner une conférence sur *Au bois lacté*. Ensuite, comment allez-vous expliquer « Polly Garter », hein ? Je vous le demande.

Mina glissa la main sous son bras en s'esclaffant.

— On m'a toujours enseigné qu'il fallait répondre aux questions des enfants, dit-elle. Mais ton père et Nest m'ont donné bien du fil à retordre quand ils étaient petits, je dois l'admettre.

Elle se tourna vers Toby.

— Boyo Bon-à-rien est un sealyham terrier. C'est le nom que porte cette race de chiens. Et les sealyham terriers viennent du pays de Galles.

— Les chiens ont des « marques » différentes, Tobes, lui dit Hannah. Tu sais ça. Le Nemrod a une allure différente, n'est-ce pas ? C'est parce qu'il vient de Suisse. Tu vois ?

— Et le secret, à ce stade, dit Jack aux tantes avec un sourire éclatant, est que lorsque sa réponse est « non », on fait tous semblant de ne pas l'avoir entendue. Donc, bref, qui donc a mentionné une tasse de café ?

— Entrez, fit Nest, de meilleure humeur qu'elle ne l'avait été depuis des semaines. Tu es un cas désespéré, Jack. Ce doit être grâce à Hannah que ces enfants sont des amours.

— Ma compagne est un miracle de patience, dit-il en évitant habilement un coup de patte de sa femme. Mais enseigner à des petits garçons toute la journée vous aide à développer votre sens de l'autopréservation. Ah, voici tante Georgie. Bonjour, tante Georgie, comment allez-vous ?

Georgie permit qu'on l'embrasse, fixa Hannah pendant un moment et resta à regarder chacun s'agiter ; Flora était emmenée en haut pour un changement de couche, Toby réfléchissait à voix haute sur les mérites respectifs du lait et du jus d'orange et tentait de décider lequel il préférait, Nest et Mina échangeaient des plaisanteries avec Jack. Comme d'habitude, elles se détendirent rapidement, grâce à l'ambiance joyeuse et insouciante qu'il parvenait toujours à installer et, en pleines réjouissances, Lyddie et le Nemrod firent leur arrivée. Georgie fut intégrée doucement à la conversation, et même Flora, une fois qu'elle eut obtenu de boire son jus assise par terre près du Nemrod, participa avec une amabilité rayonnante qui ne manqua pas de charmer les membres plus âgés de sa famille.

Le déjeuner se passa sans trop d'anicroches mais ensuite, alors qu'ils prenaient place au salon et buvaient leur café, près des portes vitrées ouvertes sur la terrasse, Mina remarqua qu'un changement s'opérait chez Georgie. Elle avait glissé une ou deux remarques incisives au cours du déjeuner – qui, en raison du manque d'espace, avait été pris sous forme de buffet avec les enfants à la table de cuisine – et soudain, cette expression particulière que Mina avait appris à craindre était revenue transformer le visage de Georgie. Confuse, pour ne pas dire angoissée, Georgie restait assise à regarder sa famille. Dans le salon, témoin de tant d'occasions familiales, elle paraissait remonter le cours du temps, toisant d'abord Toby, puis Flora, étonnée. Elle tourna les yeux vers Jack et vit Timmie, assis en train de parler – mais à qui ? Était-ce bien Nest, assise près de lui, qui se penchait, écoutant attentivement, comme ils l'avaient fait tant de fois dans le passé ? Pourtant Nest était là, faisant rouler son fauteuil au cœur du cercle, étendant la main pour saisir sa tasse...

Un enfant s'arrêta pour la regarder, un petit garçon blondinet qui avait les yeux de Timmie, étonné par son étrange immobilité. Georgie lui rendit son regard, toute à ses souvenirs. Bien sûr, les deux petits étaient les Minis, Timmie et Nest. Et les deux autres, les adultes, devaient être Timothy et Mama. Elle s'esclaffa...

— Je connais un secret, dit-elle à l'enfant.

Mais, avant que Toby ne puisse lui demander de quoi il s'agissait, Mina se retourna tout à coup, heureuse de constater que le va-et-vient de la conversation avait couvert les mots de Georgie.

— Toby, dit-elle, porte cette tasse de café à ta maman, mon chéri. Fais attention, n'est-ce pas ? N'en renverse pas.

La diversion fonctionna et Toby apporta le café à Hannah avant de s'affaler près du Nemrod pour caresser sa douce tête et lui faire des bisous sur le museau.

— J'aimerais avoir un chien, murmura-t-il, geignard.

Ses parents roulèrent désespérément des yeux l'un vers l'autre. Une conversation sur le pour et le contre de l'éducation des enfants entourés de chiens commença, et un minuscule « po-po-po » de soulagement s'échappa des lèvres de Mina, mais elle demeurait tendue et apeurée, comme dans l'attente d'un coup imprévu. Nest, interceptant son regard, haussa les sourcils en signe d'interrogation, mais Mina redoutait qu'on l'entende si elle lui répondait. Elle sourit à Nest de manière rassurante et regarda à nouveau Georgie. Celle-ci avait des allures de mauvaise perdante. Elle se voûtait, comme sur le point de se braquer, et serrait les lèvres. Pourtant, dans son expression pointait presque un air de triomphe, l'air de quelqu'un qui possède un pouvoir secret et qui en est ravi.

Lyddie était en train d'expliquer qu'elle ne se servait pas de son ordinateur pour travailler, qu'elle l'employait pour taper et pour classer, mais qu'elle n'accomplissait avec lui aucune de ses tâches d'éditrice proprement dites.

— C'est une manière différente de travailler, dit-elle à Jack. Et il m'est arrivé de refuser du boulot parce que c'était proposé sur fichier numérique. Il faudrait que j'apprenne et, d'une certaine façon, je n'ai pas envie de ça.

— Tu devrais te montrer plus souple, la taquina Jack. Prête à accueillir les nouvelles technologies. Regarde tante Mina et ses e-mails.

— Eh bien, voilà, fit Lyddie, souriant affectueusement à sa tante. Mais bon, tante Mina a toujours été à l'avant-garde. C'est quelqu'un de positif.

— Tout à fait vrai, déclara Jack. Ça la décrit parfaitement. Une personne positive.

— Oh non, émit Georgie, qui gigotait dans son coin, écoutant attentivement en attendant son heure. Pas toujours, n'est-ce pas, Mina ?

Mina serra les mains.

— J'ignore tout à fait de quoi tu parles, rétorqua-t-elle doucement, espérant un peu de discrétion.

— Pas toujours, insista Georgie. Tu n'as pas dit « oui » à Tony Luttrell, en tout cas, n'est-ce pas ?

Elle se mit à sourire, regarda leurs visages, vit la surprise faire place à l'angoisse, fut ravie du silence pesant qui s'installa.

— Ça remonte à beaucoup trop loin pour être intéressant, coupa Nest, de cette voix qui avait su imposer le silence à des générations de jeunes écoliers. Ne
veux-tu pas emmener les enfants à la mer, Jack ? Le
pauvre Nemrod attend sa promenade.

— La mer ! La mer ! scanda Toby, sautant sur ses
pieds, tandis que Flora, qui avait profité d'une petite
sieste sur les genoux d'Hannah, se réveilla en sursaut
et commença à hurler.

Instantanément, tous se levèrent, laissant Georgie
seule, assise sur le canapé, avec ce drôle de sourire
aux lèvres.

— Je connais un secret, murmura-t-elle.

Mais il n'y avait plus personne pour l'entendre.

XV

En début de soirée, après que les plus jeunes membres de la famille se furent retirés, Mina poussa à son tour jusqu'au rivage, avec les chiens.

— Ça va aller ? demanda-t-elle à Nest avant de partir. J'ai besoin de m'isoler quelques instants. Georgie dort, alors je crois que tu pourras te reposer sans risque.

— Tout ira bien, répondit Nest en lui jetant un regard inquiet. C'est pour toi que je me fais du souci.

Mina parvint à sourire.

— Nul besoin. Je ne serai pas partie longtemps.

Elle passa son cardigan de Guernesey bleu, prit son bâton dans le râtelier en cuivre près de la porte d'entrée et s'éloigna le long de la terrasse, puis en passant le petit portail qui donnait accès au sentier vers la mer. La sente était jonchée de pierres et de racines qui grimpaient le long des faces escarpées de la combe, et Mina marchait avec précaution. Les chiens galopaient loin devant, pourchassant un écureuil qui fit volte-face et bondit en lieu sûr, parmi les branches d'un grand hêtre. Ils gambadaient maintenant pour la simple joie de courir, le nez au vent, humant des milliers de senteurs qui les attiraient toujours plus avant. Le cours d'eau dévalait la pente à leur côté, gonflé par les récentes pluies, et cascadait sur les doux rochers arrondis, léchant leurs bords hérissés de fougères. Les jappements aigus et excités des chiens étaient noyés par le bruissement de l'eau. Polly Garter, elle, restait à hauteur de sa maîtresse, comme pour l'encourager à avancer vers la mer. Mina ne se rendait pas vraiment compte de sa présence ; elle voyageait dans le temps, se rappelait un printemps, cinquante-cinq ans plus tôt.

Il est étrange que Mina rencontre Tony Luttrell à une fête donnée par les Goodenough, ces snobs qu'elle déteste tant.

— Viens, Mina, dit Enid, qui passe en voiture, accompagnée de son fidèle Claude, au début du printemps de 1943. Ce n'est pas un événement atrocement guindé. Juste une petite soirée avec quelques officiers de la Somerset Light Infantry. Je suppose que tu as entendu parler de l'infanterie légère du Somerset ?

Enid s'adresse d'un ton léger à Mina, qu'elle considère un peu comme une handicapée mentale enterrée vivante à Ottercombe.

— Ils ont fièrement défendu les côtes du Somerset, poursuit-elle, mais je me suis laissé dire qu'ils sont sur le point d'être envoyés dans une mission encore plus dangereuse.

Elle aime faire comprendre qu'elle est dans le secret des dieux, et Lydia, qui a reçu la visite de l'un de ces officiers concernant la plage d'Ottercombe, ne voit aucun inconvénient à laisser Enid cultiver son complexe de supériorité.

— On manque de jolies filles, lance Claude avec son sourire méprisant. Il y a une terrible pénurie, ne le savez-vous pas ? Nous avons besoin de Mina pour grossir les rangs.

— Et pourquoi pas Henrietta et Josie ? ajoute Enid. Henrietta est certainement assez grande pour sortir. Rentreront-elles à la maison pour les vacances ?

— Oh, ma chère, grimace Lydia. Il faudra que ce soit toutes les deux, ou ni l'une ni l'autre, j'en ai bien peur. Elles n'ont qu'un an d'écart, vous savez, et je ne pourrais pas supporter les disputes qui s'ensuivraient si Henrietta y allait mais pas Josie.

— Et Mina, elle ne redoute pas la concurrence ? fit Enid en haussant les sourcils d'un air taquin.

Lydia regarde sa fille, connaissant parfaitement son allergie aux Goodenough. Elle ne veut ni la bouleverser ni l'embarrasser.

— Pas de souci pour moi, dit Mina, soulagée à l'idée de ne pas y aller seule. Ça semble amusant. Mais Josie n'a que quinze ans. Enfin, presque seize ans, vous savez, et elles peuvent toutes deux être parfois un peu immatures. J'espère qu'elles se comporteront bien.

— Tout comme les sœurs Bennet, ricane Claude. Es-tu du genre Elizabeth ou plutôt Jane ?

— Mary Quilter va venir, encourage Enid, sentant bien que Claude est allé trop loin et espérant faire de sa fête un succès.

Trois jolies filles, même si deux d'entre elles sont jeunes et stupides, c'est préférable à une seule.

— Tu connais Mary, non ? Son frère est officier dans la SLI. Ça sera chouette, je te le promets.

Mina sent une étincelle d'enthousiasme.

— Mais comment irons-nous chez vous ? demande-t-elle. Je suppose que nous pourrions prendre les vélos jusqu'à Parracombe et sauter dans le train pour Lynton. Ou alors Seth pourrait nous déposer ?...

— Ne vous en faites pas pour le transport, dit gentiment Enid. Nous allons mettre en commun tous nos tickets de rationnement d'essence et une voiture fera la tournée. Il faudra s'entasser, ça va de soi, mais ça fait partie du plaisir, non ? Nous avons décidé que nous méritions un peu d'amusement. Eh bien, c'est réglé, alors.

Une fois qu'ils sont partis, Mina regarde sa mère avec appréhension.

— Ce sera amusant. Et tu ne t'amuses pas beaucoup, Mina. Je suis seulement désolée que tu sois obligée de garder un œil sur Henrietta et Josie. Tu es déjà bien accaparée par ce genre d'obligations ici. Même si c'est beaucoup plus tranquille, maintenant que Jean et Sarah sont partis avec leurs bébés.

— Ça ne m'embête pas qu'elles viennent. En réalité, je suis plutôt contente. J'aurais été terriblement intimidée, toute seule. Dis-toi bien que je ne connaîtrai sans doute personne là-bas.

— Tu n'auras pas le temps de te sentir intimidée, avec Henrietta en liberté. Il faut maintenant réfléchir à ce que vous allez porter. J'ai quelques jolies pièces de vêtements qu'on pourrait transformer en quelque chose de bien pour toi. Il y a ce beau shantung, qui va si bien avec ton teint comme le mien. Il est trop long, évidemment, mais nous allons arranger ça. Nous allons téléphoner à Georgie et lui demander quelle est la mode en ce moment à Londres. La mode existe-t-elle toujours, en temps de guerre ?

— Mais c'est une de tes plus belles robes ! s'étonne Mina. Ce serait une honte de la couper.

— Balivernes. (Mama lui caresse doucement la joue.) Je ne la porterai plus jamais. Allons annoncer aux Minis que tu as été invitée à une fête. Ils vont être aux anges !

— Et Henrietta et Josie ?

— Elles devront porter leur grande tenue d'école, répond Mama avec fermeté. C'est parfait pour des filles de leur âge. Et, s'il te plaît, n'en fais pas mention dans les lettres que tu leur écris. Inutile qu'elles l'apprennent avant leur retour.

Mina trouve que c'est dommage, qu'elles vont perdre toute l'excitation de l'attente, mais elle sait que c'est une sage décision. Elles n'auront pas le temps de se brouiller à propos d'une petite parure ni de se disputer pour savoir laquelle est la mieux vêtue.

Les Minis sont en effet excités à la perspective de cette fête. Le livre choisi pour l'heure des enfants est alors *The Midnight Folk*, dont ils rejouent l'histoire de leur côté. Ils ont fait cadeau au jeune héros, Kay Harker, d'une sœur nommée Gerda – un clin d'œil inconscient à *The Snow Queen* –, et passent leur temps à chercher le trésor des Harker. Le hibou de la forêt est baptisé Blinky, et le renard qu'ils aperçoivent parfois sur les pentes couvertes de fougères au-dessus de la vallée est Monsieur Rollicum Bitem Lightfoot. Ils n'arrivent cependant pas à trouver des figurants pour jouer la méchante Abner Brown et la terrible sœur Pouncer.

— Nous pourrions utiliser les Sneerwell, s'ils venaient plus souvent, propose Nest. Mais ça semble plutôt injuste d'employer Mina et Mama.

— Nous n'avons pas le choix, répond Timmie, impitoyable. On n'y peut rien et, de toute manière, elles n'ont pas à le savoir. Nous prendrons Henrietta et Josie lorsqu'elles viendront pour Pâques.

— Si seulement nous avions quelques chats, se plaint Nest, pour Nibbins, Blackmalkin et Greymalkin. Jenna prétend que Tiddles a eu des chatons mais Mama dit que non, à cause de son asthme.

La fête les occupe pendant un certain temps. Timmie veut tout savoir de la SLI et Nest est enchantée par la jolie robe en cours d'élaboration pour Mina. « En ce moment, les épaules sont carrées, affirme Georgie. Je vous enverrai des épaulettes et un patron. » Et Mina prend le temps de coudre pour sa petite sœur une jupe courte et flamboyante à partir des chutes du shantung. Nest retire l'inévitable jupe vichy que lui ont léguée ses sœurs et virevolte joyeusement devant la grande glace de Mama.

Deux semaines plus tard, compressée à l'arrière de la grande Rover Sixteen verte de Claude, Mina se sent sur le point de vomir de nervosité. Sa longue et brillante chevelure de jais est coiffée en toque, maintenue en place par des épingles en écaille de tortue. De fines mèches s'échappent et descendent le long de sa gorge, et le contact du doux et soyeux shantung est délicieusement sensuel contre sa peau fraîche et blanche. La joie et les attentes lui permettent d'oublier les divergences qui opposent ses sœurs, qui se disputent toujours sur la question de la plus belle paire de chaussures. Elles finissent par se taire lorsque la voiture s'arrête devant la vieille église du XIe siècle de Martinhoe, où deux autres invités se joignent à la promenade. La fin du voyage s'effectue dans un silence amical bien que timide, et toute la bande parvient à la résidence des Goodenough, sur les hauteurs qui dominent la petite ville de Lynton.

Elles posent leurs sacs dans la chambre d'amis. Henrietta et Josie se disputent la place devant la glace, mais Mina parvient tout de même à s'apercevoir entre leurs coudes. La très légère touche de maquillage que Mama a permise fait briller ses joues et souligne ses yeux, qui lui rendent son regard, énormes dans son petit visage ovale ; sa coiffure donne une impression de grandeur et de sophistication, et les douces chutes de soie plissée accentuent sa minceur. Ses sœurs se détournent du miroir et l'entraînent avec elles au rez-de-chaussée, vers le grand vestibule à l'éclairage éblouissant.

— J'aimerais que nous aussi on ait l'électricité, se plaint Henrietta.

Et elles entrent au salon, où quelques-uns des invités sont déjà rassemblés.

— Ah, les voilà enfin ! s'écrie Enid Goodenough, avec une intensité qui surprend les trois filles. Allons, venez, que je vous présente ces jeunes gens qui vous attendent avec impatience.

Abasourdie par tant de nouveaux visages et de nouveaux noms, Mina sourit, serre des mains et encore des mains, jusqu'à ce qu'un jeune officier qui était resté à l'écart parmi un petit groupe se retourne pour la saluer. Ses yeux bleus s'éclairent, comme si elle était, en effet, celle qu'il attendait, et il prend ses doigts dans sa main chaude.

— Salut, dit-il. N'est-ce pas chouette ? Je suis Tony Luttrell et vous devez être l'une des sœurs Shaw...

Durant tout le mois d'avril et une partie du mois de mai, la vallée et la plage, ainsi que la colline dominant le canal de Bristol, deviennent leur sanctuaire privé. Ils s'y promènent parmi les fougères, bras dessus bras dessous, et regardent les vagues roulant vers la terre, portées par les vents d'ouest, s'écraser contre les grandes falaises grises ; ou, lors des chaudes après-midi, ils demeurent assis côte à côte, sur l'un des rochers plats qui longent la plage, côtoyant les loutres et leurs jeux incessants dans les écumantes et rutilantes éclaboussures de l'eau transpercée par les rayons du soleil ; ou encore, lors des douces et tranquilles soirées, ils se tiennent sous les arbres, enivrés par le parfum des jacinthes des bois, enroulés dans d'interminables, d'étourdissants câlins, qui les font trembler tous deux et soupirer de désir. Ce besoin frénétique et urgent que ressentent les amants en temps de guerre, comme le monde en mouvement au-delà de ce petit coin de l'Exmoor, n'a pas atteint Mina ; Tony, âgé seulement de vingt et un ans, qui n'a pas encore connu le véritable danger, n'est pas plus expérimenté qu'elle, et il lui semble tout naturel d'approcher Lydia pour lui demander formellement la main de Mina.

L'entrevue a lieu un soir de mai, dans le salon éclairé à la lampe à huile. La baie est ouverte et laisse entrer l'air doux et chaud, ainsi que le chant d'une grive, postée dans les buissons du jardin.

Lydia écoute Tony d'un air grave alors qu'il bégaie sa déclaration d'amour, prenant garde de ne pas sourire face à tant de sincérité. Au cours de ces quatre semaines, elle s'est beaucoup entichée de lui ; son instinct maternel a été stimulé par sa jeunesse, et elle a été touchée par la tendresse dont il fait preuve à l'égard de sa fille tant aimée. Il apporte de petits cadeaux aux Minis, participe à leurs jeux, et l'affection qu'il lui témoigne aide un peu Lydia à guérir son cœur blessé.

— Il faudra que j'en parle à mon mari, dit-elle, mais en ce qui me concerne, mon cher enfant, je crois que vous savez à quel point je suis ravie.

— Mon unité va bientôt être déployée, lui dit-il avec angoisse, et nous aimerions nous fiancer avant mon départ. Vous serait-il possible de parler à M. Shaw dès que possible ?

— Je le ferai très bientôt, promet-elle. Mais il voudra vous rencontrer, Tony, et c'est difficile pour lui de quitter Londres. Votre engagement formel pourrait être un petit peu retardé.

— Mais nous avons votre bénédiction ?

Elle se lève de sa chaise, dépose son crochet, et s'approche de lui, puis l'embrasse comme s'il était l'un de ses propres enfants.

— Vous avez ma bénédiction, lui dit-elle. Pour autant que vous continuiez à l'aimer comme vous le faites aujourd'hui.

Elle les laisse en paix, assis près du feu, à tisser leurs rêves d'avenir radieux, jusqu'à ce que Tony s'arrache à toute cette douceur, ses quelques heures de permission touchant à leur fin. Mina sort sur le pas de la porte avec lui, comme d'habitude, le reconduit, écoute la petite voiture de sport qui s'éloigne en rugissant le long de l'allée, jusqu'à la route qui serpente tout en haut de la lande.

Cinquante-cinq ans plus tard, sur la même plage, Mina était assise sur un rocher et regardait les chiens s'ébattre le long de la rive. Elle pensait à cet amour, se souvenant à quel point il avait transformé sa vie, auparavant si calme, si paisible. Elle avait été ébranlée et touchée au-delà de l'imaginable. Son amour avait été tout ce dont elle avait pu rêver, le point d'orgue de tous les romans d'amour qu'elle avait lus. Elle l'avait adoré, lui qui avait investi dans cette juvénile et charmante cour son cœur tout entier, sa confiance… Ce ne fut que beaucoup plus tard qu'elle put imaginer la force irrépressible de l'atmosphère qui devait envelopper les jeunes hommes du tout nouveau 9e bataillon ; l'excitation et le sentiment d'urgence alors qu'ils s'entraînaient pour le débarquement en Normandie. Les jeunes doivent frayer leur chemin vers la maturité à coups d'audaces et, aujourd'hui, elle parvenait enfin à comprendre comment son expulsion du paradis n'avait été qu'un infime aspect de ce puissant instinct de guerre – « vivons aujourd'hui car demain nous serons morts ». Elle n'avait pu l'éprouver elle-même qu'au moment où elle avait fini par rejoindre Georgie à Londres.

170

Mina restait assise dans le jour déclinant, des larmes sur ses joues ridées, le cœur lourd de regrets et de souffrance. Comment aurait-il pu être à la hauteur d'une telle adoration ? Et pourquoi, oh, pourquoi, lorsque son unité revint, en novembre, avant de rejoindre la défense côtière à Berwick-upon-Tweed, avait-il été assez sot pour lui raconter cette brève aventure avec une jeune veuve en Cornouailles ?

— Ça n'était rien, avait-il pleuré, la voix cassée, quand il avait découvert son visage blessé, choqué. Rien du tout. Tu me manquais tellement et son mari lui manquait... Oh, Dieu ! Ne vois-tu pas que je te raconte tout ça parce que je ne peux supporter l'idée qu'il y ait un obstacle entre nous ? Ça n'était rien. C'est fini. S'il te plaît, Mina...

Incapable de comprendre, voyant leur amour dévoyé, ruiné, gisant en loques entre eux, elle l'avait renvoyé avec orgueil, prenant un air froid qui cachait à peine son angoisse.

C'est au clair de lune qu'elle regagna la maison, sans voir les papillons de nuit qui dansaient tels des fantômes sous les branches, ni les chauves-souris filant au-dessus de sa tête. Mina se rappelait cette dernière rencontre, leur timidité après six mois de séparation, les attentes, sa terreur. Cette stupide vantardise de jeune homme aurait pu être pardonnée, si Mina avait eu plus d'expérience, plus de générosité, mais la figure de cette veuve de Cornouailles se dressait entre eux, moqueuse, triomphante, et avait détruit leur confiance et leur intimité.

Comme il est étrange que ce soit encore douloureux.

Soudain, au fond de la nuit qui s'épaississait retentit un bruit sourd et profond, un gémissement inassouvi, comme irréel, qui tenait des mythes et légendes. C'était le cri terrifiant du cerf rouge, dont le bramement de défi avait été excité par l'appel d'un rival non loin. Elle ouvrit la barrière du jardin et tendit l'oreille, attendant le fracas des andouillers, étrangement troublée. Mais elle n'entendit que le hululement tremblotant de la chouette dont les échos s'éloignaient dans la vallée assombrie. Elle demeura immobile un instant, la main sur la poignée, puis suivit les chiens qui l'avaient précédée, désireux de retrouver le confort et la chaleur de la cuisine, et le fond de leurs gamelles.

XVI

Lyddie gara la voiture sur le dernier emplacement disponible, entraîna le Nemrod fatigué sur l'asphalte et entra dans la maison pour se changer. Les samedis soir à L'Endroit étaient plutôt particuliers. Il fallait réserver sa table et observer un certain code vestimentaire, bien qu'il n'existât pas de règle spécifique. Il semblait régner une sorte d'entente tacite entre les clients, qui voulait que les samedis fussent différents des autres soirs, et tout le monde paraissait prendre plaisir à faire un effort de présentation. Lyddie appréciait cette occasion de s'habiller et, ce soir-là, elle opta pour une robe moulante en velours, d'un bleu presque noir. L'ourlet caressait le haut de ses minces mollets et la large fente du décolleté était bordée d'un ruban de satin bleu marine. Elle se doucha rapidement, brossa ses cheveux noirs jusqu'à ce qu'ils flottent autour de son visage, puis choisit de beaux bracelets argentés, que ses manches trois quarts révélaient à leur avantage. Des bas gris et des chaussures en daim bleu marine complétaient la tenue. Elle s'arrêta devant la glace et sentit croître sa confiance en elle au fur et à mesure qu'elle observait son reflet souriant dans le miroir. Elle ramassa son long manteau laine et cachemire – rescapé de ses années londoniennes – et courut rapidement dans l'escalier.

Le Nemrod, qui s'était encore une fois assoupi dans le vestibule, leva la tête et la toisa avec incrédulité tandis qu'elle le forçait à se lever. Il avait passé la journée à repousser les assauts de trois petits chiens et de deux enfants, avait été traîné d'un côté et de l'autre, incité à se jeter dans une mer froide à vous glacer le sang, et maintenant, après une autre longue balade en voiture, on le traînait encore dehors. Misère ! Il n'avait même pas dîné. Il parvint difficilement à se mettre assis, geignant tout son soûl, jusqu'à ce qu'il entende la musique familière des croquettes tombant dans la gamelle et le délicieux son de l'ouvre-boîte. Se reprenant un peu, il se leva et tituba jusqu'à la cuisine. Ah, oui ! Son dîner était en passe de lui être servi. Sa queue s'agita très légèrement, sa langue fit son apparition et il lécha ses crocs. Il sentit que, après toutes les épreuves qui lui avaient été infligées au cours des dernières heures, il méritait une sorte de compensation. Il mangea avec avidité, tandis qu'on remplissait d'eau son bol. Puis il se désaltéra et se mit à espérer une longue et délicieuse sieste. Cependant, avant qu'il ait pu reprendre sa position préférée, affalé dans le vestibule, une laisse fut attachée à son cou et il se retrouva bientôt tiré à travers les rues et livré aux bourrasques.

— Tu sais bien que ça te plaira, une fois que nous y serons, l'encouragea Lyddie tandis qu'il piétinait lourdement à ses côtés. Tu adores lorsque les gens te disent à quel point tu es magnifique. Tu es en train de devenir une sorte de mascotte !

C'était la vérité. Les habitués le saluaient joyeusement en entrant, ravis de montrer aux nouveaux venus que L'Endroit leur était familier, impression qu'ils espéraient confirmer ensuite, lorsque Liam effectuerait sa ronde pour bavarder. L'été précédent, L'Endroit avait reçu une critique enthousiaste dans

The Independent et il circulait désormais une rumeur selon laquelle Jonathan Meades, le célèbre chroniqueur du journal, pourrait leur rendre une visite surprise. Les habitués s'en réjouissaient d'avance et tout le monde espérait assister à la scène.

Lyddie se fraya un chemin entre les tables jusqu'à l'arrière-salle, étonnée par sa nervosité à l'idée de revoir Liam. Malgré la réconciliation, elle sentait en elle une palpitation flottante, qui n'était pas exclusivement provoquée par la joie. Il y avait quelque chose d'imperceptiblement différent. Joe officiait derrière le bar et il lui sourit en remplissant une pinte, mais ses mots de bienvenue furent noyés dans le brouhaha des voix et de la musique d'ambiance. Elle emmena le Nemrod avec elle dans l'arrière-salle, effectuant quelques pauses ici et là pour le laisser recevoir caresses et compliments, mais sans lui permettre de devenir encombrant. Puis elle le fit s'asseoir hors du passage entre le bar, les cuisines et le reste de la salle. Il se montra heureux de s'étendre, le nez sur les pattes, ne levant poliment le museau que pour reconnaître ses plus fervents admirateurs, mais il était sur le point de s'endormir pour de bon. Lyddie se débarrassa de son manteau. Elle savait que Joe lui apporterait un verre de vin quand il en aurait le temps et, en attendant, elle prit place à l'extrémité de la banquette, d'où elle avait une meilleure vue sur le bar et quelques-unes des tables.

Linda travaillait ce soir, aidant Joe au bar, et Mickey entra par la porte de la cuisine, portant deux assiettes à hauteur de ses épaules. Il lui adressa un clin d'œil en passant. Lyddie se demanda où était Liam mais n'avait pas le courage de monter à son bureau ou d'aller à la cuisine pour voir s'il discutait du menu avec le chef, Angelo. Elle se demanda si elle arriverait un jour à être davantage à ses propres yeux qu'une invitée privilégiée. Au cours d'un moment d'accalmie, Joe laissa Linda seule au bar et lui apporta un verre. Il s'adossa debout près d'elle, tout en gardant un œil sur les tables. Le café se remplissait rapidement.

— Merci, dit-elle en levant son verre dans sa direction. Tout va bien ? Tu as l'air un peu tendu.

— Oh, ça va, fit-il sans lui rendre son sourire. Liam va descendre dans un instant. Il n'en a plus pour longtemps à son bureau.

Elle but son verre, étrangement mal à l'aise.

— Il y a du monde, ce soir, n'est-ce pas ? Rosie est là ? Je ne la vois nulle part.

— Non, elle n'est pas là. (Il se tut un instant.) Elle ne travaille plus ici. Liam ne te l'a pas dit ?

— Non, répondit-elle en levant son regard vers lui, étonnée. Mais pourquoi ? Elle a trouvé un meilleur boulot ailleurs ?

— Je ne le sais pas vraiment. Nous nous sommes séparés. Je ne connais pas ses projets. Elle habite chez une copine pour quelque temps.

— Mais c'est terrible. Je suis tellement désolée, Joe.

Lyddie se remémora les voix basses et furieuses, l'expression de Rosie au sortir de l'arrière-salle, suivie par Joe. Elle étendit la main pour toucher ses bras croisés, ne sachant trop quoi dire.

— Il y a un moment que ça couvait, mais je dois dire que je suis malgré tout sous le choc.

Il restait debout, inaccessible.

— Tiens, voilà Liam.

Avant qu'elle n'eût le temps de dire un mot, Joe retourna derrière son bar tandis que Liam passait entre les tables, tendant la main vers l'un, acquiesçant à l'autre, mais sans s'arrêter, puis il gagna l'arrière-salle.

— Alors te voilà… De retour, saine et sauve. Et comment vont les tantes ? Et Jack ?

Il se pencha pour l'embrasser, puis recula et la regarda.

— Tu sais que tes yeux sont bleus, ce soir ? Je n'avais jamais rencontré une femme dont les yeux changent selon les vêtements qu'elle porte.

Elle se sentit bêtement séduite par cette manifestation d'affection en public, si rare. Elle était consciente des regards des nombreuses convives et tenta de trouver quelque chose d'intelligent à dire.

— Je suis désolée pour Rosie. C'est un tel choc. Et Joe, le pauvre.

— Bah, c'est la vie, non ? On gagne, ensuite on perd.

Il paraissait philosophe, presque indifférent au malheur de Joe, et elle eut l'air surprise. Il lut sa désapprobation et se pencha à nouveau pour l'embrasser.

— Si tu veux mon avis, lui murmura-t-il à l'oreille, ce n'est pas mal pour lui. Joe peut trouver mieux qu'elle. Je l'ai toujours pensé.

— Eh bien, sans doute, fit Lyddie, ne voyant pas comment elle aurait pu contester un avis qu'elle partageait. Enfin, ça ne veut pas dire qu'il ne souffre pas.

— Évidemment, acquiesça Liam en se redressant.

Il regarda à la ronde, comme pour signifier qu'il en avait assez de ce sujet. Il évalua l'atmosphère du bar, s'arrêtant à chaque détail. Il la regarda à nouveau.

— Crois-tu que tu auras bientôt envie de dîner ?

— Oui.

Lyddie était un peu agacée par son indifférence face aux mésaventures de Joe.

— Sauf, évidemment, si c'est l'heure de la grande tournée du patron.

Il plissa légèrement les yeux, amusé, accueillant l'estocade.

— Qu'ils attendent, dit-il avant de s'asseoir face à elle. Parle-moi de ta journée pendant que nous réfléchissons à ce que nous avons envie de manger.

Plus tard au cours de la même soirée, Nest était assise dans son lit, adossée aux oreillers, un livre posé sur les genoux. Elle n'était pas parvenue à se concentrer sur sa lecture ; le visage de Mina apparaissait sur les pages du livre, elle réentendait sa voix.

— Nous étions tellement coupés de tout, ici, avait-elle raconté à table, une tasse de thé à la main. Isolés comme nous l'étions, la guerre n'était qu'une succession triste et ennuyeuse de pénuries sans fin. Nous avons souvent eu froid et faim, mais nous n'avons jamais eu vraiment peur. Mama était tellement recluse, elle n'écoutait presque pas la radio et évitait soigneusement de laisser qui que ce soit effrayer les plus petits. Ottercombe était un monde à part. Ce n'est que lorsque je me suis rendue à Londres, en 1944, que pour la première fois j'ai fait l'expérience de la soif de vivre, de cette frénésie pour extraire le maximum de chaque instant. Georgie et moi parlions de Tony. En fait, elle a été très gentille avec moi. Elle baignait dans son élément ; la souris des villes fit profiter de sa sagesse et de ses conseils à la souris des champs nouvellement arrivée.

— Avait-elle le sentiment de devoir se faire pardonner ?

— En partie, fit Mina, tentant de se souvenir. Elle était à même de comprendre ce que ça avait dû être pour lui. Les camarades qui le poussaient, la pression de l'impératif biologique – qu'on peut résumer par la peur de mourir avant d'avoir fait l'amour –, si important dans les temps de réels dangers. Mais aussi elle voulait que je ne sois pas la première mariée. Georgie a toujours désiré être la première en tout. Elle souhaitait également que je m'amuse bien. Elle trouvait que j'avais été enterrée vivante à Ottercombe et espérait sincèrement que je m'amuse. Elle disait que je le méritais.

— Londres en temps de guerre, juste avant l'invasion, a dû te causer un véritable choc.

— Oui, c'est certain. Mais ce fut aussi un soulagement, de ne pas avoir le temps de penser. Je m'en suis servie pour m'ôter Tony de la tête. Il s'était mis à se présenter à Ottercombe dès qu'il obtenait une permission, ou un droit de sortie, et la pression était terrible. Il fallait que je parte.

— C'est de cette période dont je me souviens, acquiesça Nest. Il suppliait Mama.

— Je ne comprenais pas, tu vois. Je vivais toujours dans les années trente. La guerre a creusé un immense gouffre dans la vie que nous connaissions, mais je ne m'en suis rendu compte que trop tard. Et, de toute manière, j'avais à peine dix-huit ans. Les seuls hommes que je connaissais étaient faits de papier, de carton et de colle ; un véritable homme de chair et de sang, ça dépassait mon entendement. Je ne savais rien, à l'époque, des complexités de la nature humaine. Comme je devais me montrer suffisante !

— Tu n'as jamais été suffisante, protesta Nest. Bien sûr que ça a été un choc. C'était seulement dommage que tu réagisses de manière si radicale.

— Ah, oui. Tu veux dire Richard ?

Mina hocha la tête, touillant le reste de thé dans le fond de sa tasse.

— Oui, j'ai été stupide. Tu as été beaucoup plus sage, quand ton tour est venu.

— Nous avons toutes deux été idiotes. Mais Richard, Mina… As-tu vraiment cru que tu l'aimais ?

— Oh, po-po-po, fit-elle en s'adossant à sa chaise pour réfléchir. Je suppose que je sentais que ça n'avait pas trop d'importance, en ces circonstances. Et Richard était assez gentil et bon pour mon moral. Et puis, il n'avait pas de parents pour s'interposer. C'était un peu comme si je les épousais tous, pas seulement Richard. Le mariage et tout ça, c'était complètement irréel, comme une sorte de grande pièce de théâtre. Fou et romantique, et olé olé, typique de la période de la guerre. C'est seulement après que j'ai réalisé un peu ce que Tony avait vécu quand il était en Cornouailles. Cette impression d'irréalité permet à une personne de se comporter tout à fait hors de son caractère ; c'est comme un jeu qui n'a rien à voir avec la vraie vie.

— Et ensuite, reprit Nest lorsque Mina se tut, Richard a été tué dans l'explosion de l'hôtel King David à Jérusalem. Ça m'a toujours paru si étrange. Le fait que ce soit un hôtel. Bien sûr je n'avais que onze ans, mais j'ai entendu Mama qui en parlait au téléphone et je pouvais très bien voir la chose dans ma tête. Un grand bâtiment blanc avec des colonnes, des palmiers et des chameaux. Mais je n'ai jamais compris ce que faisait Richard dans un hôtel à Jérusalem.

— C'était le quartier général des Britanniques, expliqua Mina. La Jordanie venait d'obtenir son indépendance. La guerre était finie. Comme la vie est cruelle…

— Et tu es revenue à Ottercombe, dit Nest après un silence encore plus long. Et à l'automne, je suis partie à l'école. Mais tu semblais avoir gardé ton calme malgré tout ça. Pas comme après Tony.

— J'ai honte de l'avouer, la mort de Richard fut presque un soulagement, dit Mina en posant sa tasse. Une fois qu'il a été déplacé au Moyen-Orient, j'ai réalisé à quel point j'avais été idiote. C'était un étranger. Un étranger gentil et tendre, mais un étranger tout de même, et l'idée de passer le reste de ma vie avec lui me semblait terrifiante. Sa mort m'a libérée et à cause de cela je me suis sentie coupable tout le restant de ma vie. C'est stupide, non ?

— As-tu jamais songé à reprendre contact avec Tony ?

Une expression presque amusée adoucit le visage de Mina, qui grimaçait de dégoût envers elle-même.

— Les Sneerwell se sont assurés de me faire savoir qu'il s'était marié et était heureux, dit-elle. C'était trop tard.

— Seigneur ! finit par ajouter Nest. Quels imbéciles nous sommes, nous, mortels.

— Il est tard, fit Mina en regardant sa montre tout en repoussant sa chaise. Beaucoup trop tard, pour une journée aussi épuisante. Va te coucher. Je vais nettoyer la cuisine pendant que les chiens font leur dernier sprint.

Elle se pencha pour embrasser Nest, les yeux toujours assombris par ses souvenirs.

— Que Dieu te garde.

Ainsi Nest roula-t-elle à travers le vestibule jusqu'à sa chambre avant d'entamer la longue succession d'opérations par lesquelles elle devait passer avant de se coucher. Enfin, désireuse de dormir mais toujours incapable de se concentrer sur son livre, elle s'installa plus confortablement, éteignit la lampe, reposa l'ouvrage sur la table de nuit et ferma les paupières sur les images qui, toujours, dansaient devant ses yeux.

La petite voiture de sport est garée dans l'allée et Mama est assise au salon. Elle regarde avec angoisse Tony qui fait les cent pas devant elle, son poing gauche se tord dans sa paume droite, et se tord encore, ses traits sont défaits. Il n'y a nulle trace de Mina. Dans le vestibule, Nest peut entendre sa voix.

— Je vous en supplie, madame Shaw, laissez-moi la voir. Je dois tenter de lui expliquer. Ce n'était rien, vous voyez. Rien d'important.

— Mon cher enfant, j'ai tenté de parler à Mina. Je vous comprends, pour ma part. Je vous l'assure.

— Vraiment ?

Dans son empressement, il cesse de piétiner et prend place à ses côtés sans y être invité, se tournant vers elle.

— Vous me comprenez vraiment ? Alors pouvez-vous expliquer tout cela à Mina ? Nous agissions tous comme des imbéciles, vous voyez. L'entraînement était très intense, nous avons commencé à comprendre à quoi la vraie guerre ressemblerait. Cette femme avait perdu son mari à Dunkerque, elle se sentait esseulée…

Il la regarde avec inquiétude, de peur de l'avoir offensée, espérant son indulgence.

— Nous étions plusieurs, nous prenions un verre ensemble, et les choses ont un peu dérapé. Elle s'est mise à pleurer et puis… Eh bien, les autres me poussaient vers elle, vous voyez de quoi je parle ?

Mama pose la main sur la sienne. Son visage est triste et elle le contemple comme si elle contemplait l'un de ses propres enfants.

— Voyez-vous, Tony, le nœud de l'affaire réside dans le fait que Mina ne peut pas comprendre. Elle est romantique et vous êtes son premier amour. Pour elle, c'était la chose la plus précieuse au monde…

— Et pour moi aussi !... s'écrie-t-il passionnément. Ce truc, c'était hors de tout ça. Je dois tenter de lui faire comprendre ce qui m'a poussé à ça.

— Je ne crois pas qu'elle soit capable de faire la part des choses de cette manière, fait Mama en serrant sa main très fort. Oh, ce n'est pas qu'elle soit cruelle, mais cela dépasse son expérience de la vie. Il n'y a rien qu'elle ait lu ou connu qui aurait pu la préparer à ça. J'ai discuté avec elle. J'ai tenté de lui expliquer comment, en temps de guerre, d'autres énergies et d'autres besoins peuvent prendre le dessus et nous faire briser les règles habituelles qui gouvernent notre existence, mais elle n'arrive pas à comprendre. Cet amour était quelque chose de fragile et de magnifique, et il a été brisé en morceaux.

Il se penche sur leurs mains jointes, pleure si amèrement que, de l'autre côté de la porte, Nest est terrifiée. Elle verse des larmes sur Tony – et aussi sur la pauvre Mina. Quelque chose de terrible a dû arriver pour que Mina permette que Tony soit si malheureux.

— Pourquoi le lui avoir dit ? fait Mama, la voix pleine de compassion. Mon cher petit, qu'est-ce qui vous a poussé à cela ?

Tony déglutit, sèche ses yeux du revers de la main, tient toujours les siennes si fort qu'elle peut sentir ses larmes.

— J'avais peur de la revoir. Je sais que ça semble idiot, mais c'est la vérité. J'étais timide et nerveux et je manquais d'assurance. Il y avait autre chose, aussi. J'avais changé un peu, en Cornouailles, à l'entraînement. J'avais commencé à sentir que j'avais vraiment un rôle à jouer dans cette guerre et j'en étais fier. Je n'avais jamais fait l'autre truc non plus, et ainsi lorsque j'ai conduit pour venir ici et que j'ai vu Mina à nouveau, il y avait quelque chose d'irréel qui me faisait presque peur. Comme s'il y avait deux mondes séparés, le sien et le mien. Et pour un moment, les deux mondes ne pouvaient plus se mêler l'un à l'autre. Je trouvais important qu'elle sache que j'avais changé, que j'avais grandi, que je n'étais plus un enfant, désormais. Je voulais qu'elle sache que j'étais devenu un homme, maintenant, et puis, avant qu'on ait pu se retrouver, elle et moi, ces choses grossières se sont mises à sortir de ma bouche. Ce n'est qu'en voyant son expression que j'ai soudainement réalisé ce que j'étais en train de faire. J'ai alors tout remis en perspective, mais il était trop tard pour elle.

— Mon pauvre enfant. Ne voyez-vous pas que Mina ne sera jamais à même de croire que vous l'aimez si vous vous comportez ainsi avec une autre ? Il faudrait une femme beaucoup plus au courant des choses de la vie que Mina pour parvenir à accepter cela. Cette veuve de Cornouailles s'est emparée d'une chose d'une importance vitale, que Mina croyait sienne, et vous, apparemment, la lui avez donnée volontiers. La confiance et la fierté de Mina ont été réduites en miettes.

— Oh, mon Dieu…

Il se met à nouveau à sangloter. Mama le réconforte. Nest part à la recherche de Mina.

Elle est prostrée dans un coin du petit salon et pleure elle aussi, en silence. Nest la regarde par l'entrebâillement de la porte, et elle voudrait que le temps se rembobine vers des jours plus heureux.

Cet automne, Timmie a été envoyé à l'école et Nest s'ennuie beaucoup de lui. Elle se glisse dans sa chambre pour regarder ses constructions en Meccano, ses avions en modèles réduits suspendus dans un vol éternel au plafond, elle touche tendrement son vieux soldat tricoté, appuyé sur l'oreiller. Au cours de ces semaines qui ont précédé le retour de Tony, Mina a fait tout ce qui était en son pouvoir pour maintenir Nest occupée. On écrit des lettres à Timmie, des plans sont élaborés pour organiser des jeux au cours des congés des fêtes, on étudie des suggestions de cadeaux de Noël. Soudain, Mina n'est plus intéressée par ces diversions. Ses yeux sont gonflés de larmes et elle semble incapable de se concentrer.

— Tâche de ne pas l'inquiéter, dit Mama. Elle a reçu de mauvaises nouvelles. Non, bien sûr, pas à propos de Timmie, pauvre enfant. Ça ne concerne personne dont tu aurais à te soucier.

Elle espionne par la fente dans la porte. Nest se dit qu'elle pourrait au moins tenter de réconforter sa grande sœur. Elle se glisse dans la pièce, grimpe à côté de Mina dans le canapé et se blottit contre elle, posant la tête sur son épaule. Elle ne dit rien. Mina dégage son bras et l'attire vers elle de manière à ce qu'elles se tiennent serrées l'une contre l'autre. Silencieuses dans le partage.

XVII

— Serait-ce ton tour, espéra tout haut Jack, la voix étouffée par l'oreiller, de faire le café du dimanche matin ?

Une longue plainte fusa de l'autre extrémité du lit. Jack se tourna sur le dos pour mieux l'entendre.

— Il me semble, commenta-t-il, que j'ai entendu « oui ». Oh, excellent !

Il s'installa plus confortablement mais, avant qu'Hannah ne puisse s'extraire de son cocon de plumes pour lui faire réviser ses conclusions, un rugissement rythmique se fit entendre, suivi par des pas lourds. Jack se ressaisit instinctivement et la porte de la chambre s'ouvrit toute grande.

— Flora est réveillée, annonça Toby. Et elle schlingue. C'est vraiment dégoûtant.

— Tobes est en train de développer un véritable talent de petit rapporteur, murmura Jack à sa femme. L'avais-tu remarqué ? Ne me pousse pas à te retenir, cependant. Vite, vas-y. Oh, et profites-en pour brancher la bouilloire, veux-tu, avant de déschlinguer notre enfant.

— C'est ton tour, fit Hannah en s'agrippant à la couette. Tu le sais, Jack. Vas-y, toi, et fais quelque chose, pour l'amour du ciel, avant qu'elle n'explose !

— C'est ton tour, papa, assure Toby. Maman l'a fait dimanche dernier parce que j'étais malade pendant la nuit à cause de l'anniversaire d'Hamish et personne n'est allé à l'église parce que tu ne voulais pas prendre Flora tout seul.

Jack parvint à se mettre sur son séant et regarda Toby avec indignation.

— Ainsi va la solidarité masculine ! Merci, mon pote. Oh, et j'oubliais, ne compte plus trop sur moi pour te soutenir lors de ta prochaine crise de « Oh, je voudrais un chien », etc.

— Jack, tais-toi et va t'occuper de notre fille, gémit Hannah avec empressement, tout en s'enterrant plus profond sous les plumes. Tu pourras te disputer avec Tobes dans sa chambre à elle. Disparais.

Jack se glissa dans une grande robe de chambre et suivit son fils dans le couloir. Flora, visage écarlate – mais sans larmes –, se tenait agrippée au bastingage de son berceau, hurlant à pierre fendre. Elle aperçut Jack, marqua un temps d'arrêt, prit une bouffée d'air et commença à hoqueter.

— Oh, oh ! commenta Toby avec une affreuse satisfaction. Ça va durer des heures. Parfois ça la fait même vomir.

Alors que Jack réfléchissait à une réponse qui calmerait le jeu de manière efficace, il se sentit assailli par la puissante odeur qui émanait non seulement des hoquets, mais aussi du landau. Il ferma les yeux, frissonnant.

— Dieu tout-puissant ! murmura-t-il. Comment suis-je censé manger après ça ? Allez, Tobes, tu connais la procédure. Tu peux me venir en aide. Où est le machin à matelas ? Oh, brave petit ! Voilà, pose-le juste là. Maintenant, par ici la princesse…

Quelques minutes plus tard, il prépara le café pendant que Flora trônait dans sa chaise haute, armée d'un biscuit au chocolat.

— Maman ne nous laisse jamais manger ça avant le petit-déjeuner. Elle sera très contrariée.

— Alors ne va pas lui dire et la mettre de mauvaise humeur, d'accord ?

Les hoquets s'étaient calmés et Toby, après avoir dévoré son biscuit, observait le dinosaure de plastique qu'il avait extrait de la boîte de céréales.

— J'en ai trois comme celui-là, tous pareils, fit-il tristement en étudiant le dos de la boîte. Je les collectionne, mais je ne tombe que sur ceux-là. Comment se fait-il qu'on ne trouve jamais les autres ?

— C'est la loi de l'emmerdement maximum, mon pote, dit Jack, ragaillardi par le café noir bien chaud. La même loi fait en sorte que ça soit mon tour de me lever ce matin, et c'est aussi pourquoi tu portes tes knickers à l'envers. Il n'y a pas d'avenir là-dedans, Tobes. Maintenant, sois un bon garçon, surveille ta sœur pendant que je porte une tasse de café à maman. D'accord ? Je ne serai pas long.

Il sortit de la cuisine et il y eut un court silence.

— T'as du chocolat partout sur le visage, dit Toby à Flora.

Elle l'observa placidement tout en léchant avec soin le chocolat de son biscuit, laissant tomber les miettes boueuses sur le plancher, près de sa chaise. Caligula les renifla d'un air las puis disparut dans le jardin par la chatière. Toby les fixa un instant, imaginant le visage de sa mère lorsqu'elle constaterait le désastre un peu plus tard.

– « Pas très efficace, mon chéri », fit-il en imitant la voix d'Hannah.

Il installa les dinosaures sur la table et les fit se battre en duel, ajoutant des grognements, faisant rire Flora, qui tendit vers eux ses doigts collants.

En haut, Jack posa le café sur la table de nuit et contempla le tout petit bout du corps d'Hannah qui s'offrait à sa vue.

— Je ne dors pas, fit une voix étouffée. Ils vont bien ?

— Plutôt bien. Il y a du café, si tu en veux.

— Merci.

Elle lutta contre la couette jusqu'à s'en extirper et s'empara de la tasse.

— Tout est sous contrôle, dit-il. Dors encore un peu, si tu en as envie.

— Peut-être, dit-elle, en posant le menton sur les genoux, rejetant sa chevelure en arrière. Jack... J'ai réfléchi à la question de l'adoption d'un chiot. Je ne voulais pas en parler devant Tobes hier dans la voiture en rentrant d'Ottercombe, mais c'était tellement chouette de voir les enfants avec les chiens, non ?

— Oui, fit Jack en souriant. Je n'ai absolument rien contre l'idée d'adopter un chien, Han. Mais tu te retrouveras avec le gros de la charge. Es-tu certaine que tu n'as pas déjà suffisamment de boulot comme ça ? Je ne pourrais sans doute pas m'occuper du dressage d'un chiot en cours de trimestre.

— Je me disais qu'on attendrait jusqu'aux vacances de Noël. Ça nous donnerait trois semaines de pause, durant lesquelles nous pourrions lui apprendre à être propre. Et ça pourrait être bon pour tes élèves, aussi. Les aider à s'acclimater, réconforter ceux qui se sentent un peu tristes loin de chez eux.

Il se pencha pour embrasser ses cheveux.

— Je crois que c'est une idée géniale. Tobes va en devenir fou.

— Il faudra voir quelle est la race idéale pour une maison pleine d'enfants, réfléchit-elle en sirotant son café.

Jack lui sourit, radieux.

— J'ai entendu dire que les dobermans adoraient les enfants. Ou était-ce les rottweilers ? Tu connais la blague ? Quel est le chien qui a quatre pattes et un bras ?... Mais peut-être tout cela n'est-il que de mauvaises rumeurs.

— Va-t'en, dit-elle. Va veiller sur notre progéniture. Je descendrai dans un instant. Et pas un mot sur le chiot. Pas encore. Je veux voir la tête de Tobes lorsqu'on va le lui annoncer.

Plus tard le même matin, Nest quitta la terrasse ensoleillée pour emprunter le sentier couvert de mousse qui serpentait à travers le jardin sauvage. Elle traversa le petit pont de pierre sous lequel s'élançait le ruisseau et passa sous les grandes plumes soyeuses des herbes de la pampa, qui avaient été épargnées par les sécateurs de Mina. L'été, sous la protection de la falaise, l'ivoire et le rose des aruncus et des astilbes se mêlaient aux grandes fougères vertes et aux mauves lysimachias, tandis que le millepertuis rampait sur les racines, tapissant le sol humide de petites feuilles duveteuses et de fleurs jaunes. Les galanthus et les primulacées croissaient entre les racines des grands hêtres et, à la fin du printemps, le muguet de mai et la fritillaire pintade fleurissaient parmi les herbes robustes qui peuplaient les rives du ruisseau.

Là où le fossé portait les flots jusqu'à la vallée, le *Cyperus alternifolius* étendait ses feuilles rouge et brune en dents de scie à vos pieds, pullulant aux côtés de la rhubarbe et du rodgersia parmi les troncs fantomatiques et délicats des bouleaux argentés et, dans un recoin de la falaise caché par les chênes et les hamamélis, la bergeronnette grise faisait son nid. Nest s'arrêta un instant. Elle inclina légèrement son fauteuil dans le soleil automnal pour observer un vol de pinsons dorés qui plongeaient et s'agitaient en dansant au-dessus d'un fourré de chardons puis, soudain, au bas de la vallée, un colvert émit un rauque et comique signal. « Rarb-rarb... » Elle roula et se souvint des jeux qu'elle et Timmie inventaient dans ce jardin enchanté, avec ses lieux secrets, son décor sauvage et théâtral. Était-il possible d'imaginer sur terre meilleur endroit où élever deux enfants pleins d'imagination ? Ils arrivaient à rejouer presque tous les livres qu'ils lisaient, malgré quelques exceptionnelles déceptions, pour la plupart dues à un manque de coopération de la part des adultes.

Ce sont les vacances de Noël 1943 et Timmie reçoit son premier Arthur Ransome, *Swallows and Amazons*. Dès la première lecture, la plage est transformée en île des Chats sauvages, même si Mama a refusé de les laisser acquérir un bateau à voile. Ils supplient en vain : les courants de la côte nord du Somerset sont trop dangereux pour permettre à deux petits enfants de pousser jusque-là leurs fantaisies et ils doivent se contenter d'étangs rocheux dans lesquels nager, et de falaises à escalader. Après Noël, une fois Mina partie pour Londres, Timmie et leurs sœurs de retour à l'école, Nest demeure avec Mama. Désormais seule des heures durant, elle s'enfonce presque entièrement dans son monde imaginaire, nourrie par les histoires que Mama lui lit à l'heure des enfants. Prise par sa propre solitude et par ses angoisses, Mama a commencé à lire autre chose que les chers vieux recueils de contes. Blottie à ses côtés dans le canapé, Nest, près du feu, écoute *The Country Child*, d'Alison Uttley, son cœur battant la chamade tandis qu'elle accompagne en esprit la petite Susan Garland à son retour de l'école, à travers la Forêt sombre. Elle jette un œil terrifié aux illustrations de Rackham lorsque Mama lit *Goblin Market* – même si elle adore les dessins qui représentent des enfants auxquels leur maman raconte une histoire –, et toujours, dans l'esprit de Nest, Mina incarne la courageuse Lizzie, qui sauve sa sœur des mains des méchants monstres. Elle fait l'expérience d'une étrange et ardente agitation, un pétillement du sang dans ses veines, lorsqu'elle entend pour la première fois la poésie de Thomas Edward Brown, *Music and Moonlight* d'O'Shaughnessy, et la prose lyrique de Richard Jefferies.

Tout au long de la fin de cet hiver et du début de ce printemps, elle erre tel un spectre. Des rimes et des phrases résonnent dans ses oreilles, des images encombrent sa tête. Elle est étourdie par la gloire de la langue anglaise, tente de s'emparer d'idées qu'elle n'a aucun espoir, à neuf ans, de comprendre. Mina lui manque autant que Timmie. Elle est inexplicablement touchée par la douce mélancolie de sa maman, mais son âme est enflammée, excitée par la fusion mystérieuse de désirs sans nom, de désirs poignants. Lorsque, sous les branches nues des hêtres du jardin, les galanthus montrent leurs têtes assoupies et délicates, et que les fleurs de citron de l'aconitum se dispersent dans l'herbe, Mama passe à *Jane Eyre* et Nest tombe amoureuse d'Edward Rochester, dont l'image tragique et romantique devient l'objet de toutes ses passions naissantes. Tandis que les giboulées de mars déversent des flots contre les grandes falaises grises, que les tempêtes de neige venues du canal de Bristol remontent par la lande, Nest se tient à la fenêtre de sa chambre et écoute avec attention l'infatigable assaut des vagues, comme si, à tout moment, elle pouvait bondir dehors et se fondre dans l'immense, l'indomptable magie des éléments.

Les vacances de Pâques lui ramènent la compagnie de Timmie et, encore une fois, ils se remettent à jouer leurs petites pièces bien que, cette fois, les saynètes soient mises en scène sur fond de guerres constantes auxquelles se livrent Henrietta et Josie. Les deux filles sont enfermées dans une rivalité qui désespère leur mère et fascine leurs cadets. Henrietta, à peine plus âgée que sa sœur, dont seulement douze mois la séparent, mais qui se croit déjà adulte, parvient en général à berner Josie, qui est plus simple et plus directe. Elles sont toutes deux invitées à quelques fêtes et Henrietta obtient la permission de se rendre à un thé dansant – avec une camarade de classe et son frère –, ce qui plonge Josie dans une bouderie de plusieurs jours. Le frère en question, un jeune naïf de dix-sept ans au tempérament doux, destiné à partir sous les drapeaux dès l'automne, est séduit par les artifices d'Henrietta, mais trop bien élevé pour ignorer Josie.

Henrietta, en vraie langue de vipère, tourmente Josie à propos de sa conquête, mais Josie, vivant l'extase et la souffrance du premier amour, refuse pour une fois d'être reléguée à la seconde place.

C'est lors d'une partie de tennis que la guerre fait rage entre les deux sœurs. Henrietta a attendu le dernier moment pour prévenir Josie qu'elle était invitée, espérant qu'il serait trop tard pour qu'elle puisse accepter.

— C'est injuste, Mama, se plaint Josie, au bord des larmes. Mes affaires de tennis sont au panier à lessive et je n'ai rien à me mettre. Elle a fait ça exprès parce qu'elle veut être toute seule avec Lionel.

— Oh, franchement ! proteste Henrietta, qui écarquille les yeux comme si sa sœur était folle, tout en cherchant l'approbation de sa mère. Comment pourrais-je me retrouver seule, de toute façon, si l'on joue au tennis ? Et puis après tout, c'est embarrassant de la voir constamment en train de lui faire des yeux de biche. Elle n'est qu'une petite fille, après tout. Il prend la chose comme une blague.

193

— C'est faux ! Je lui plais. C'est toi qui essaies de le séduire, toujours à te frotter contre lui...

— Ça suffit, fait Mama, pour une fois contrariée.

Les filles se taisent, se mordent les lèvres, attendent le verdict.

— C'était vraiment mal de la part d'Henrietta de ne pas dire la vérité quant à cette invitation et j'ai presque envie de vous empêcher toutes les deux d'y aller...

Josie sort la langue triomphalement et Henrietta pâlit de fureur...

— ... Toutefois Lionel est sans doute déjà en route pour venir vous chercher. Si cela se reproduit, Henrietta, j'interdis toutes les fêtes – et peut-être, Josie, cela t'apprendra-t-il à prendre mieux soin de tes vêtements. Cette fois-ci, j'en ai bien peur, il te faudra rester à la maison.

Henrietta disparaît subitement, secrètement submergée par la joie que lui procure son succès, tandis que Josie, frustrée et amèrement déçue, s'en va jeter les chaussures de tennis de sa sœur, tout juste blanchies, au fond de la citerne boueuse. Dans la bagarre qui s'ensuit, même Timmie prend peur et Nest éclate en sanglots. Finalement, Lydia les menace de dire à Lionel toute la vérité sur leur comportement choquant si elles ne se tiennent pas mieux. Du coup, les filles, forcées de former une sorte d'alliance, trouvent le moyen de sortir de cette situation en bégayant quelques mots d'explication. Lionel, confus devant leurs justifications agitées, insiste pour qu'elles viennent toutes les deux à la fête. Sa sœur peut sans problème prêter à l'une une paire de chaussures et à l'autre une jupe de tennis. De plus, ajoute-t-il comme si cela prévalait sur tout, sa mère les attend. Ni Henrietta ni Josie ne peuvent perdre la face devant ce garçon innocent, aussi charmeur avec Lydia et Nest qu'avec les deux belligérantes. Après cette affaire, la guerre pour son affection est menée par coups et pincements silencieux, ou par des regards assassins et sournois transformés en sourires enjôleurs aussitôt qu'il se tourne vers elles.

La vendetta se poursuit, gagne de l'ampleur, et les deux Minis observent, hébétés, le déchaînement de leurs aînées : Henrietta vide la moitié d'une théière froide sur la chevelure fraîchement coiffée de Josie qui, en guise de représailles, taillade le jupon de la plus belle robe de fête que possède sa grande sœur. Les hurlements et les larmes résonnent dans la paisible vallée tandis que Mama passe des plaidoyers aux sermons. Bien qu'elle s'ennuie profondément de Timmie, c'est avec soulagement que Nest voit arriver le début du trimestre d'été et qu'elle se retrouve à nouveau seule avec Mama.

— Mina nous manque, dit Lydia. Elle nous apportait un peu de stabilité.

Cinquante ans plus tard, Nest sourit en faisant rouler son fauteuil sur la pelouse, puis sur le gravier. Certes, au-delà même du côté chaleureux de Mina, de sa résistance aux années, il régnait chez elle une sérénité qui demeurait inchangée, même lorsqu'elle était mise à mal par la peine ou le désespoir. Toute la famille, à un moment ou à un autre, s'était appuyée sur sa force de caractère et en avait tiré son énergie. Mina, justement, apparut dans l'encadrement de la porte, avec Georgie derrière elle.

— Bonne nouvelle ! s'écria-t-elle, le visage terriblement contracté. Helena et Rupert viennent nous rendre visite. Qu'est-ce qu'on va s'amuser, n'est-ce pas ?

XVIII

Lyddie téléphona à l'agence locale de son transporteur privé, s'entendit avec lui sur une heure d'enlèvement du paquet, puis commença à emballer dans le sac de transport spécial fourni par la compagnie de livraison le manuscrit ainsi que ses notes, une feuille de style et une lettre à l'éditeur. Elle remplit le formulaire réglementaire et descendit son paquet au rez-de-chaussée. Depuis qu'un manuscrit s'était perdu, elle ne faisait plus confiance à la poste et, comme elle était forcée d'attendre le camion de livraison, elle avait maintenant le temps de boire une tasse de thé. Le Nemrod la regardait, plein d'espoir, mais elle secoua la tête dans sa direction.

— Tu vas devoir attendre jusqu'à ce qu'il soit venu chercher ceci, lui dit-elle en désignant le paquet du doigt.

Il soupira lourdement et alla se poser dans l'entrée du vestibule.

Lyddie s'emmitoufla un peu dans son grand manteau de tricot vert en attendant que la bouilloire chauffe. L'hiver approchait et sa petite chambre était de plus en plus froide, en particulier lors des journées sans soleil. Peut-être qu'après tout, il vaudrait mieux installer une sorte de chauffage ; un radiateur était hors de question, en raison de la présence du

Nemrod, mais il faudrait bien trouver une solution. En fait, toute la maison était froide. Il y avait un poêle à bois très efficace au premier, qui restait allumé presque tout l'hiver et aidait à réchauffer les lieux, mais leur chambre à coucher, voisine du bureau de Lyddie, était glaciale.

Tout en se faisant du thé, Lyddie eut une nouvelle idée. Peut-être que l'argent de sa maison à Iffley pourrait servir à installer le chauffage central. Cela ajouterait à la valeur de la maison et rendrait leur vie plus confortable ; Liam ne pourrait certainement pas s'opposer à cette idée. La cuisine était dans une petite aile derrière la maison et formait un L au bout du long salon. La porte arrière donnait dans une minuscule cour que Lyddie avait garnie de pots et de bacs à fleurs. Elle emporta son thé dans l'autre pièce, où elle pourrait s'asseoir à la table et regarder dehors. Le mur du fond et le hangar à bois étaient peints de la même couleur rose crémeuse que les murs, et la floraison tardive des chrysanthèmes et des hébés créait là une magnifique petite scène. L'été, les roses et le chèvrefeuille grimpaient le long du hangar ; cependant, à l'approche de novembre, il ne restait plus grand-chose de leurs gloires passées.

Contemplant le rouge-gorge qui picorait des miettes de pain grillé, Lyddie se demanda pourquoi elle sentait ce besoin si fort d'apporter une contribution, au-delà de ses propres revenus. Pourquoi pas simplement déposer l'argent quelque part et le conserver en cas d'urgence ? Elle serra son manteau contre elle, les mains sur la tasse chaude, et se permit d'envisager la situation sans passion. La vérité était que, même après deux ans à Truro, elle avait toujours cette étrange sensation d'irréalité. À l'occasion, elle se disait : *Mais qu'est-ce que je fais ici ?* ou avait l'impression d'attendre quelque chose. La plupart du temps elle était trop occupée par son travail pour songer à quoi que ce soit d'autre qu'à son manuscrit. Même en faisant des listes, elle devait constamment retenir des quantités d'informations en cours de travail. Il fallait analyser chaque ligne de chaque manuscrit pour en vérifier la ponctuation, l'orthographe, chaque fait devait être noté ; elle avait bien peu de temps pour ressasser ces questions sur son couple. Elle travaillait sur environ trente-cinq manuscrits par an, ainsi le roulement était-il très rapide. Elle n'avait donc pas de temps à perdre, peu d'heures à gâcher en amplifiant ou distordant ses émotions. Pourtant, elle avait cette étrange impression d'attente ; comme si le présent était temporaire et que quelque chose d'autre était sur le point d'arriver, très bientôt.

Lyddie posa sa tasse et, tirant la douce laine sur ses épaules, alla s'agenouiller devant le poêle. Elle ouvrit les portes de verre et commença à préparer un feu avec du petit bois et des allume-feu entreposés dans une boîte près du panier à bûches. Bientôt, elle vit s'élever une légère flamme et referma les portes de manière à ce que le feu prenne pour de bon. Assise sur les talons, elle regardait les langues d'or lécher les morceaux de bois, hypnotisée pour un instant par leur danse avide. Puis elle se leva et alla se laver les mains à la cuisine. Elle les sécha sur la serviette accrochée derrière la porte et retourna à la table. Elle souleva à nouveau sa tasse, et grimaça un peu en tentant à nouveau d'analyser cette sensation d'une existence éphémère, promise au changement.

Cette impression d'irréalité venait peut-être de la vie étrange qu'elle et Liam menaient. Il était impossible, avec L'Endroit, de vivre comme le faisaient les autres jeunes couples. Se faire à dîner ensemble, sortir manger ou boire un verre au bar ; réserver des places au théâtre ou passer une soirée au cinéma. Elle commençait à réaliser que le jour glorieux où Liam et Joe pourraient se permettre d'engager un gérant de bar à temps plein, de façon à se soulager de leur lourde charge de travail, n'arriverait pas de sitôt. Elle commençait à prendre conscience que Liam n'avait aucun désir de se libérer de son travail : il l'adorait ; c'était sa vie. En se montrant si souple, en se contentant de passer des soirées dans l'arrière-salle, elle avait permis au futur modèle de leur mariage de s'établir. Mais comment aurait-elle pu faire autrement ? Il n'y avait pas de gérant de bar qui leur permettrait de prendre des soirées de congé et – après tout – cela pourrait provoquer des réflexions continuelles, qui n'entraîneraient sans doute que tristesse et discorde.

Lyddie soupira. La vérité était que ça lui plaisait, à elle aussi. Rejoindre L'Endroit après une longue journée d'isolement et de concentration, s'asseoir là, à plaisanter avec Joe dans l'arrière-salle, manger des plats délicieux qu'elle n'avait pas à payer, à préparer, à cuisiner, constituait un merveilleux changement par rapport à cette sombre année qu'elle avait passée à Londres après que James fut parti pour New York. Elle se rappelait parfaitement ces soirs où elle rentrait à son petit logement après une longue journée et un horrible trajet de retour, beaucoup trop fatiguée pour ressortir faire des courses, se rendait compte qu'elle n'avait plus rien à manger et finissait par grignoter du pain grillé en regardant distraitement des émissions de télévision avant de s'effondrer sur son lit. C'était son travail d'éditrice et les relations qu'elle entretenait avec ses amis à la maison d'édition qui avaient rendu sa vie supportable. Aujourd'hui elle avait toujours ce travail, mais il était difficile de se faire de nouveaux amis puisqu'il fallait les recevoir toute seule, ou les emmener à L'Endroit, où Liam serait – ou non – à même de s'asseoir à leur table pour bavarder.

Elle secoua la tête. Les amis ne lui manquaient pas vraiment. Elle demeurait en contact intime avec ses quelques véritables proches et leur rendait parfois visite à Londres. C'était plutôt son incapacité à se rapprocher de Liam qui commençait à l'affecter. C'était comme si le for intérieur de son mari était hors d'atteinte, invisible, et comme si, même pour elle, il n'y aurait pas d'exception. Son charme délicieux, son sens de la repartie, et son œil acéré dissimulaient une personnalité secrète, une profondeur à laquelle même Lyddie n'avait pas accès.

— Es-tu certaine, lui avait demandé sa meilleure amie, que tu veux vraiment faire ça ? Oh, je vois bien qu'il est sexy à croquer, qu'il est extrêmement drôle, que c'est un gagnant… Mais il ne se laisse pas trop approcher, n'est-ce pas ?

Et Lyddie, bêtement flattée à l'idée qu'elle était la seule à avoir accès au Liam privé, l'avait assurée qu'elle savait ce qu'elle faisait.

Essayant d'être tout à fait réaliste, elle se souvint que leur dispute à propos de cette lettre l'avait stressée. Et elle se dit que cette impression d'irréalité – *comme si j'étais en vacances*, songeait-elle – pourrait avoir pour simple cause leur mode de vie bien particulier. Des milliers de gens – hôteliers, restaurateurs, professionnels de l'industrie touristique – vivaient de cette manière étrangement fragmentée et ils étaient pourtant parfaitement heureux. Mais ce constat ne lui apporta aucun réconfort. Il demeurait que Liam était content de leur manière de vivre et n'avait aucune intention de lui permettre un accès plus intime à sa vie. Elle sentait ce besoin de s'impliquer ; de percer la coquille pour le forcer à faire d'elle son égale dans leur partenariat. La dispute avait révélé ses angoisses et il était difficile de retourner à l'état d'innocence qui avait précédé ; cette conviction selon laquelle, bientôt, les choses allaient changer. Cet espoir qu'on emploierait un gérant de bar, qu'elle participerait davantage au plan financier, et qu'ils deviendraient de véritables partenaires, parleraient ouvertement, librement, partageraient leurs peurs et leurs émotions.

Cette histoire de lettre était derrière eux et Liam n'en gardait certainement pas rancune. Il ne restait pas entre eux de froideur ou de colère résiduelle – mais aucun progrès n'avait été accompli non plus. Ils étaient de retour à la case départ. Cependant, certaines choses avaient subtilement évolué ; leur « lune de miel » était terminée, mais il ne paraissait pas y avoir de perspective claire devant eux ; toutes les voies qui se présentaient à elle lui semblaient interdites.

La sonnette d'entrée la fit sursauter et réveilla le Nemrod, qui se leva de manière peu assurée et se mit à japper confusément contre l'imperméable de Lyddie, suspendu à un crochet dans le vestibule, avant de comprendre son erreur. Après un moment, il entra et dévisagea Lyddie d'un air plein de reproches, peu accoutumé à voir son sommeil aussi impoliment bouleversé. Elle souleva son paquet et se précipita vers la porte.

— Quand vient Helena ? demanda Georgie pour la quatrième ou cinquième fois depuis le coup de fil, et Mina répondit avec patience :

— Ce week-end. Bientôt...

— Et n'oublie pas Rupert, murmura Nest méchamment. Ce cher Rupert vient aussi.

Dans un coin du canapé, Georgie avait rechuté, comme cela lui arrivait si souvent ; ses doigts de pied s'agitaient sans arrêt, ses épaules se haussaient, même son visage était pris de tics – un instant elle fronçait les sourcils, l'autre elle faisait la moue –, comme si elle entendait un morceau de musique dans sa tête, ou plutôt comme si elle tenait une longue conversation avec un contradicteur invisible.

— Pourquoi un contradicteur ? avait demandé Mina lorsque Nest avait évoqué cela.

— Parce qu'elle semble tellement grincheuse. On n'a pas l'impression qu'elle s'amuse, mais plutôt qu'elle est dans une sorte de compétition.

Mina avait réfléchi un moment.

— Oui, je crois que c'est cela.

Pendant ce temps, Georgie restait assise, lovée dans son monde à part, tandis que Nest tricotait des poupées et de petits accessoires qu'elle envoyait à une œuvre de bienfaisance locale, pour leur vente de charité, et que Mina faisait des mots croisés. Les bûches avaient brûlé et n'étaient plus que des braises de soie et de cendre, et le vent, hululant dans la vallée, faisait trembler les carreaux et se répercutait étrangement dans la cheminée.

— Oui, « Rupert vient également », acquiesça Mina sans trop y penser. Qui a écrit *Des souris et des hommes* ? Neuf lettres, avec un B au milieu.

— Steinbeck, dit Nest. Le problème, c'est qu'il est plutôt facile d'oublier le bon vieux Rupert, n'est-ce pas ?

— Terriblement facile, dit Mina, toujours distraite, en inscrivant les lettres.

Elle réalisa ce qu'elle venait de dire, leva les yeux, tout d'abord avec culpabilité vers Georgie, puis, avec un air de reproche, vers Nest, qui lui adressa un sourire.

— Simple test, dit Nest. Elle est dans la lune.

— Mais pas toujours, avertit Mina.

— Non, pas toujours, fit Nest, qui reposa son tricot en bâillant. C'est l'heure d'aller au lit. Voudrais-tu une boisson chaude, Mina ?

— Oui, je t'en prie, fit sa sœur en retirant ses lunettes et en repliant le *Times*. Mon Dieu ! Est-ce donc l'heure ? Je vais laisser sortir les chiens.

Elle haussa la voix légèrement.

— Un chocolat pour toi, Georgie ?

Rappelée de son monde intérieur, Georgie leva les yeux vers elle d'un air à peu près intelligent. Nest pouvait deviner cependant qu'il était devenu pour elle comme une seconde nature de peser chaque réplique. On recevait rarement de la part de Georgie une réponse chaleureuse, exempte de calcul.

— Pour autant qu'il ne soit pas aussi noyé de lait qu'hier soir, dit-elle.

Son visage prit cette expression légèrement agitée et maussade qui indiquait qu'elle vous recalait à son « examen de passage ».

— Oh, ma chère, rétorqua Mina, d'un ton à la fois contrit et joyeux. Il n'était donc pas exactement à ton goût ? Préférerais-tu le préparer toi-même ?

Cela représentait une sorte de défi pour toutes les trois. La dernière fois que Georgie avait préparé une boisson chaude, Nest avait roulé dans la cuisine pour découvrir le lait en train de bouillir sur toute la cuisinière, la casserole préférée de Mina bonne pour la déchetterie, et nulle trace de Georgie.

— Eh bien, si tu n'es pas de taille à gérer une tasse de chocolat…, fit Georgie en luttant pour s'extraire de son coin profond et confortable, murmurant des jérémiades pour elle-même, tandis que Nest avait déjà mis en route ses préparatifs du soir.

Mina installa la grille devant le foyer, ramassa ses lunettes et son livre, s'assura que Georgie avait toutes ses affaires avec elle et ferma la porte derrière elles. Les chiens la suivirent dans le vestibule, avides de se lancer une dernière fois dans le jardin et, lorsqu'elle entra dans la cuisine, trouva Nest en train de servir les boissons, surveillée de près par Georgie.

Mina passa près d'elles, sortit dans la nuit venteuse, et regarda les chiens disparaître dans le jardin. Entre les lambeaux de nuages, déchirés par les violentes bourrasques, elle voyait briller les étoiles. La musique de l'eau en cascade s'accordait avec le rugissement de la tempête dans les arbres, tout en haut de la falaise et, tout en bas, le grondement obstiné de la vague de fond qui agitait l'océan.

Revigorée, rafraîchie, elle rappela les chiens, qui réapparurent les uns après les autres, puis ils retrouvèrent la cuisine, soudain au calme. Georgie était déjà montée, emportant sa tasse de chocolat, et Nest mettait la casserole dans le lavabo. Elle avait posé la tasse de Mina sur la cuisinière, de manière à la garder au chaud.

— C'était vilain de ta part, dit-elle en se penchant pour l'embrasser. De dire ça à propos de Rupert. Très risqué.

— Je sais, répliqua Nest sans repentir. Mais tu vois, Mina, il y a des moments où j'ai envie de faire quelque chose de scandaleux. Pour m'évader de cette satanée prison. Danser, courir...

Elle détourna le regard, laissa mourir la passion dans son visage écarlate, se mordit les lèvres, tandis que Mina la regardait, impuissante, sachant par expérience que rien de ce qu'elle pourrait dire n'adoucirait sa souffrance.

— D'un autre côté, dit Nest en roulant jusqu'à la porte, je crois qu'il vaut mieux un handicap physique que mental. Je ne me moque pas vraiment de Georgie, tu sais, c'est juste une manière de laisser sortir la vapeur. Oh, mon Dieu ! La frustration ! Et maintenant, en plus de tout le reste, la peur. Parfois, je pense que je pourrais exploser. Enfin, rien de tout cela n'est ta faute. Désolée, Mina. Bonne nuit.

Accablée, Mina grimpa les marches, les chiens sur ses talons, tenant sa tasse d'une main, ses lunettes et son livre dans l'autre. Mais une fois la porte de sa chambre fermée, toute cette tension la quitta et elle pénétra, pleine de joie et d'espoir, dans son petit sanctuaire. La boisson chaude, la conversation avec Elyot, un chapitre de son bouquin ; c'étaient des plaisirs à savourer, ainsi que le chaleureux accueil que ses chers objets familiers lui réservaient et, plus tard, le confort de son lit, d'un luxe douillet grâce à la couverture chauffante – cadeau de Jack et Hannah.

— Po-po-po.

Chaque respiration laissait se dissoudre une minuscule dose d'anxiété. La tasse était posée près de l'ordinateur et les chiens s'installaient et se roulaient déjà dans leurs paniers. Elle se déshabilla, se remémorant d'autres nuits, aux chandelles, entre des draps glacés, et se dépêcha d'enfiler sa robe de laine, tout en murmurant une prière de gratitude pour tout le confort dont elle profitait. Ce soir, décida-t-elle en retrouvant l'alcôve. Elle alluma l'ordinateur, sirota son chocolat chaud bien sucré.

— Ce soir, je ne vais pas garder Elyot comme dessert. Non, ce soir, il sera le premier.

Elle avait besoin de lui. Ses maigres épaules s'affaissèrent de soulagement lorsqu'elle vit qu'il lui avait laissé un message. Elle l'ouvrit avec empressement.

De : Elyot
À : Mina
Ma chère amie,
Comment allez-vous ? Le vent ne vous a pas emportée, j'espère ? Nous avons connu une meilleure journée, aujourd'hui...

XIX

Nest, cependant, n'arrivait pas à dormir. Les démons qu'elle combattait avec un certain succès pendant la journée revenaient le soir la hanter. La frustration, la colère, la culpabilité, le désespoir étaient ses compagnons nocturnes. Assise dans son lit, adossée aux oreillers, elle se demandait si la présence de Georgie à Ottercombe était bénéfique pour qui que ce soit, y compris Georgie elle-même. Il semblait à Nest qu'ici, dans la maison de leur jeunesse, la confusion de sa sœur atteignait son paroxysme. Au cours de la fin de semaine précédente, elle avait regardé Jack et ses enfants avec une douloureuse intensité qui avait rendu tout le monde mal à l'aise. Il était clair – du moins l'était-ce pour Nest – qu'elle faisait des allers-retours entre le passé et le présent, qu'elle tentait de comprendre et n'y parvenait pas. Elle confondait parfois Mina avec Mama. Pourtant, une partie du temps, elle demeurait vive et alerte. Mais récemment, elle était devenue menaçante. Elle avait déjà déterré l'aventure de Mina avec Tony Luttrell ; quoi d'autre encore allait-elle décider de révéler ? Et visiblement cela stressait Mina, même si elle continuait à nier que Georgie en sache plus que ce qu'elle prétendait.

— Elle a toujours aimé ce sentiment de puissance, avait-elle tempéré. Sous-entendre des trucs et angoisser tout le monde. Mais à la fin, c'étaient toujours des choses qu'elle avait imaginées, ou à moitié entendues.

— Le souci, c'est que lorsqu'on a un secret coupable, ce genre d'attitude peut vous mettre sur les nerfs. Certaines personnes ont été assassinées pour s'être comportées comme Georgie.

La brutale divulgation du secret de Mina avait mis Nest en colère. Non seulement elle était furieuse pour le bien de Mina – ces révélations pourraient l'embarrasser ou la démoraliser –, mais cela lui avait fait peur, à cause de son propre secret. Selon Nest, on ne pouvait pas faire confiance à Georgie – un point c'est tout.

— Mais que faire ? s'était écriée Mina, au désespoir. Je vais demander à Helena de venir la reprendre, si tu as vraiment peur.

— Le problème, c'est qu'elle pourrait dire quelque chose à Helena ou à Rupert. Ou à n'importe qui !

Nest avait eu l'air très misérable.

— Je crois que je ne me sentirai plus jamais en sécurité.

— Si c'est ton sentiment, je parlerai à Helena au cours du week-end. Après tout, à mon âge, il y a des limites à ce que je peux faire. Elle et Rupert doivent comprendre cela. Ma première responsabilité est envers toi et je vois que la situation commence à te stresser.

Nest avait secoué la tête, prise entre sa propre peur et sa pitié pour Georgie.

— Attendons et voyons venir.

Assise dans son lit, Nest se sentit manquer de résolution ; cela la tracassait. Cependant, chaque fois qu'elle revoyait l'expression vide et perdue de Georgie, son cœur se contractait de compassion et elle savait qu'il lui faudrait endurer sa propre anxiété un peu plus longtemps. Sachant qu'une mauvaise nuit l'attendait,

Nest abandonna toute velléité de stoïcisme et prit un somnifère. Elle s'installa aussi confortablement que possible, laissa ses pensées dériver, et se donna enfin à ses souvenirs depuis si longtemps ensevelis.

Après la guerre, beaucoup de choses changent. Georgie a épousé un jeune homme qui travaille au ministère des Finances tandis qu'Henrietta et Josie, toujours dans des disputes permanentes, partent pour Londres, où elles trouvent du travail : Josie comme secrétaire d'un département de l'université de Londres et Henrietta dans une boutique d'antiquités appartenant à une très riche femme de l'aristocratie.

Au commencement, le premier étage de la maison de Londres est transformé en logement pour elles, mais, lorsque Ambrose meurt du cancer du poumon peu après son cinquante-quatrième anniversaire, la maison est divisée de manière formelle et la partie restante est louée. Georgie promet de veiller sur ses deux jeunes sœurs et, quand Mina rentre à Ottercombe après le décès de Richard, il devient clair que Lydia se laisse avec bonheur sombrer dans une demi-invalidité. Son monde a changé. Ambrose est décédé. Timothy aussi. Une de ses filles est mariée, une autre est veuve. Il semble qu'elle n'ait plus ni la volonté ni l'énergie pour contrôler les vies de ses deux filles indépendantes et célibataires. Elle les laisse trouver leur propre chemin dans ce nouveau monde, si étrange.

Mina la réconforte.

— Georgie gardera un œil sur elles, dit-elle, et des amis à moi vont s'assurer de les aider si elles se mettent dans le pétrin.

Lydia est heureuse de la croire. Josie et Henrietta l'ont épuisée au cours des dernières années de la guerre et elle est ravie que Mina soit de retour à la maison. Elles s'installent toutes les deux dans de longues périodes de calme, uniquement ravivées par les retours de Nest et Timmie durant les vacances scolaires. Les jours heureux semblent revenus pour ces deux-là. Bientôt, ils dépassent l'étape de leurs jeux de rôle et commencent à explorer les alentours de leur chère vallée. Ils se promènent sur la lande ; partent à bicyclette le long de la route côtière jusqu'à Countisbury, hurlent d'excitation en descendant en roue libre les pentes abruptes, soufflent bruyamment en escaladant les collines, pliés sur leur guidon. Ils se rendent au minuscule village de Oare pour y explorer l'église où Lorna Doone a épousé John Ridd et se tiennent tous deux devant l'autel où Lorna a été abattue par le méchant Carver Doone. Ils dévalent le chemin sauvage et balayé par les vents de la côte, ils entrent dans la paix soudaine et protectrice des vallons boisés. Ils prennent leur pique-nique sur les rives de la East Lyn ou sur une berge ensoleillée tapissée de bruyère, d'où ils peuvent observer le ballet désordonné des tariers pâtres et des tariers des prés au-dessus des pierres grises et arrondies.

Le seul endroit qui leur soit interdit demeure la lande marécageuse, sauvage et tourbeuse, qu'on appelle les Chains : en raison d'une couche ferrugineuse juste sous la surface du sol, celui-ci reste humide même au cœur de l'été et les marcheurs inattentifs peuvent s'y enfoncer jusqu'aux genoux entre les épaisses touffes de hautes herbes.

Timmie, apparemment, se destine à une carrière militaire. Il est pétri de ce même désir d'aventure, de cette soif d'inconnu qui caractérisaient son parrain. Quant à Nest, qui le voit grandir, toujours plus grand et plus fort, elle est peu à peu touchée par l'admiration et la crainte.

— Faut-il qu'il devienne soldat ? demande-t-elle à Mama un matin au retour d'un trimestre de cours, alors que Mina a déposé Timmie chez le barbier de Combe Martin, en lui disant : « Va voir Sweedlepipe. Il te faut une coupe de cheveux ! »

Nest est seule avec Mama.

— Et s'il y avait une nouvelle guerre ?

Les yeux de Mama voient loin derrière elle – comme ils le font fréquemment ces jours-ci –, vers un lointain après-midi d'été, lorsqu'elle se tenait dans le vestibule, souriant à Timothy, tenant sa main, et qu'il avait dit : « Excusez-moi d'arriver à l'improviste. »

— Mama ? demande Nest.

Mama revient au présent, prend une profonde inspiration et touche légèrement sa joue.

— On n'y peut rien, ma chérie. Il serait malheureux s'il faisait quoi que ce soit d'autre.

Mina comprend sa peine et tente de la réconforter, mais Nest rentre à l'école en sachant qu'il ne lui reste plus que quelques vacances à partager avec Timmie.

À l'automne 1951, Timmie rejoint l'École militaire de Sandhurst et Nest entame sa dernière année de scolarité. Nest a dix-sept ans, Mina en a vingt-huit, et les deux sœurs sont plus proches que jamais. Lydia semble s'être claquemurée dans ses années trente idéales. Elle dérive, joyeusement floue, se contente de jardiner ou de lire, toujours prête à entreprendre une sortie, tant que Mina conduit la Mini Austin. À l'occasion, Georgie leur rend visite, accompagnée de la petite Helena, et Josie ou Henrietta passent également dire bonjour. Josie est fiancée à un jeune scientifique spécialiste de l'atome et, depuis qu'elle ne représente plus une menace, Henrietta et elle se sont rapprochées. Henrietta est toujours en chasse. Glamour, amusante, confiante, elle compte de nombreux admirateurs, mais aucun ne retient son attention. Malgré ses airs d'élégante sophistication, elle peut se montrer méchamment, cruellement drôle, et elle fait rire Nest et Mina jusqu'aux larmes, avec ses imitations de Tom, le mari de Georgie, et d'Alec, celui de Josie.

— Soporifique au-delà de toute description, dit-elle, plissant le nez après une telle performance. Tom n'est fasciné que par la dette nationale et Alec juge ennuyeuse toute chose qui ne se trouve pas dans une éprouvette. Il fait exprès de détester les gens normaux. Il n'est heureux que dans un laboratoire. Pauvre vieille Josie. Vous a-t-elle dit qu'il se pourrait qu'ils partent aux États-Unis ?

Nest est fascinée par sa grande sœur, si magnifique, si moderne, et commence à croire que ça sera amusant, lorsqu'elle quittera l'école, de se rendre à Londres pour voler de ses propres ailes. Cependant Henrietta n'a pas la ferme stabilité de Mina, pas plus qu'elle ne partage son amour des livres et de la langue anglaise, et c'est toujours avec Mina que Nest se sent la plus heureuse. Henrietta a un côté fébrile, une intolérante vivacité d'esprit qui fait en sorte que ceux qui sont sous son charme doivent constamment demeurer sur leurs gardes, s'ils veulent conserver ses faveurs. Au cours des vacances de Noël, les deux sœurs passent un peu de temps ensemble. Henrietta pressent l'éventuelle concurrence et ne perd pas de temps avant d'établir les fondations de leur relation en voie de développement.

— Crois-tu vraiment que tous ces cheveux pendouillant dans ton dos te vont bien ? Ça te donne un air pâlot, à mon avis. Peut-être qu'une permanente te redonnerait un peu de vie. Ah, bon Dieu, j'oublie encore à quel point vous êtes arriérés, par ici. J'espère que tu ne porteras pas ces fringues ringardes quand tu viendras à Londres. Je sais que le rationnement continue à faire des ravages, mais tout de même…

Lorsque Henrietta repart, Nest est à bout de souffle et se sent tout à fait à côté de la plaque. Elle passe en revue sa maigre garde-robe et entasse sa chevelure sur sa tête devant la glace.

— Crois-tu que je devrais couper mes cheveux ? demande-t-elle à Mina, qui passe avec un panier à linge.

Mina rencontre son regard anxieux dans le miroir, voit la jupe de tweed « encore bonne » étendue sur le lit, et sait qu'Henrietta est passée par là, avec son esprit de compétition.

— Non, je ne crois pas, dit-elle avec assurance. Tu as des cheveux splendides, si longs et si soyeux. Beaucoup plus jolis qu'une frisette toute sèche. J'ai remarqué qu'Henrietta les porte longs, même si elle les coiffe toujours en chignon ces temps-ci. Tu sais, ce tweed est vraiment joli. La coupe est belle. Ça te fait paraître si svelte.

Nest est réconfortée mais décide que Londres pourra peut-être attendre jusqu'à Pâques. Elle et Mina se lancent dans un festin de livres de Nancy Mitford, de nouveaux mots et de nouvelles phrases entrent dans leur vocabulaire, et Lydia leur sourit, contente de les voir si heureuses ensemble.

Lorsque arrivent les vacances de Pâques, cependant, la possibilité de se rendre à Londres est encore une fois repoussée. Lydia souffre d'asthme et Mina est prise par les soins qu'elle lui prodigue, ce qui laisse Nest en charge des tâches de la maison, dont la cuisine. Nest est contente. Un après-midi doux et chaud de début avril, elle part se promener à la plage. Les paysages familiers de la vallée s'offrent à ses yeux – l'éclatante floraison du poirier sauvage, les têtes mauves fatiguées des magnolias, les chatons pâles qui oscillent aux branches des hêtres argentés – tandis qu'elle écoute le lointain ricanement des pics-bois et, plus près, les pouillots véloces qui prononcent leurs deux notes suivies d'un doux gazouillis.

À son arrivée sur la plage elle sursaute, surprise par la présence d'un homme étendu sur un rocher, le visage tourné vers le soleil. Dans l'anse mouille un petit navire aux voiles roulées sur le pont. Un youyou de bois repose, tiré sur la rive. Il est arrivé une fois ou deux que de petits bateaux s'abritent de grains inattendus dans la baie, mais jamais, selon ses souvenirs, qu'un marin débarque. Nest s'avance prudemment pour voir de plus près ; elle effraie un goéland occupé à pêcher dans un bassin rocheux, qui s'envole avec un cri rauque. L'homme relève la tête, protège ses yeux du soleil, l'aperçoit et se laisse glisser du rocher en la toisant.

Elle se tient toute droite et l'observe. Le bas de son pantalon de velours côtelé est roulé au-dessus de ses chevilles, il porte un caban de marin épais, huilé, ainsi que de vieilles chaussures de plage.

— Hello, dit-il. On se croirait en juin dans cette anse et je n'ai pas pu résister. Venez-vous me dire que j'empiète sur vos terres, ou êtes-vous simplement une dryade qui passe par là ?

Elle est paralysée par ce léger accent irlandais et sa beauté simple, si sauvage et désinvolte, là, sur ce rocher.

— Non, finit-elle par prononcer, bêtement.

— Non à quoi ? taquine-t-il. À la dryade ou à l'empiètement ? Ou aux deux ?

Elle sourit alors, brusquement saisie d'un magnifique accès d'enthousiasme.

— Vous empiétez, dit-elle, traversant la plage dans sa direction. Mais je ne vous le dirai pas.

Il rit, sans se relever. Il attend qu'elle arrive jusqu'au rocher. Il a replié ses genoux. Ses bras les entourent et il la regarde s'approcher. Sa chevelure brun-roux luit au soleil et ses yeux sont sombres, d'un bleu brillant.

— Et moi qui espérais que vous seriez une dryade, fit-il d'un air contrit. Quelle malchance ! Alors, vous êtes la propriétaire de ce lieu magique, c'est ça ?

— Eh bien, pas moi, répond-elle en le regardant, confuse, le souffle coupé.

Elle a déjà envie de toucher ses cheveux frais, de frotter les plis salés de son pull entre ses doigts.

— Ma famille possède ce lieu.

— Ah bon ?

Sa voix est chaude et intime. Son œil perçant.

— Et le partagerez-vous avec moi cet après-midi, *lady* ?

— Oh, oui, répond-elle simplement, si doucement, qu'il saute sur ses pieds et lui fait une révérence.

— Mon nom est Connor Lachlin, dit-il.

— Le mien est Nest Shaw, répond-elle.

Elle lui tend la main. Lorsqu'il la saisit – et la porte quelques secondes à ses lèvres –, elle se sent au bord de défaillir d'une joie sauvage remplie de désir et, quand ils sont assis côte à côte sur ce rocher et qu'il garde sa main dans la sienne, si chaude, elle sait comment, enfin, entre un instant et un autre, le monde peut changer pour l'éternité.

XX

Nest remua, dérangée dans ses rêves. Assommée par les médicaments, son corps refusait de se réveiller, mais elle était consciente d'une présence à ses côtés. Ses paupières, lourdes de sommeil, papillonnèrent. Il faisait trop sombre néanmoins pour distinguer quoi que ce soit et des images mentales venaient troubler sa vision. Une forme plus dense se détacha de l'ombre et se pencha vers elle. Elle sentit un souffle sur son visage, ignorant si cela faisait toujours partie de son rêve. Son corps, lourd et abandonné, était incapable de mouvement, mais la peur la saisit et elle essaya de parler.

La forme continuait à s'affairer au-dessus d'elle, Nest sentit des mains qui la palpaient légèrement. Elle se recroquevilla, se tendit à ce contact, ses muscles se contractèrent d'effroi, mais elle ne pouvait pas lever les bras ni émettre le moindre son hormis une sorte de grognement qui s'échappait de sa gorge sèche.

— Mama...

Le mot n'avait été qu'un soupir.

— Pourquoi fait-il noir ici, Mama ? Pourquoi dors-tu dans le petit salon ?

Essayant de se secouer, Nest se sentit nager dans la mélasse.

« Non, tenta-t-elle de dire. Non, je ne suis pas Mama. »

Mais les mots refusaient de se former.

— Je connais un secret, Mama. Ton secret.

La voix qui murmurait était affreusement confidentielle.

— Pourquoi ne me parles-tu pas ? Devrais-je révéler ton secret, Mama ?

Dans un ultime effort de volonté, Nest leva les bras. Oh ! Comme ils étaient lourds. Et elle agrippa faiblement les poignets de Georgie.

— C'est moi, marmonna-t-elle. C'est moi. Nest. Pas Mama. C'est Nest...

Épuisée par l'effort, elle retomba sur ses oreillers, à peine consciente de cet autre effet du silence : la surprise, peut-être, et la confusion.

— Nest ?

Georgie semblait considérer cette possibilité. Elle se mit à ricaner.

— Nest. Je sais des choses sur toi, aussi. Je connais un secret. Devrais-je le révéler ?

— Non ! s'écria Nest – mais le cri qui résonnait dans sa tête n'était plus qu'un soupir sur ses lèvres et elle ferma les paupières, saisie d'un engourdissement qui la ramenait là où elle aurait voulu se trouver, inconsciente de la présence de Georgie ou de la porte qui s'ouvrit à nouveau, doucement, avant de se refermer en silence.

Elle se rendormit alors, les bras étendus sur la couette, ses paupières tressautant tandis que le passé se rejouait devant ses yeux.

Au cours de cette semaine-là, tandis que Mina s'occupe de Lydia, Connor vient mouiller dans l'anse chaque jour. Il habite à Porlock, un petit cottage appartenant à un ami, et le bateau est compris dans le lot.

« C'est une côte risquée, dit-il à Nest, mais quand on a navigué le long de la côte ouest de l'Irlande, on est censé pouvoir se débrouiller dans le canal de Bristol. »

Il est professeur d'histoire dans l'un des *colleges* d'Oxford et il a au moins dix ans de plus qu'elle – une réalité qui le rend soucieux, à mesure que les jours passent.

— Comme si ça avait la moindre importance, gémit-elle. Songe à Maxim de Winter et à la fille dans *Rebecca*. L'âge n'a pas d'importance.

Elle lui attribue toutes les qualités masculines que Mina, dix ans avant, avait imaginé trouver chez Tony. Mais Connor n'est pas un blanc-bec impressionnable : en fait, ses vacances à Porlock sont tout particulièrement destinées à mettre de la distance entre lui et une fille qui le pourchasse. Pour être honnête, il ne l'a pas séduite sciemment – cependant, il ne l'a pas découragée non plus. Connor aime qu'on l'aime. Avec Nest, pourtant, il prend conscience de toute la responsabilité qui pèse sur l'homme qui séduit une innocente jeune fille ; une fille, de sucroît, soutenue par une famille respectable.

— Je crois que je devrais les rencontrer, dit-il, Mina et ta mère. Je me comporte en cambrioleur, *lady*, et ce rôle me met mal à l'aise.

Avec de tels principes, elle ne l'aime que davantage. Cependant, elle repousse la rencontre, de peur de rompre le charme. Un matin, elle annonce à Mina qu'elle part pour une longue balade et s'enfuit à bicyclette. Elle rejoint Connor sur la route qui domine Trentishoe Down. Il ne peut résister à l'attrait de l'aventure, au romantisme du secret ; ils cachent le vélo dans les fourrés et se sauvent à bord de sa vieille décapotable, par des routes qu'elle a déjà empruntées avec Timmie. Ils rient et chantent ensemble, les vents chauds de l'ouest courent dans leur chevelure et font agréablement frémir leur peau.

À Brendon, ils s'arrêtent boire une pinte et manger un sandwich dans une auberge, The Staghunters, et elle lui parle de la foire aux poneys qui se tient là chaque mois d'octobre ; ensuite il doit l'emmener à l'église de Oare, car elle veut lui montrer l'étroite fenêtre gothique, à l'ouest du paravent, à travers laquelle le méchant Carver tira sur Lorna, dans sa robe blanche si pure aux nuages de lavande. Il la taquine sur le fait qu'elle vit dans les livres, elle l'appelle son « correspondant de Porlock » et, lorsqu'il l'embrasse, ces scènes qu'elle avait imaginées en toute innocence avec Ralph Hingston ou Edward Rochester sont pour toujours effacées de son esprit.

Lorsqu'il retourne à Oxford, Nest regrette de ne pas lui avoir présenté Mina et Mama. Elle réalise que c'est immature de sa part et, plus important, que cela signifie qu'il n'y aura ni lettres ni appels téléphoniques. Même Mina serait choquée – ou plus probablement blessée – à l'idée que Nest les ait trompées presque deux semaines durant. Si seulement il les avait rencontrées, elle pourrait maintenant compter sur le réconfort de ses lettres et sur l'extase d'entendre sa voix. Mais les choses étant ce qu'elles sont, ils se séparent de manière profondément insatisfaisante.

Pourtant, alors qu'elle est assise sur « son » rocher à lui, au bord de la plage, qu'elle regarde le soleil qui se couche dans l'ouest rutilant, les grandes falaises sculptées de noir qui se dressent contre les bannières enflammées du vent, la mer plaquée d'or liquide, elle ne parvient pas à regretter. Comment se peut-il qu'une telle magie fasse partie de ce monde si ordinaire ? De ce matériau dont sont faits les contes de fées, l'existence quotidienne ne peut s'accommoder.

Nest revit chaque moment de leur rencontre. Elle revisite avec ardeur chacun des regards, chacun des mots, le rhabille de toutes les caractéristiques dont ses amants de papier se paraient, tout en s'accrochant au souvenir de ce mâle de chair et de sang. Plus tard, debout à la fenêtre de sa chambre, elle regarde la vallée où se déverse le clair de lune. Elle écoute l'engoulevent, et son cœur déborde d'espoirs joyeux. Quelque chose doit se produire pour en faire une histoire vraie ; avec toute sa jeune confiance, elle espère que cela arrivera. Les miracles, les fins heureuses existent et ce sont des personnes comme Connor et elle qui sont touchées par cette grâce, parce qu'ils y croient.

Elle n'est donc pas surprise, lorsqu'elle retourne à l'école, de se voir inviter par une amie à passer les vacances de mi-trimestre chez elle. Ce n'est pas une première : Laura et elle se sont déjà rendues visite mais, cette fois, Nest prend soudain conscience des opportunités. Mina acquiesce à sa requête : Mama va mieux, mais son moral est bas et elle a besoin de repos. Ce sera bien pour Nest de se trouver avec des jeunes pour quelques jours et, après tout, ajoute Mina, de peur que Nest n'ait l'impression qu'on veut se débarrasser d'elle, les vacances d'été ne sont pas si éloignées. Elle sera bientôt à la maison.

L'école est stricte : chaque visiteur est soumis à une enquête approfondie. Les papiers sont contrôlés. Même si Nest prétendait que Connor est son cousin, un appel téléphonique serait passé pour vérifier ses dires auprès de Mama, de la même manière que sa permission serait requise afin que Connor puisse emmener Nest pour l'après-midi. La maîtresse d'école est très *au fait*[1] des petites turpitudes des jeunes filles et elle ne prend aucun risque. Elle agit, après tout, *in loco parentis*. Aller chez Laura pour les vacances de mi-trimestre, avec la permission de Mina, est cependant tout à fait acceptable, et Nest comprend rapidement que si elle compte tirer parti de cette occasion, elle doit se confier à Laura.

Laura est excitée. C'est si romantique. On fait passer une lettre à Connor et une réponse l'attend lorsqu'elle arrive chez Laura, dans la banlieue de Gloucester. Un rendez-vous est organisé. Il est facile pour les filles de circuler ensemble en ville, où Laura ira faire des courses, déjeunera, ira au cinéma, et retrouvera Nest pour rentrer à la maison.

— Quelle chance, c'est *Brève Rencontre* qui passe, dit Nest. Je l'ai vu. Au cas où ta mère nous poserait des questions, tu vois. C'est un super film et Celia Johnson est géniale. C'est très triste, en revanche, tu vas verser des seaux de larmes. J'espère que tu as des tas de mouchoirs.

Laura sent le bras de Nest, pressé contre le sien, qui tremble d'excitation et elle la regarde avec sympathie, avec envie, aussi.

— J'ai hâte de le rencontrer, dit-elle.

Nest regarde par la fenêtre du train et se mord les lèvres. C'était la condition exigée par Laura pour participer à la duperie (« Ma mère me tuera si elle découvre le pot aux roses ») et Nest espère que Connor ne sera pas déçu. Toute cette machination l'a laissé un peu froid et elle passe de la nervosité à une excitation féroce, incontrôlable. Maintenant que la chose est en marche et qu'elle le verra dans quelques minutes, sa terreur dépasse sa joie ; elle tremble en songeant à ses actes et imagine le visage

---

1. En français dans le texte.

de sa mère, s'il advenait qu'elle soit mise au courant. Soudain, son courage et son moral remontent ; après tout, en quoi le fait que Laura le rencontre pourrait-il causer du tort ? Bientôt elle sera libérée de l'école, dans six semaines elle aura dix-huit ans, sera une adulte, et toutes ces stupides obligations de garder le secret seront choses du passé. C'est ce qu'elle se dit au moment où le train arrive en gare, dans un grand bruit de métal ; elle oublie qu'elle pense depuis le début que Connor et elle ne pourront jamais faire partie du monde ordinaire, que leur histoire n'a rien à voir avec l'ennuyeuse réalité, là, tout autour d'elle, dans ce wagon : la vieille femme fatiguée chargée de son lourd panier de courses ; cet homme qui fronce les sourcils en lisant le journal ; cette jeune mère qui chantonne à l'oreille de son enfant qui gigote sur ses genoux. Par la fenêtre du train elle peut apercevoir des voitures, des bureaux, des usines et, à côté d'elle, le corps chaud de Laura qui se serre contre le sien tandis qu'elles sont secouées, balancées d'un bord à l'autre. Tout cela est bien réel.

Elles passent la barrière et débouchent en plein soleil, hors de la gare. Et le voici : appuyé contre sa voiture, les chevilles croisées. Il attend.

Laura est impressionnée à la vue de ce bel homme viril – la comparaison fait certes apparaître les amis de son frère comme pâlots – et Nest sent la fierté monter en elle.

Lorsqu'il lui tend la main, cependant, la blanche peau de Laura se colore de rouge vif, mais il l'embrasse sur la joue et lui serre la main avec un tel mélange de courtoisie naturelle et de déférence malicieuse qu'il fait d'elle son esclave pour toujours. Elle les regarde s'éloigner dans la voiture, un sourire envieux aux lèvres, puis elle tourne les talons, contemplant cette journée qui s'annonce longue, très longue, et très solitaire.

Une fois qu'ils sont seuls, la timidité de Nest continue de la rendre muette. Elle le regarde à la dérobée, tâchant de se familiariser à nouveau avec lui tandis qu'il zigzague dans la circulation. Sa tenue de vacances est remplacée par un veston de tweed et un pantalon de laine, ses chaussures de plage par des souliers brillants, au cuir épais. Il semble plus âgé, plus sérieux. Tout à fait réel. Nest déglutit. Sa gorge est sèche. Il la regarde, ses yeux se plissent en un sourire. En un instant, la flamme de la confiance est rallumée et elle se carre plus confortablement dans son siège, heureuse d'attendre le moment où ils arriveront à l'endroit, quel qu'il soit, où il a décidé qu'ils passeront la journée.

Lorsqu'il gare la voiture, dans un coin tranquille sur le bord d'une colline qui domine des champs vallonnés, puis se tourne vers elle, sa timidité la reprend et elle regarde droit devant elle, à travers le pare-brise, incapable de le fixer dans les yeux.

— Tu ne crois pas que c'est un peu imprudent ? demande-t-il avec douceur. Non que je ne sois pas ravi de te voir, évidemment.

Elle le dévisage un instant, apeurée par la question, si clairement désireuse d'être rassurée qu'il prend son visage entre ses mains et l'embrasse jusqu'à ce que le sang martèle ses tempes et qu'elle s'agrippe à lui. Il prend doucement ses mains dans les siennes, les serre tendrement l'une sur l'autre.

— J'ai apporté un pique-nique, dit-il d'une voix délibérément légère. Il y a tout ce qu'il faut, crois-moi. Enfin, pour autant que j'aie pu mettre la main sur ce que tu considérerais comme convenable pour une telle occasion. Bien qu'il y ait eu une pénurie de nectar et qu'ils aient vendu leurs derniers lotus...

Elle rit. L'adore. Mais il n'a pas terminé.

— Nous aurons une journée idéale, dit-il plus sérieusement, mais c'est la dernière, *lady*, avant que je ne rencontre votre famille. Tu ne me refais pas ce coup-là.

Elle promet, trop heureuse et soulagée pour protester. Mais bien que le pique-nique soit délicieux et que le soleil les bénisse de ses rayons, il y a une différence qu'elle ne parvient pas tout à fait à définir. L'aisance qu'ils partageaient a disparu, la magie des vacances légèrement ternie, la réalité pèse sur leur idylle. Le manteau d'invisibilité qui semblait les contenir et les protéger dans l'Exmoor paraît glisser et, quand elle propose de dénicher un endroit où prendre le thé, il ne se montre guère enthousiaste. Dans le petit salon de thé, il se ferme encore plus. L'intimité disparaît. Son timbre est léger, sociable, amusé. Elle sent qu'elle est toujours une écolière à qui un membre plus âgé de sa famille offre une sortie. Un cousin, peut-être. En se rendant aux lavabos, elle se regarde dans la minuscule glace et examine sa robe chemisier. Elle se demande si elle fait trop jeune, à côté de sa maturité élégante et confiante. Au retour, elle voit le regard que lance la serveuse à Connor, complice et entendu – elle se demande alors, une terreur nouvelle s'emparant de son cœur, si Connor n'a pas flirté avec elle en son absence. Leur manteau d'invisibilité est déchiré, en effet. Oh, comme la lande et la plage semblent loin, désormais ; comme leur amour était naturel, comme il était facile, alors.

— Eh bien, et maintenant ? dit Connor quand ils remontent en voiture.

Il n'a pas conscience que sa confiance en ruine lui tord l'estomac.

— Vas-tu me donner une adresse ou un numéro de téléphone, de façon à ce que je puisse rencontrer cette famille qui est la tienne ?

Elle acquiesce, misérable, et il pose un doigt sous son menton pour tourner son visage vers le sien.

— Si tu le veux toujours, marmonne-t-elle.

Il rit et l'embrasse.

— Pour mes péchés, dit-il, je le veux. Alors, maintenant, lequel d'entre eux dois-je voir ? Tu as des sœurs à Londres, n'est-ce pas la meilleure solution ?

— Non, ça doit être Mama et Mina.

Elle se sent mieux, maintenant. Elle se tient plus droite, éloigne ses peurs indignes, honteuses ; il veut que tout se passe au grand jour ; elle a été si prompte à le méjuger.

— Mais elles habitent loin.

— Je retourne à Porlock pour un week-end. Je passerai les voir.

— Que diras-tu ?

Elle le dévisage, fascinée par son insouciance.

— Oh, ça n'est pas un souci. Je leur dirai que je t'ai rencontrée grâce à ton amie Laura, à une fête, que tu m'as conseillé de leur rendre visite la prochaine fois que je serais dans les parages. Qu'en dis-tu ?

— Ça sonne merveilleusement bien.

La voilà à nouveau ressuscitée. Elle se délecte.

— Elles vont t'adorer, bien sûr.

Il sourit sèchement.

— Bien sûr. Et tu pourrais leur envoyer une lettre, simplement pour dire que tu as rencontré ce type qui passera peut-être les voir. Parle de Porlock, mais avec légèreté ; une coïncidence. Ce genre de truc. Mais aucun contact entre nous tant que je ne l'ai pas fait. Tu me promets ?

— Oh, oui, je promets. Mais comment...

— Pas de questions. Laisse-moi m'en charger. Ne me fais-tu pas confiance, femme ?

— Bien sûr que si.

Elle fond vers lui, espérant son étreinte, étourdie de désir.

— Je te dépose, dit-il enfin. Et tu ne sauras jamais combien il m'en coûte. On devrait me donner une médaille pour ça. Peigne tes cheveux et arrange-toi pour aller retrouver ton amie aux yeux écarquillés. C'est bien. Donne-moi un ultime baiser, maintenant. Nous allons faire nos adieux ici, et non à la gare, en public...

— Je t'aime, murmure Nest.

C'est la première fois qu'elle tente ces mots. Mais, affairé à mettre la voiture en marche arrière et à redémarrer, il ne l'entend pas.

XXI

Il fallut qu'arrive le vendredi soir pour que Lyddie trouve enfin le courage de parler à Liam de son idée : installer le chauffage central. Autant les samedis soir à L'Endroit étaient à la fois intimes, tranquilles et un peu guindés, autant les vendredis se déroulaient dans l'atmosphère particulièrement relâchée et festive des fins de semaine. Lorsqu'elle arriva, le bar subissait déjà une attaque massive, mais Joe lui fit joyeusement signe de la main et de nombreux habitués, admiratifs, stoppèrent le Nemrod pour s'exclamer sur sa taille, poser des questions sur son régime et la quantité d'exercice qu'il lui fallait. À sa surprise, Liam était déjà installé dans l'arrière-salle ; il allongea le bras pour l'attirer à lui.

— Quel vacarme ! On commence à subir l'invasion d'individus un peu « voyous », le vendredi soir. Je vais devoir augmenter mes prix.

— Ça me plaît, dit Lyddie en l'embrassant. C'est marrant. Même si on dirait bien qu'il y a plus de clients que d'habitude. Tu m'attendais ?

— Eh oui. Des clients fêtent un anniversaire et je crois que nous devrions passer notre commande avant qu'ils ne se décident à manger. Comme ça, je pourrai offrir une petite pause à Joe, plus tard.

— Ça me va.

Elle le laissa lui retirer son manteau.

— Nous avons fait une très longue promenade et je suis affamée, dit-elle.

— Je me sens coupable de t'avoir donné cet animal, répondit-il en se penchant pour caresser le Nemrod, installé à son poste habituel au bout de la table. Toutes ces promenades auxquelles il t'oblige !

— Ça me fait du bien, dit Lyddie en pliant son manteau sur son sac, posé sur la banquette opposée. Je passe mes journées assise, ne l'oublie pas. Une longue promenade le matin et encore une autre le soir, c'est bon pour moi. Et pour lui. De toute manière, si je ne le faisais pas, il deviendrait insupportable. C'est encore un très jeune chien. Si je ne l'épuisais pas avant de commencer à travailler, ce serait une vraie peste. Heureusement, il est bien placide. Il aime se reposer tout le restant de la journée.

Elle remarqua que Liam était distrait ; il avait les yeux rivés au bar, et elle regarda dans la même direction. Une jolie fille blonde travaillait à côté de Joe et, alors qu'ils les observaient, Joe se pencha vers elle, un sourire rassurant aux lèvres ; elle lui fit une grimace, mimant la terreur.

— Qui est-ce ? s'étonna Lyddie en se tournant vers Liam.

— C'est Zoë, notre nouvelle employée. Elle a de l'expérience et elle est assez futée. C'est son premier soir, on garde un œil sur elle.

— La remplaçante de Rosie ?

Il acquiesça, tout en regardant Zoë servir un client.

— Elle a l'air de savoir ce qu'elle fait, mais ce ne sont que les premiers jours.

Lyddie s'empêcha de dire : « J'ignorais que vous aviez déjà remplacé Rosie », et vit Joe approuver le travail de la jeune fille d'un hochement de tête. Elle posa une question et il se pencha pour lui montrer quelque chose sous le bar ; leurs têtes se rapprochèrent.

— Eh bien, dit Lyddie pensivement. Peut-être prendra-t-elle la place de Rosie de plus d'une manière.

Liam sourit.

— Toujours aussi romantique... Et pourquoi pas ? Alors, que mangeras-tu ?

Ils restèrent assis ensemble, bavardant parfois puis se taisant en observant l'animation qui régnait au-delà de l'arrière-salle. Après qu'ils eurent fini de manger, Liam alla remplacer Joe au bar, de façon à ce que son associé puisse dîner.

— Comment se débrouille Zoë ? demanda Lyddie à Joe, une fois qu'il eut pris place sur la banquette opposée. Elle a l'air très compétente.

— Elle est bien. Elle connaît le boulot. Il n'y a plus qu'à lui apprendre où nous rangeons les trucs, le plan des tables, des machins comme ça.

Elle le regarda alors qu'il enfournait une fourchette de fettuccine, désireuse de savoir comment il allait vraiment. Elle se demandait s'il avait eu des nouvelles de Rosie. Il leva la tête, vit son expression et lui sourit. Elle lui rendit son sourire.

— Ça va ? Tu as l'air fatigué.

Il haussa les sourcils.

— Rien de neuf ! Je suis fatigué. Fatigué de travailler quatorze heures par jour.

— Mais toujours pas d'espoir d'engager un gérant de bar ?

Il secoua la tête en guise d'avertissement.

— Je ne m'aventurerai pas sur ce terrain. Je n'aime pas être coincé entre deux feux, celui du mari et celui de son épouse. Ça finira par se faire... un de ces jours.

— J'imagine.

Elle regarda le bar et y vit Liam qui partageait une plaisanterie avec un des habitués. Ils rugissaient de rire, contents et à leur aise ; Lyddie soupira.

— Le truc, c'est que Liam n'a jamais l'air vraiment fatigué. Au contraire, il a l'air de s'épanouir dans son travail. Plus il bosse, plus ça lui donne de l'énergie. Bizarre, non ?

— Il y a beaucoup de gens comme Liam, répondit Joe. C'est un truc génétique. Une force de la nature. S'ils s'arrêtent, ils meurent.

— Ne dis pas ça, fit-elle. Je ne veux pas que nous restions dans cette situation pour le restant de nos jours. Je veux que nous passions un peu de temps ensemble à l'occasion, des vacances, des choses de ce genre. Comme le font les gens ordinaires.

Il la regarda avec compassion.

— Mais Liam n'est pas une personne ordinaire. Quelque chose le pousse. Tu dois le savoir, à la longue.

— Oui. Je sais.

Lorsque Joe eut disparu avec son assiette dans la cuisine et que Liam revint s'asseoir près d'elle, il rayonnait d'une flamboyante vitalité. Sa chevelure semblait scintiller d'énergie. Il l'embrassa, éclatant de bonne volonté, glissa un bras autour de ses épaules, et Joe leur sourit en revenant par la porte battante des cuisines.

— Vous deux, vous devriez installer un rideau, ici, dit-il. C'est indécent, votre manière de vous comporter en public.

Ils rirent ensemble et Liam se pencha à nouveau vers elle pour lui donner un baiser.

— L'atmosphère de ce bar te monte à la tête.

— Et pas que l'atmosphère, répondit-il. T'ai-je dit à quel point tu es belle, ce soir ?

Mickey leur apporta du café et ils demeurèrent assis, tranquilles, à boire leur tasse d'un air complice.

— J'ai eu une idée, tout à l'heure, dit-elle enfin. Si nous installions le chauffage central ? Tu as raison, mon bureau devient froid. Je sais que je pourrais utiliser un radiateur électrique d'appoint, mais ça revient très cher. Et si on prenait le taureau par les cornes et qu'on installait un véritable chauffage ? Ça augmenterait la valeur de la maison, n'est-ce pas ?

— Oui.

Il regarda son café. Le touilla pensivement.

— Mais as-tu une idée de ce que ça coûte ?

— Non, répondit-elle lentement, mais nous pourrions demander un devis.

Elle se tut un instant avant de continuer.

— Je pourrais utiliser l'argent que je suis sur le point de recevoir. Qu'en penses-tu ?

Il y eut un autre silence. Elle le regarda. Il agitait toujours son café. La cuillère tournait et tournait et elle avait l'impression qu'il ne l'écoutait pas du tout, que toute son attention était ailleurs. Une partie d'elle était soulagée qu'il n'ait pas immédiatement mis son veto à sa proposition ou qu'il n'ait pas perdu patience. Une autre partie d'elle demeurait perplexe. Cependant, il parla avant qu'elle ne soit forcée de répéter la question.

— C'est une idée, fit-il.

Il but une lampée de café et s'appuya contre le dossier de la banquette, s'étira, puis un sourire effleura ses lèvres.

— C'est une idée, tout à fait.

Elle inspira profondément, se sentant plus détendue.

— Bien, répondit-elle.

— Et je dois maintenant aller faire ma ronde auprès du chaland, rit-il doucement. Comment as-tu appelé ça, « la tournée du patron » ?

Il avala encore un peu de café et se leva en lui adressant un petit clin d'œil.

— Je reviendrai.

Elle s'installa confortablement, très faible maintenant que le moment était passé, abasourdie par sa gentillesse. Elle se versa encore du café et resta là en silence, tout en le regardant évoluer parmi ses clients. Un hochement ici, une tape sur l'épaule là, un compliment à une jolie femme, une conversation plus longue avec certains des habitués. Au bout d'un moment, elle se rendit compte qu'on la regardait et, balayant des yeux le bar, elle vit Joe qui la fixait, avec une étrange expression, entre affection et compassion.

Mina installa avec soin les pièces du backgammon sur la table, plaça les dés dans leurs gobelets et attendit que Nest eût positionné idéalement son fauteuil. Dans un coin de la pièce, l'inspecteur Morse, accompagné de Lewis, s'apprêtait à résoudre le crime d'Oxford devant les yeux avides de Georgie, qui marmonnait de temps à autre avec excitation.

Mina fit rouler un 5, Nest un 2, et la plus âgée commença à déplacer ses jetons.

— Georgie est encore venue me rendre visite dans ma chambre, la nuit dernière.

Nest avait parlé d'une voix douce mais sans chuchoter, sachant que le bruit de la télévision masquerait ses paroles et voulant éviter d'avoir l'air d'une conspiratrice.

— Oh, non ! Mina laissa échapper ses dés en tentant de les remettre dans le gobelet.

Elle regarda Mina avec attention.

— Que s'est-il passé ?

— J'étais assommée…

Nest lança les dés. Double 4.

— Au début, j'ai cru que c'était un rêve. Tu sais ce que c'est, quand on prend des somnifères. On se sent drogué.

Elle avança ses pièces.

— Elle croyait que j'étais Mama, couchée dans le petit salon. Elle n'arrivait pas à comprendre pourquoi j'étais là.

Ce fut au tour de Mina de jouer : 6 et 4. Elle fronça les sourcils au-dessus du jeu.

— A-t-elle dit quelque chose… enfin… quelque chose de bête ?

La main de Mina survolait son jeton.

— Elle a dit qu'elle connaissait le secret de Mama et a demandé si elle devait le révéler.

La main de Mina trembla légèrement. Elle avança sa pièce rapidement et posa les paumes sur ses cuisses.

— L'a-t-elle fait ? demanda-t-elle très calmement. T'a-t-elle révélé le secret ?

Nest joua à son tour et s'empara de l'un des pions de Mina laissé sans défense.

— Non, répondit-elle. J'ai réussi à lui saisir les poignets. Elle était penchée sur moi, vois-tu, et marmonnait…

Nest vit Mina frissonner légèrement en roulant les dés.

— Horrible pour toi.

— Oui, plutôt. Donc, j'ai réussi à l'agripper. Puis je lui ai dit que c'était moi, Nest.

— Oh, bien sûr, je fais un double 6 quand je ne peux plus m'en servir ! À toi. Alors, qu'a-t-elle dit ensuite ?

— Il y a eu un silence. Enfin, elle a dit : « Je connais un secret à propos de toi, aussi... » ou quelque chose du genre. « Devrais-je le révéler ? » m'a-t-elle demandé.

Nest plaça habilement ses pions hors de danger et regarda sa sœur par-dessus la table. Mina lui parut vieille et fatiguée ; sa fragilité emplit Nest de remords, et d'amour.

— L'a-t-elle dit ?

Mina parvenait à peine à prononcer les mots.

— T'a-t-elle dit ce qu'elle sait ?

— Non, fit Nest en hochant la tête. Je lui ai crié au visage. Enfin, je crois que j'ai réussi à le faire. Tout était si brumeux – mais peut-être était-ce idiot de ma part. Je commence à croire qu'il serait plus sensé de lui poser la question en face, afin de savoir une fois pour toutes ce qu'elle sait véritablement. Si jamais elle sait quelque chose.

— Non, dit Mina rapidement. Non. Je ne crois pas.

Elles se regardèrent par-dessus leur partie oubliée et, tout à coup, la tonitruante musique d'une publicité explosa dans la pièce, à vous fendre les tympans. Nest grimaça et, presque aussi soudainement, le silence se fit.

— Pardon, dit Georgie avec bonne humeur. J'ai tourné le machin dans le mauvais sens.

Elle se leva et alla vers elles.

— J'ai déjà vu cette émission. C'est le recteur qui a fait le coup. Bizarre, non ? On ne croirait jamais que quoi que ce soit puisse arriver à Oxford, n'est-ce pas ? J'ai toujours cru que les recteurs d'Oxford étaient les gens les plus respectables.

Elle les regarda, les yeux brillants.

— Voulez-vous que j'aille chercher le plateau pendant la pause publicitaire ? Le café est déjà prêt, n'est-ce pas ? Il n'y a qu'à verser l'eau bouillante ?

Elle s'en alla. Nest se mordit les lèvres et Mina tendit la main vers elle.

— Je rêvais de Connor, vois-tu, lança Nest rapidement. Je me rappelais ces années après la guerre, lorsque Timmie est parti à Sandhurst. Mina, te souviens-tu du jour où Connor est venu vous rendre visite ici pour la toute première fois ?

Mina inspira lentement, profondément. Son regard quitta le visage de Nest et dériva, remontant dans le passé, vers une très lointaine journée de juin.

— Oui, fit-elle avec douceur. Oui, bien sûr que je m'en souviens. Nous étions dans le jardin, c'était après le déjeuner. Je sortais des bacs à fleurs et Henrietta s'adressait à moi. Elle avait apporté une chaise de jardin et était assise à fumer sa cigarette tout en bavardant avec moi tandis que je travaillais. Mama se reposait. Henrietta parlait aigrement de la réaction négative de Mama envers son pantalon de Londres. Tu te souviens à quel point Mama pouvait être vieux jeu sur ces questions-là ? Il était magnifique, je dois dire, taillé dans une délicieuse flanelle bleu marine. Une coupe superbe, évidemment, et elle portait une chemise jaune clair...

— Saute ce passage, fit Nest, l'air sombre. Je peux imaginer la scène.

— Bien. Connor est arrivé à pied dans l'allée – évidemment, nous n'avions pas la moindre idée de qui il était – et il s'est présenté. Il a expliqué qu'il lui avait paru un peu excessif d'entrer avec sa voiture, et tout ça. Il a demandé pardon de sa visite imprévue mais a raconté qu'il passait par là, qu'il t'avait rencontrée dans une fête, et que tu lui avais dit de faire un saut ici à l'occasion.

Elle s'arrêta, réfléchit, rassembla ses souvenirs.

— Continue..., soupira Nest avec urgence, épiant le retour de Georgie.

— Henrietta l'a trouvé charmant. Elle s'est levée et a dit quelque chose du genre « J'ignorais que ma petite sœur avait un goût si sûr », et elle s'est présentée. Il a pris sa main et lui a fait une révérence, cependant, on pouvait voir...

La voix de Mina traînait, hésitait.

— Mais poursuis donc ! fit Nest, férocement.

— ... qu'il était émerveillé. Je dois admettre qu'elle avait un air sensationnel. Elle était tellement... anglaise à couper le souffle. Une Grace Kelly aux cheveux noirs. C'était comme s'il avait été soudainement frappé de cécité. Un véritable *coup de foudre*[1] – je m'en suis avisée parce que j'étais passée par là, une fois, moi-même. Il a ensuite serré ma main sans trop me voir. Je lui ai offert du thé et il a accepté de bonne grâce – oh, il était si charmant, avec son léger accent irlandais. Henrietta l'a emmené avec elle à la cuisine pour qu'il l'aide. Je crois qu'elle avait peur que je lui fasse de l'œil.

Mina fit une pause.

— Tu dois te rappeler, fit-elle remarquer, qu'il était beaucoup plus de notre génération que de la tienne.

— Tu n'es pas obligée de me le rappeler, répondit Nest, amère. Une fois qu'il a posé les yeux sur Henrietta, j'ai dû lui faire l'effet d'une écolière timide et inexpérimentée. C'est ce qu'il m'a dit lorsqu'il m'a écrit, tu sais ? Pas avec ces mots-là, mais c'est ce que ça voulait dire. Oh, il n'a pas mentionné sa relation avec Henrietta, bien évidemment. Ça, je ne l'ai su que longtemps après. Bien, tu sais tout ça, n'est-ce pas ? C'est toi qui m'as sauvée du désespoir total. Dans sa lettre, il disait simplement qu'il y avait beaucoup réfléchi et qu'il réalisait que ça serait mal pour lui de laisser notre amitié se développer plus avant. Il disait

---

1. En français dans le texte.

que la manière romantique dont nous nous étions rencontrés avait créé une fausse impression et que je me rendrais bientôt compte que mes sentiments pour lui n'étaient rien de plus que de l'entichement, un béguin d'écolière. Tout ça très, très gentiment.

Elle regarda Mina par-dessus le jeu de backgammon abandonné.

— J'ai appris cette lettre par cœur, dit-elle d'une voix atone.

— Et voilà ! s'écria Georgie en arrivant avec le plateau. Oh, ça a repris !

Mina et Nest fixèrent avec culpabilité M. Morse, qui parlait et gesticulait en silence.

— Vous auriez dû me prévenir ! leur reprocha-t-elle.

— Eh bien, si tu as déjà vu cet épisode, fit Mina pacifiquement, je suppose que tu vas vite reprendre le fil du récit. Nous étions plongées dans notre partie.

Georgie posa le plateau sur la table basse près du foyer et s'approcha pour regarder le jeu.

— Ça semble un peu désordonné, critiqua-t-elle. Tu te souviens du jour où je t'ai « gammonée », Mina ?

— Oui, fit Mina en souriant. Il vaudrait mieux que tu retournes à M. Morse pendant que je sers le café et que je prépare la tisane de Nest.

Le Chapitaine et Boyo Bon-à-rien quittèrent leurs paniers pour s'approcher, les oreilles tendues ; elle donna à chacun un morceau de sablé, puis leur murmura des petits mots d'amour et apporta un bout de gâteau à Polly Garter qui n'avait pas bougé de son pouf. Lorsqu'elle revint s'asseoir, avec son café et la tasse de Nest, le moment des confidences était passé et elles jouèrent en silence, chacune enfermée dans ses souvenirs, jusqu'à la fin de la partie.

XXII

Helena et Rupert arrivèrent tard le samedi matin. Les trois sœurs avaient eu le temps de se mettre dans un état de grande tension nerveuse. Georgie se montrait tour à tour capricieusement critique envers les dispositions prises pour son séjour, ou d'une irritable indifférence, comme si elle venait de se rappeler soudain la véritable raison de sa présence à Ottercombe. Nest avait mal dormi. Elle avait passé la nuit à revivre l'époque de son rejet par Connor, mais n'avait pas voulu d'un somnifère. Elle paraissait épuisée. Mina poursuivait ses activités, ignorant les changements d'humeur soudains de Georgie, mais inquiète pour Nest. Elle tentait toujours d'en arriver à une décision quant à la question de garder Georgie ou de la renvoyer.

Elle avait envoyé un e-mail à Elyot la nuit précédente.

De : Mina
À : Elyot
Mon cher ami, je suis en plein doute. Georgie a clairement ouvert la boîte de Pandore et tous les squelettes tombent des placards. Serais-je en train de me perdre dans mes propres métaphores ? D'abord Tony Luttrell et moi, maintenant Nest et Connor. Je ne sais simplement pas ce qu'il y a de mieux à faire.

De : Elyot
À : Mina
Attendez. Attendez jusqu'au bon moment. Ces choses se résolvent si souvent d'elles-mêmes. Il faut faire montre de patience, se laisser porter. Oh, ma chère ! Comme cela semble simpliste. Et tellement plus facile à dire qu'à faire ! J'en sais quelque chose. Mais s'il vous plaît, n'abandonnez pas, ma chère vieille amie, et faites-moi savoir comment s'est passée votre journée – s'il vous reste assez de force.

Mina était donc allée se coucher, déterminée à suivre son conseil, tenant à la main le rosaire de bois de Lydia, faisant glisser les perles entre ses doigts, jusqu'à ce qu'un certain calme s'empare de son cerveau fatigué, puis elle s'était endormie. Elle s'était levée reposée, étonnamment en paix, mais les sautes d'humeur de Georgie et l'air de patiente souffrance qui hantait Nest l'angoissèrent à un point qu'elle ne pouvait pas contrôler. Ce fut presque un soulagement lorsque Rupert et Helena arrivèrent et qu'elles allèrent toutes à leur rencontre.

— Maman !

Helena sauta de la voiture avec enthousiasme et se précipita vers Georgie qui attendait, comme si elles avaient été séparées de force pendant des mois.

— Comment vas-tu ? dit-elle en la tenant par les épaules. Tu as l'air très bien.

Elle opposa un sourire radieux aux airs boudeurs et suspicieux de Georgie. Nest était sur le point d'éclater d'un rire hystérique. Elle capta le regard de Mina, mais celle-ci conservait une expression neutre, la défiant de sourire, même si Nest savait qu'elle aussi se retenait de s'esclaffer. Rupert avait soigneusement examiné sa voiture avant de mettre son système d'alarme en marche. Il s'approcha enfin.

« Croit-il qu'il y ait des voleurs de voiture dans notre jardin ? » demanda plus tard Mina, indignée.

Rupert sourit avec grâce à tout le monde. Il embrassa légèrement chacune sur la joue et prit les mains inanimées de Georgie.

— Eh bien, belle-maman, dit-il jovialement, avec toute la brutale condescendance d'un maître envers une jeune et stupide élève. Tu t'es bien conduite ?

Georgie leva les yeux sur lui. L'humiliation durcit sa joue et raidit ses maigres épaules, tandis que le rouge envahissait ses pâles pommettes. Elle libéra ses mains, fermement mais poliment, et se détourna.

Les regards de Mina et de Nest se croisèrent.

« C'est à ce moment-là, dit plus tard Nest, que j'ai su que nous ne pouvions pas espérer qu'ils la reprennent. Mon Dieu ! Quelle andouille prétentieuse que ce type ! »

Les deux plus jeunes sœurs proposèrent à tout le monde d'entrer dans la maison.

Il était clair qu'Helena avait honte du comportement condescendant de Rupert, mais elle refusait de se liguer contre lui. Les innombrables saillies et taquineries de Georgie au fil des ans avaient fini par entamer l'amour d'Helena pour sa mère, jusqu'à ce qu'il ne lui reste plus que l'os dépiauté de son affection filiale. Sa mère avait, durant tout ce temps, évité avec obstination de laisser filtrer le moindre lambeau de diplomatie ou de générosité envers sa fille ou son gendre. Helena savait que Rupert se présentait sous son pire jour lorsqu'il se trouvait en présence de sa belle-mère et de sa famille et, bien qu'elle en fût embarrassée, elle pouvait se dire que c'était le simple produit des humiliations subies de la part de Georgie.

Si Georgie connaissait l'expression « On récolte ce que l'on a semé », l'opportunité de l'appliquer à elle-même ne lui était jamais apparue. Elle rentra à l'intérieur, mortifiée, furieuse et impuissante. Mina, qui se doutait des motivations de chacun d'entre eux, et qui conservait une certaine sympathie envers Helena et Rupert, était tout de même la proie d'une sorte de solidarité vis-à-vis de sa sœur, et fut soulagée de voir que Nest, pour les mêmes raisons, soutenait fermement leur aînée.

Apparemment, Elyot avait raison. Le moment était arrivé et la situation s'était résolue pratiquement tout de suite. Rien ne se produisit qui puisse les faire changer d'idée. La rencontre, qui avait commencé du mauvais pied, alla en se détériorant.

Helena, qui refusait de s'opposer aux manières pompeuses de Rupert mais tentait malgré tout de restaurer la fierté de Georgie, se trouva écartelée. Ses tentatives désespérées pour protéger son mari tout en améliorant la situation de sa mère devinrent pénibles à voir et, après le déjeuner, Mina annonça qu'elle emmenait les chiens en promenade à la plage. Pour un bref instant, Nest fut tentée de rompre sa routine et de demander à Mina si elle pouvait les accompagner, mais celle-ci, ne se doutant de rien, ajouta que c'était l'heure de la sieste quotidienne de Nest.

— J'imagine que vous devez avoir envie de bavarder tous les trois, dit-elle avec bonne humeur.

Et sans attendre de réponse à cette déclaration optimiste, elle s'empara des poignées du fauteuil de Nest et la poussa fermement hors du salon, jusqu'à sa chambre, puis referma la porte derrière elles.

Pendant quelques instants, elles se regardèrent avec peur, comme si l'un d'eux pouvait encore les rattraper. Puis Nest poussa un soupir de soulagement, tandis que Mina s'effondrait sur le lit.

— Te rends-tu bien compte, dit Nest, que nous en avons pour encore presque vingt-quatre heures à vivre cet enfer ?

— Chut, fit Mina. Chut, chut. Au moins, toi, tu peux plaider l'épuisement, ou la douleur, ou quelque chose d'autre, et t'évader.

— Pauvre Georgie, dit Nest. Oh, n'était-ce pas horrible ? Elle avait l'air si totalement humiliée.

— Oui.

Mina hésita un instant, se demandant si elle devait tenter de défendre un peu le point de vue de Rupert et Helena, mais décida de n'en rien faire. C'était comme si elle avait reçu la réponse à une prière et qu'il eût été mal, désormais, de rendre la question nébuleuse.

— Pauvre vieille Georgie. Je crois, après tout, qu'elle serait mieux dans ce centre pour personnes âgées.

— Moi aussi, acquiesça immédiatement Nest. De toute manière, tu as entendu Rupert. Ils partent une semaine en vacances. Il semble que nous n'ayons pas le choix. Honnêtement, Mina, côté Rupert, c'est la fin des haricots.

Elles bavardèrent ensemble encore un peu mais, avant que Mina ne sorte les chiens, la décision avait été prise.

De : Mina
À : Elyot
Et, pour être sincère, rien ne s'est produit qui puisse nous faire changer d'idée. C'est triste qu'ils ne s'entendent pas mieux, comme famille, mais il est trop tard pour revenir en arrière et, après tout, Georgie ne sera ici que pour trois semaines de plus. C'était étrange et très touchant de voir la volte-face de Nest devant l'humiliation de Georgie. Je prie pour que rien ne se produise qui la ferait regretter sa décision. Je suis incapable d'imaginer quoi que ce soit qui puisse précipiter un désastre de ce genre.

De retour chez elle à dix heures et demie le lundi matin, après une longue promenade près du ruisseau de Malpas et le long des berges du lac d'agrément, Lyddie installa un Nemrod épuisé dans la cour, vérifia son bol d'eau fraîche et lui donna un biscuit. Il lui lança un regard pathétique, les oreilles baissées, mais elle le tapota énergiquement avant de l'embrasser sur le nez.

— Je ne serai pas longue, lui dit-elle. Il faut que j'aille faire un peu de shopping et il n'est pas question que je te traîne avec moi. Tu peux faire une bonne, longue sieste et nous ressortirons plus tard. Bon petit gars !

Il la regarda retourner à la cuisine et entendit la clé dans la serrure ; lorsqu'il discerna le claquement de la porte d'entrée et les pas qui s'éloignaient, il soupira lourdement et commença à croquer son biscuit. Dix minutes plus tard, il s'endormait d'un profond sommeil.

Lyddie entendit les cloches de la cathédrale sonner le troisième quart en descendant Pydar Street. C'était un matin clair et frisquet d'octobre, et elle était contente de porter sa veste de laine, quoique l'air frais fût stimulant. Malgré sa longue marche avec le Nemrod, elle se sentait pleine d'énergie et profitait d'une impression de liberté. Un auteur avait du retard dans la remise de son manuscrit, un long roman, et Lyddie se trouvait dans une position inhabituelle. Elle avait réservé deux semaines pour un travail qui n'arrivait pas. Sans trop savoir pourquoi, elle n'avait pas parlé à Liam de ce bonheur inattendu et avait choisi de se reposer un peu, de faire du shopping et peut-être également de faire une apparition surprise à L'Endroit à l'heure du déjeuner, chose qu'elle se permettait rarement.

Elle passa du temps chez Body Shop puis se rendit chez Mounts Bay Trading Company, où elle acheta un pull charmant en soie et laine, puis hésita à s'offrir une élégante jupe verte en douce laine mérinos.

— Je vais y réfléchir, dit-elle à la vendeuse en riant. Non, non, ne me soumettez pas à la tentation ! Remettez-la sur le cintre. Je vais aller prendre un café et réfléchir à la question.

Elle se précipita à l'air libre, réemprunta Boscawan Street, se demanda si elle devait entrer dans la boutique Jaeger de Lemon Street avant de se décider pour la jupe en mérinos. Il y avait une petite file à la banque. Elle regarda sa montre en attendant de pouvoir retirer de l'argent. Il était presque onze heures et demie. Devrait-elle prendre le café dans la pâtisserie de Lemon Street ou aller se poser à La Terrasse ? Lyddie inséra sa carte dans la fente, composa son code secret et attendit. Bien sûr, elle pourrait prendre son café à L'Endroit – mais elle rejeta instantanément cette idée. Il y avait beaucoup plus de chances que Liam puisse trouver une demi-heure pour déjeuner avec elle entre midi et deux que pour prendre un café le matin. Après tout, il faudrait bien qu'il mange à un moment ou à un autre. Et il serait agréable de passer un peu de temps ensemble.

Ces derniers jours, il était en pleine forme. Amusant, tendre, passionné. Elle commençait à croire que le panneau « passage interdit » disparaîtrait et qu'une nouvelle route allait s'ouvrir devant eux, après tout. Elle rangea l'argent dans son sac à main, jeta un œil à son nouveau pull et se souvint de la nuit de la veille, de ces longues heures d'amour fantastiques, à couper le souffle. *Je suis heureuse*, pensa-t-elle. Elle s'arrêta un instant, consciente d'une seule chose, sa joie pure et sans mélange. Durant quelques instants, rien d'autre n'exista que cette sensation d'être sur le point de s'envoler. L'homme derrière elle dans la queue fit du bruit et se racla la gorge. Lyddie lui adressa un sourire distrait avant de tourner les talons.

Elle passait par l'étroite ouverture de Cathedral Lane lorsqu'elle les aperçut. Liam et Rosie. Leurs silhouettes se découpaient à l'autre extrémité du passage. Liam levait les mains en signe de dénégation tandis que Rosie semblait lui faire des reproches. Lyddie était déjà loin, en train de faire du lèche-vitrine chez Monsoon, lorsque son esprit fit une sorte de volte-face et prit conscience de ce qu'elle venait de voir. Avait-elle vraiment vu cela ? Elle recula pour plonger à nouveau le regard dans le passage, juste au moment où Liam s'en allait en direction de L'Endroit, laissant Rosie, qui le suivait des yeux. Son corps exprimait la défaite, la frustration, et elle plongea les mains dans ses poches avant de regarder tout autour d'elle. Elle aperçut Lyddie. Elle se raidit, hésita, et puis, inéluctablement attirées, elles se dirigèrent l'une vers l'autre. Elles se rencontrèrent à la hauteur du magasin Abacus.

— Rosie, dit cordialement Lyddie. Comme ça fait plaisir de te croiser. J'étais tellement triste d'apprendre que tu étais... partie. Comment ça va ?

Rosie la regarda, de ce regard familier, calculateur, intense. Puis elle sourit avec une ironie désabusée.

— Est-ce que ça va ? demanda-t-elle. C'est bien la question.

— Oh, chère Rosie...

Lyddie ressentait à la fois de la sympathie et une certaine responsabilité, déduisant que Rosie venait de prier en vain Liam de la reprendre à son service. Elle se demanda à quel point sa séparation avec Joe avait influencé son départ de L'Endroit, et si elle regrettait toute l'affaire.

— Écoute, j'allais justement prendre un café. Voudrais-tu te joindre à moi ?

— Pourquoi pas ?

Rosie semblait converser avec elle-même autant qu'avec Lyddie.

— Oui, d'accord, allons à La Terrasse.

La Terrasse, avec ses meubles en rotin, ses miroirs, son lierre cascadant de paniers suspendus, était un café charmant – bien que complètement différent du bar de Liam.

— Je me sens toujours un peu coupable lorsque je viens ici, dit Lyddie quand leurs tasses furent devant elles, sur la petite table ronde.

Elle s'esclaffa.

— C'est un peu comme être infidèle, si tu vois de quoi je parle.

— Eh bien, tu n'as pas à t'en faire de ce côté-là, n'est-ce pas ? dit Rosie avec désinvolture.

Lyddie était perplexe. Elle sentait une sorte de subtil défi sous cette question, prononcée d'un ton si serein.

— Que veux-tu dire ? demanda-t-elle.

— Je veux dire, pourquoi devrais-tu, toi, craindre d'être infidèle ?

Rosie la regardait, toujours sans sourire, puis elle haussa les épaules avec impatience.

— Je veux dire – elle mit de l'emphase dans les mots, comme si elle signifiait que Lyddie jouait inutilement à l'imbécile – que tu es l'épouse de l'expert.

— Je ne comprends pas de quoi tu parles, dit Lyddie, tentant de conserver un ton léger. Pardonne-moi, mais tu sembles un peu bouleversée.

— Non. Écoute, toi, pour une fois.

Rosie se pencha en avant, cachant les autres clients à Lyddie.

— Ouvre les yeux ! Il commence à être temps, après tout. J'ai toujours cru qu'il vaudrait mieux que tu saches, dit-elle en s'adossant, les yeux plissés. Peut-être sais-tu déjà que Liam te trompe.

Lyddie sourit, incrédule.

— Me trompe ?...

— Oh, pour l'amour de Dieu !

Rosie détourna le regard un instant, joignant les mains en un mouvement étrange. Puis elle toisa Lyddie et continua.

— Joe a toujours dit que tu ne te doutais de rien mais je ne le croyais pas vraiment. Bon sang, Lyddie ! Tu l'as vu avec les clientes, avec toutes ces femmes ?

— Oui, acquiesça Lyddie craintivement, et il m'est arrivé de me demander s'il n'en avait pas fréquenté une ou deux avant notre mariage...

— Une ou deux ? explosa Rosie de rire. Dieu du ciel !... Voire un peu plus !

— Je ne te crois pas.

Lyddie semblait très calme, alors qu'une main de glace s'était mise à lui empoigner et lui retourner les entrailles.

— Je me doute bien que Liam a sans doute fréquenté quelques-unes de ces femmes par le passé. Il était libre, après tout. Pourquoi pas ? Mais il me semble que toute cette histoire n'est pas sans rapport avec le fait qu'il ne veuille pas te reprendre à son service...

— Nous sommes amants, Lyddie. Liam et moi. Nous étions amants longtemps avant que tu ne débarques à L'Endroit lors de ce putain de jour d'été et que tu lui fasses tourner la tête avec ton style super classe...

— C'est un motif de plus pour que tu sois...

— S'il te plaît, interrompit Rosie avec un soupir de fatigue. Oh, s'il te plaît, ne faisons pas comme si je jouais le rôle de la nana qu'on a larguée. J'ai quitté L'Endroit de mon plein gré. Liam et moi nous envoyons en l'air depuis plus d'un an – oui, il y a eu une brève pause après votre mariage –, mais une nouvelle est arrivée... Oh, on ne m'a pas foutue dehors. Ce n'est pas le style de Liam. Plus on est de fous, plus on rit, en ce qui le concerne. Il aime avoir tout un harem à sa disposition. Ça pimente les choses. Un peu de concurrence... Bon sang ! Lyddie, ne prends pas cet air. Où crois-tu qu'il soit quand il dit qu'il va à la banque, chaque jour, ou à l'entrepôt ?

— Et Joe ?

— Joe ?

Rosie sembla perplexe devant la question. Puis elle hocha la tête.

— Tu veux vraiment qu'on te convainque, c'est ça ? Joe et moi n'avons jamais été vraiment ensemble, si ce n'est pour une courte période après votre mariage. Lorsque Liam et moi avons recommencé à coucher ensemble, Joe a continué à jouer le jeu, parce qu'il ne voulait pas que tu souffres. Il était furieux, mais n'y pouvait rien. Ils sont associés et c'est comme ça. L'Endroit est plus important pour eux que quiconque. Ne sais-tu pas ça aussi ? J'ai dit à Joe que j'allais tout te révéler avant que ne le fasse une de ces vaches que se tape Liam, mais il était en colère contre moi. C'était de ça dont il était question quand tu es entrée, le jour où il pleuvait.

Elle détourna le regard du visage livide de Lyddie.

— Ça n'est pas de la vengeance, assura-t-elle. C'est seulement... Je crois que tu dois être au courant avant que quelque chose n'arrive. Que quelqu'un d'autre décide de le mettre dans la merde. Il a un sacré don d'attraction, un vrai aimant, ce Liam, mais l'une des autres pourrait s'en détacher et décider de se venger. Tu n'es pas très appréciée, tu sais. Toi qui es entrée de nulle part en valsant pour nous l'arracher, juste sous notre nez...

Lyddie demeura silencieuse ; elle but même un peu de café. Rosie la contempla avec admiration.

— Eh bien, je ne suis même pas certaine que tu me croies. Même après tout ça.

Elle se pencha à nouveau vers Lyddie.

— Dis-moi, demanda-t-elle avec désinvolture, serais-tu d'accord avec moi si j'affirmais que, ces derniers jours, depuis jeudi, disons, Liam est vraiment pétillant, à son meilleur, tu vois ce que je veux dire ?

Elle sourit avant de poursuivre.

— Oui, je vois que tu sais de quoi je parle. Tu sais pourquoi ? La raison n'est vraiment pas loin et elle s'appelle Zoë. C'est facile de s'apercevoir que Liam a réussi à capturer une nouvelle proie. Ça lui monte à la tête comme du champagne et il veut que tout le monde partage les bulles. Il était à L'Endroit hier après-midi, n'est-ce pas ? Et il ne pouvait absolument pas rentrer à la maison. N'est-ce pas ? Je parie que tu n'as pas vu l'installation dans l'une des réserves, à l'étage, hein ? Oh, juste au cas où quelqu'un serait malade, ou aurait à dormir sur place... Non ? Eh bien c'est sacrément pratique. C'est là qu'il était hier après-midi et je parie que tu as passé une sacrée nuit avec lui, ensuite !

Elle détourna encore les yeux du visage de Lyddie, maintenant en état de choc. Désarmée, elle se mordit les lèvres.

— Écoute, finit par dire Rosie. Tu n'as pas à me croire sur parole, après tout. Alors vas-y maintenant et constate par toi-même. Il ne s'attend pas à ce que tu débarques. Je suis désolée, Lyddie. Sincèrement, je le suis. Tu es une bonne personne et il aurait dû te laisser en paix. Mais je suis amoureuse de lui, moi aussi, et il était à moi bien avant qu'il ne soit à toi.

Elle se leva rapidement et lança son sac sur son épaule en baissant les yeux vers Lyddie.

— Et maintenant, dit-elle, lugubre, tu ne sauras plus jamais qui croire, n'est-ce pas ? Tu les regarderas toutes avec un regard neuf. Celles qui lui sourient et, encore pire, celles qu'il semble ne pas trop remarquer... Et tu seras perdue.

Rosie émit un petit rire amer.

— Voilà, bienvenue au club.

Elle s'envola, sortit dans Boscawan Street, et Lyddie resta assise, les mains glacées, sur le point de vomir. Mécaniquement, elle termina son café, découvrit qu'elle pouvait se lever et payer l'addition. Elle sortit à l'air libre. Son esprit était rigoureusement vide. Elle traversa la rue et passa rapidement Cathedral Lane, en direction de L'Endroit. Elle stoppa en entrant. C'était plutôt tranquille. Seulement quelques clients de fin de matinée buvant un café. Il n'y avait personne derrière le bar. Zoë se tenait à l'entrée de l'arrière-salle, elle souriait à quelqu'un, assis à l'intérieur, invisible. Lyddie vit une main sortir de l'ombre et tendre un doigt qui caressa, langoureux, sensuel, l'espace de peau nue entre le jean de Zoë et son tee-shirt très court. La serveuse se pencha vers le propriétaire de ce doigt et éclata de rire. Lyddie recula rapidement en voyant Liam qui se glissait hors de la banquette. Après une caresse encore plus intime, il écarta Zoë d'une poussée affectueuse mais ferme, puis disparut en cuisine.

Des clients qui entraient pour déjeuner masquèrent la fuite de Lyddie, qui se précipita dehors. Ses joues brûlaient, son cœur cognait à tout rompre entre ses côtes. Elle marcha vite, se lançant de temps en temps dans une sorte de sprint trébuchant, jusqu'à ce qu'elle soit rentrée saine et sauve à la maison, et que la porte soit close.

XXIII

Au cours de la nuit, les vents d'ouest déchaînés, en poussant violemment la marée haute, en écrasant la mer contre la côte cerclée de pierres, avaient redessiné la plage et récuré les bassins. Les algues avaient été projetées loin au-delà de la marque habituelle de la marée haute et les chiens couraient avec excitation à la recherche de trouvailles. Derrière eux, Mina avançait plus lentement. Elle ramassait des petites pièces de bois blanchies, polies, tordues, salées, qui plus tard allaient grésiller dans le feu du salon en projetant des flammes magiques, rouge, verte et bleue. Plus loin sur la grève, Georgie se penchait sur une agate et la retournait soigneusement entre ses doigts. Elle l'empocha. Elle avait commencé à développer une attirance pour les objets inanimés. Un caillou, un petit morceau de ficelle, un vieux bout de crayon. Elle les arrangerait ensuite en sortes de natures mortes insensées et bizarres qu'elle allait de temps en temps toucher tendrement ou examiner de près avec une étrange affection possessive.

Mina la regardait et l'attention de Georgie fut retenue par un objet à moitié enterré dans le sable humide. Elle se pencha pour le déterrer, finit par extraire cette chose et entreprit de la nettoyer de la saleté qui la maculait.

— Regarde ! cria-t-elle en se redressant. Regarde ce que je viens de trouver !

Mina se dépêcha de la rejoindre, curieuse.

— Qu'est-ce que c'est ?

— C'est une petite voiture.

Georgie était ravie.

— Tu vois ? Les roues de caoutchouc ont disparu, ainsi que toute la peinture, mais on peut clairement voir de quoi il s'agit.

Mina la contempla sans la toucher, sentant bien que Georgie n'était pas encore prête à s'en séparer.

— Effectivement, constata Mina, riant avec incrédulité. Un des jouets de Timmie, tu ne crois pas ? Incroyable de la retrouver après tout ce temps. Je me demande combien d'années elle est restée enterrée là… Oh, bien sûr, ça pourrait être une des voitures de Toby.

— Non, coupa Georgie tout de suite. Elle est trop vieille. Non. Elle est à Timmie. Je la reconnais. Timothy la lui avait envoyée pour son anniversaire lorsqu'il a eu sept ans. Au début de la guerre. Il était fou de joie. Et Mama aussi. Tu t'en souviens sûrement ? Il y avait eu une telle excitation lorsque le paquet était arrivé. Il y avait une lettre pour elle, bien sûr.

Mina éprouva tout à coup une étrange sensation d'immobilité. Le cri rauque des goélands au-dessus de leurs têtes, le rythme bruyant des vagues insatiables s'écrasant contre le rivage, les jappements sauvages des chiens qui quadrillaient le sable ; tous ces sons semblèrent se fondre et s'éloigner tandis qu'elle regardait Georgie. L'expression de sa sœur était composée à la fois de pur plaisir et d'un mépris amusé, secret, alors qu'elle examinait la petite voiture. Le silence s'allongea entre elles.

— Tu as lu ses lettres ? demanda finalement Mina. Les lettres de Timothy à maman. Tu les as lues, Georgie ?

Son expression changea instantanément. Elle se mit à hausser les épaules, son visage s'anima de tics narquois, comme si elle entendait une autre conversation, qui la poussait à se justifier devant un accusateur invisible.

— Tu les as lues, Georgie ?

— Des lettres ?

Georgie leva les yeux du jouet.

Sa surface argentée, polie par le sable, brillait faiblement dans un rayon de soleil hivernal. Les yeux de Georgie étaient inquiets, mais elle avait l'air saine d'esprit.

— Elle les gardait dans sa boîte à ouvrage, dans un petit tiroir secret, bien étroit, dit Mina en se tournant vers le canal de Bristol. Il est étonnant de constater à quel point les survivants de l'époque victorienne affectionnaient les tiroirs secrets, non ? Je l'ai vue par hasard ranger une lettre. Je croyais que c'étaient les Minis qui jouaient dans le salon. Tu te souviens de leur manie de se cacher juste avant le déjeuner pour que l'une de nous les retrouve ?

Elle gloussa un peu.

— Je les revois, debout, retenant leur souffle, derrière les grands rideaux, leurs petits pieds dépassant du tissu. Ils n'ont jamais réussi à comprendre comment je faisais pour les découvrir si facilement. Toi aussi, tu as vu Mama cacher ses lettres ?

— J'ai entendu quelque chose, fit Georgie, qui sembla accepter de bonne grâce d'être entraînée vers le passé. Un petit bruit sec. J'étais étendue sur le canapé et elle ignorait que je me trouvais là. J'étais rentrée de Londres pour le week-end pendant mes vacances. C'était la guerre. Au tout début, je crois. Juste après le Blitz.

— Tu as entendu le tiroir se refermer ? reprit Mina, qui ne voulait pas qu'elle perde le fil.

— Oui. J'ai regardé par-dessus le dossier, mais elle sortait déjà de la pièce.

Georgie s'arrêta pour réfléchir, puis admit :

— J'étais curieuse. Il y avait eu quelque chose de… furtif, là-dedans. Ce n'était pas du genre de Mama. Elle était toujours si calme, n'est-ce pas ? Mais elle avait eu une attitude étrange, secrète et excitée à la fois. J'ai senti une légère palpitation, du genre… tu sais bien… « mais que se passe-t-il » ?

— Alors, tu es allée jeter un œil ?

La voix de Mina invitait à la confidence.

— Eh oui. Il ne fut pas bien difficile de découvrir le loquet. Mon Dieu, je n'arrivais pas à le croire quand je les ai trouvées, toutes ficelées ensemble. Il y en avait des douzaines, non ?

— Il y en avait beaucoup, acquiesça Mina. La plupart venaient de l'étranger, bien sûr. Tu les as lues, toi aussi ?

— Quelques-unes.

Le regard de Georgie croisa celui de Mina, mais elle détourna les yeux.

— Assez pour me rendre compte de ce qui se passait entre eux.

— Et tu ne l'as dit à personne ?

— Non.

Georgie semblait sur la défensive, presque comme si Mina l'accusait d'avoir manqué à ses devoirs.

— Bien sûr, j'étais moins choquée que j'aurais pu l'être avant d'aller vivre à Londres. Et, d'une certaine manière, cette histoire d'amour à l'ancienne était bien de son époque. Timothy, dans un avant-poste éloigné de l'Empire britannique, à faire on ne savait quoi, tandis que Mama l'attendait à la maison.

Elles se turent.

— Tu ne te disais pas que Papa devait être mis au courant ?

— Ah non ! répondit Georgie instantanément, presque indignée. Il ne m'avait pas fallu longtemps pour découvrir ce qui se passait depuis des années avec cette horrible veuve, pendant que Mama et tout le reste de notre bande se faisaient évacuer sur Ottercombe. Il la préférait à nous ! À sa propre famille ! Pour être sincère, je fus satisfaite de savoir que Mama l'avait pris à son propre jeu, si tu veux savoir.

Elle regarda Mina d'un air narquois, ajoutant :

— Tu lui as dit, toi ?

— Je n'ai lu les lettres qu'après sa mort, répliqua Mina avec douceur. Il était décédé depuis longtemps, à cette époque. Il aurait fait toute une histoire, veuve ou pas, et je soupçonnais que, si tu étais au courant, tu l'avais gardé pour toi. De toute manière, tu aimes garder tes secrets, non ?

Mina avait éclaté de rire. Georgie fixa le jouet à nouveau, dissimulant son propre sourire, mystérieux.

— Parfois, fit-elle, espiègle, presque enfantine. Timmie adorait cette voiture, tu sais. Il l'emportait partout avec lui. Je l'ai cachée, un jour, juste pour me venger de lui.

Son sourire s'atténua légèrement.

— Il était le préféré de Mama. Et de Papa. Moi, j'étais la plus vieille. J'étais l'aînée, mais parce qu'il était un garçon, ils l'aimaient plus que les autres. Il avait parfois besoin qu'on lui donne une leçon.

— Je ne crois pas qu'il ait vraiment été leur préféré, dit Mina, consternée par cette rechute. Je crois qu'ils aimaient chacun de nous d'une manière différente.

Elle parlait d'une voix rassurante, tentant de cacher son léger spasme de dégoût devant la révélation de Georgie – une jeune femme de dix-neuf ou vingt ans qui vole le jouet d'un gamin par méchanceté –, et sa sœur la dévisagea à nouveau, les yeux brillants.

— Quelle blague, non ? Timmie, si blond et si grand. Pas du tout comme nous, et Papa si fier de son charmant, de son unique fils...

Elle se mit à rire.

— Tout le monde remarquait à quel point il était différent. Mais tout ce temps...

Son rire commençait à devenir incontrôlable.

— ... Tout ce temps...

— Je sais, fit Mina rapidement. J'ai lu les lettres, moi aussi. Souviens-toi.

Georgie la regarda. De petits éclats de rire s'échappaient toujours de ses lèvres. Son regard était perdu, désormais.

— C'est un secret, marmonna-t-elle vaguement.

— Oui, dit Mina, empressée. Notre secret. Personne d'autre ne doit savoir.

Georgie se détourna, caressant la petite voiture de ses doigts, murmurant pour elle-même.

— Je veux rentrer à la maison.

Elle se mit en route, avançant à pas lourds sur la plage et, soupirant de frustration et d'angoisse, Mina ramassa son sac de bois de chauffage, rappela les chiens, puis suivit sa sœur le long du sentier.

Il faisait presque noir lorsque Lyddie réalisa à quel point la maison devenait froide. Elle avait emmené le Nemrod se promener plus tôt qu'à l'accoutumée, faisant de grandes enjambées dans les rues, comme si par un simple effort physique il lui serait possible de renverser l'horreur rampante qui s'était emparée de son esprit. Même sans être ensuite témoin de cette petite scène révélatrice à laquelle elle avait assisté, elle aurait été capable d'admettre la vérité que lui avait dévoilée Rosie. C'était si évident, une fois vendue la mèche. Arpentant les allées, les mains enfoncées dans les poches, le Nemrod au pas de course à ses côtés, elle se sentait écorchée, humiliée. Elle se souvint, mortifiée, des airs de ces autres femmes, qu'elle interprétait désormais d'une tout autre manière. Comme elle avait été aveugle ! Tellement stupide !

Accroupie pour le remplir de petit bois puis de grandes bûches, elle alluma le poêle. Elle tenta d'évaluer quelle partie de sa souffrance était causée par la blessure de son amour-propre et quelle partie relevait de la déception amoureuse. Ces femmes – oh, combien étaient-elles ? –, comme Rosie, avaient comploté avec Liam pour la tromper ; elle entrait et sortait, heureuse, certaine de son amour malgré ses pincements de jalousie, tandis qu'ils riaient sous cape. La petite scène entre Liam et Zoë était marquée au fer rouge dans sa mémoire ; qu'elle le veuille ou non, elle surpassait tout. C'était la manifestation de toutes les images que Rosie lui avait peintes. Elle savait qu'elle ne pourrait plus jamais retourner à L'Endroit et se demandait, dans un moment de désespoir paniqué, où aller, et que faire...

Elle se prépara du thé. Simplement pour se rassurer en faisant quelque chose d'ordinaire, de normal, et elle le but assise à la table. Le Nemrod se réveilla et la regarda, les yeux suppliants. Elle le nourrit donc, tout en lui parlant, comme d'habitude. Et ensuite, il se recoucha, affalé sur le plancher à ses côtés. Lorsque le téléphone sonna, elle ne répondit pas, le fixant plutôt avec détachement. Le répondeur automatique était dans son bureau, mais elle ne fit aucun effort pour aller écouter le message. Elle restait assise à la table. Lorsqu'il sonna à nouveau, une heure plus tard, elle continua de l'ignorer – cependant, désormais, une terrible agitation commençait à s'emparer d'elle. Il fallait décider quoi faire maintenant, mais elle se trouvait paralysée par son incapacité à réfléchir correctement.

Accroupie près du Nemrod, réconfortée par la chaleur de son grand corps, elle entendit la clé dans la serrure et, un instant plus tard, Liam fut là, dans la pièce. Elle leva les yeux vers lui, précipitée hors du brouillard par sa présence physique. Comme saisie, elle fut douloureusement consciente de tout ce qui était perdu et vit clairement que rien ne pourrait plus jamais être comme avant. Elle parvint à se relever tout en le toisant et réalisa qu'il était littéralement en fureur. Même du fond de sa misère, elle sentit que cette colère n'était pas dirigée contre elle ; qu'elle passait près d'elle, émanait de lui par vagues d'énergie, faisait briller ses yeux d'une lueur surnaturelle. Ses mains se tendaient et se serraient tandis qu'il la regardait.

— Pourquoi ne décroches-tu pas ? demanda-t-il abruptement.

Surprise, elle fronça les sourcils, comme un élève face à une question complètement inattendue lors d'un examen.

Parler lui semblait impossible – il n'existait pas de mots pour cette situation. Elle continua donc de le dévisager, comme si elle était en train de découvrir une toute nouvelle personne.

Il soupira, les yeux divaguant dans la pièce, soupesant ses prochains mots.

— Lorsque j'ai vu que tu ne venais pas dîner, puis que tu ne répondais pas au téléphone, j'ai commencé à me faire du souci.

Il avait décidé d'aller droit au but.

— C'est Joe qui m'a tout raconté. Il paraît que tu es allée prendre un café avec Rosie ?

— Un peu plus qu'un café.

Elle était heureuse que le son de sa voix fût normal.

— Elle a décidé qu'il était temps que j'apprenne que je vivais dans un monde imaginaire.

— Je t'aime. Ce n'est pas une illusion. Nous sommes mariés. C'est un fait.

— Oui.

Elle ne pouvait pas le nier.

— Dans mon monde imaginaire, tu m'étais fidèle.

— Oh, sainte mère de Dieu !

C'était un soupir d'impatience exténué. La colère de Liam se dissipait en vexation.

— Tu dois comprendre qu'aucune d'elles n'a d'importance. C'est toi que j'aime. Tu ne comprends pas ça ? J'aurais pu épouser n'importe laquelle d'entre elles, mais c'est toi que j'ai choisie... Qu'est-ce qui te fait rire ?

— Je t'aurais cru plus original. Mais je ne ris pas vraiment. Il n'y a rien de drôle à entendre que son mari est un salopard de coureur de jupons, par sa maîtresse en chef en plus.

— Et tu as gobé ça ?

Cette brève démonstration d'innocence outragée ne lui allait pas bien et Lyddie sourit faiblement.

— Oh, mais non, le rassura-t-elle. Ce fut très difficile. Je pouvais croire que vous aviez eu une aventure avant notre mariage – après tout, pourquoi pas ? Néanmoins je me disais qu'elle tentait de se venger, tu sais, parce que tu l'avais larguée. Je ne savais pas qu'elle était partie de son plein gré.

— Rosie est une manipulatrice, elle l'a toujours été.

— Oh, je veux bien le croire. Mais ça ne signifie pas qu'elle ment.

Il y eut un silence. Elle tenta :

— Alors, si je comprends bien, tu nies tout ?

Dans le néant prolongé qui suivit sa question, Lyddie sentit toute sa confiance en elle s'effriter.

— Non, finit-il par répondre. Ça ne servirait à rien. Je dis que ça n'a pas d'importance. Ça n'a pas à affecter ce qu'il y a entre nous.

— Oh, mais si, au contraire ! s'écria-t-elle. Tu crois vraiment que je peux retourner un jour à L'Endroit ? Que je peux m'asseoir là-bas calmement et manger mon dîner tandis que tu glisses furtivement de table en table, en besognant mentalement chaque cliente qui te plaît, et bavant secrètement sur ta serveuse, à qui tu as donné des coups de queue un peu plus tôt, dans la réserve ?

Il fit une grimace étudiée et elle se rendit compte que, chose incroyable, par une sorte de pudibonderie, un tel franc-parler le dégoûtait. Un raz de marée de pure colère, sans la moindre trace d'apitoiement, la rinça nette de toute émotion équivoque.

— Je t'ai vu, tout à l'heure, lui dit-elle. Je suis passée à L'Endroit vers midi et j'ai pu constater ton comportement avec Zoë. Et sa façon d'y répondre. Suggérerais-tu encore que je vienne vous rejoindre et que je prenne place dans l'arrière-salle tandis qu'elle rit sous cape, comme l'a fait Rosie depuis un an ? Me crois-tu vraiment aussi blindée, Liam ? Que je sois capable de gestes aussi héroïques d'humiliation pour tes beaux yeux ? Crois-tu sincèrement que c'est ce que tu vaux ?

Il demeura silencieux. Elle voyait clairement que la révélation de sa visite à l'heure du déjeuner l'avait ébranlé, et qu'au-delà de son expression vide, il réfléchissait aux options qu'il lui restait.

— As-tu quelque chose à proposer ? finit-il par demander.

— Dois-je comprendre que tu n'as pas l'intention de changer tes habitudes ? demanda-t-elle avec légèreté.

— Oh, je pourrais y songer, dit-il sincèrement. Mais ça ne durerait pas. J'ai tenté de le faire, pendant un bout de temps, au début de notre mariage, mais... eh bien, ça n'a pas fonctionné.

Il leva les mains.

— Inutile de te faire des promesses que je ne pourrais jamais tenir.

— Ça ! Dix sur dix pour l'honnêteté.

Il eut l'air de se préparer à tenter une nouvelle fois de la convaincre, puis il changea d'avis.

— Je dois retourner au travail, dit-il.

— Tu m'épates, fit-elle, sarcastique.

— Préférerais-tu que je dorme à L'Endroit ? Ça te donnerait le temps de décider de ce que tu veux faire.

— Pourquoi pas ?

Elle haussa les épaules, en partie soulagée, étrangement déçue, toutefois.

— Je me suis laissé dire que tu y étais confortablement installé.

— Je reviendrai demain matin, dit-il sans émotion. Vers dix heures.

Avant qu'elle ne puisse dire quoi que ce soit, il s'esquiva, et ferma la porte derrière lui avec douceur.

XXIV

— Te souviens-tu de cette petite voiture, Nest ?
demanda Mina, après que Georgie fut montée se coucher. C'est tellement étrange de la retrouver après
toutes ces années.

— Oh oui.

Nest, roulant à travers la cuisine, s'arrêta pour la
contempler sur la commode.

— Tout ce qu'on recevait de Timothy était un
délice, non ? Les cartes postales qu'il nous envoyait,
ses cadeaux inhabituels... Je conserve toujours cette
magnifique poupée péruvienne qu'il m'avait offerte
pour mon anniversaire. Je crois que nous étions
toutes jalouses de Timmie, qui l'avait comme parrain. Je suis sans doute celle qui se souvient le
moins de lui parce que j'étais la plus jeune, mais
j'ai gardé beaucoup d'affection pour lui. La sensation de quelqu'un de particulier, de charismatique,
que nous aimions toutes. Ou alors, peut-être bien
que je le nimbe de fantasmes puérils ?

— Non, dit Mina. Oh non. Timothy était un
homme très spécial. Je suis contente que tu te sou-
viennes de lui. Après tout, tu n'avais que huit ans
quand il a été tué.

— J'ai gardé une impression fugace plutôt qu'une
image claire.

Nest ferma très fort les yeux, comme si, par enchantement, elle tentait de faire revenir Timothy du passé.

— Il paraissait si grand, plus grand que Papa. Et blond. Mais je suppose que tout le monde a l'air grand lorsqu'on a huit ans. Oh, et je me souviens que Mama lui écrivait, lui donnait des nouvelles de Timmie.

— Oui, dit Mina après un temps. Elle lui écrivait souvent, en particulier pendant la guerre. Les lettres étaient adressées à la poste des Forces britanniques. Enfin, je me demandais seulement à propos... de la voiture.

— Je ne me souviens pas que Timmie l'ait perdue, fit Nest en fronçant les sourcils. Il devait l'avoir depuis un certain temps lorsqu'elle a disparu, sans quoi ça aurait fait un scandale terrible. Il l'avait d'abord égarée peu de temps après l'avoir reçue et s'en était trouvé très désespéré. Puis, par chance, il l'avait retrouvée.

Mina, qui se rappelait la confession de Georgie, ne parla pas. Nest, un plateau sur les genoux avec tout ce qu'il lui fallait pour la nuit à venir, tendit la joue à Mina qui l'embrassa en lui souhaitant bonne nuit, puis elle roula vers le vestibule. Mina éteignit les lumières et monta à l'étage ; lorsqu'elle fut devant la porte de sa chambre, le téléphone se mit à sonner. Elle se précipita pour décrocher à temps.

— Tante Mina ? C'est Lyddie. Je viens juste de réaliser que c'est une heure bien tardive pour toi. Je suis tellement désolée. Je te réveille ?

— Dieu, non, mon enfant, répondit Mina avec gaieté. Je suis sur le point de lire mes e-mails. Je n'irai pas au lit avant une heure ou deux. Comment vas-tu ?

— C'est... hum. Ça va, mais nous avons un petit problème, ici.

Il y eut un silence.

— Est-ce que ça vous dérangerait si je vous rendais visite, juste pour quelques jours ?

— Bien sûr que non, ma chérie, fit Mina cordialement. Veux-tu me parler maintenant ou attendre ton arrivée ?

— J'ai subi une sorte de choc.

Au son de sa voix, Mina comprit qu'elle était au bord des larmes et une angoisse accéléra les battements de son cœur.

— Oh, ma chérie, ça va ? Tu n'as pas besoin d'en dire plus. Nous ne voulons pas être intrusives, mais si nous pouvons t'aider, tu n'auras qu'à le dire. Tu le sais.

— Oui, je sais.

Il y eut encore une pause.

— Il semblerait que Liam couche à droite à gauche... Tu as rencontré Rosie lors de ta visite, n'est-ce pas ? C'est elle qui m'a tout révélé. Ils sont amants depuis un an, et il y en a eu d'autres. C'est elle qui m'a tout dit...

— Mais es-tu allée voir Liam, coupa Mina. Il se pourrait simplement qu'elle...

— Oh oui, fit Lyddie, d'une voix misérable. Nous en avons parlé, il ne nie pas et, enfin... je l'ai vu avec... une autre.

— Ma pauvre chérie, reprit Mina, horrifiée. Oh, je suis tellement désolée pour toi. Quand arrives-tu ?

— Je vais essayer de dormir un peu et je prendrai la route à l'aube. J'espère être chez vous vers dix heures, si ça n'est pas trop tôt ?

— Bien sûr que non. Viens n'importe quand. Nous t'attendrons.

— Tante Mina ? demanda prudemment la jeune femme.

— Oui, ma chérie ? répondit sa tante avec douceur.

— Tu peux le dire à tante Nest, hésita Lyddie. Si tu veux, mais pas...

— Je comprends. Ne t'en fais pas.

— Que Dieu te bénisse. À demain matin.

— Conduis prudemment, ma chérie.

Mina replaça le combiné et se tint un certain temps à regarder dans le vide, le visage inquiet. Boyo Bon-à-rien traînait son jouet de plastique à ses pieds, grognant férocement de plaisir, tandis que le Chapitaine l'observait avec un certain dédain. « Donnez-moi un vrai rat, vivant, là tout de suite, avait-il l'air de dire, méprisant. Nous n'avions pas ces jouets imbéciles, de mon temps... » Polly Garter en était déjà à se tourner et se retourner sur son coussin, s'étirant de manière sensuelle, s'apprêtant à se rouler en boule.

— Couchés, ordonna Mina. Allez. Paniers !

Ils obéirent à contrecœur ; le Chapitaine semblait signifier par son air que, de toute manière, il allait le faire de son propre gré ; Boyo Bon-à-rien traîna son jouet avec lui, le secouant avec excitation. Le Chapitaine prit soin de tourner le dos à sa progéniture, mais Boyo Bon-à-rien s'amusait avec une telle passion qu'il ne se rendit compte de rien.

Dans son alcôve, Mina lut ses e-mails. L'un venait d'Helena, qui la remerciait pour ce charmant week-end, ce qui la fit grimacer. Un autre, de Jack, la fit rire. Enfin, elle ouvrit celui d'Elyot, s'installa plus confortablement, prête pour une session.

De : Elyot
À : Mina
Le récit de votre week-end était très drôle. Et également touchant. Je n'ai pas la moindre expérience de l'amitié ou

264

de la rivalité entre frères et sœurs, mais j'ai été ému par la manière dont vous et Nest planifiez de soutenir fermement Georgie, malgré les menaces qu'elle vous profère. Au moins, dites-vous que ça n'est pas pour longtemps.

Après une période d'accalmie, nous venons de vivre une autre rechute. Lavinia a décidé sans raison qu'elle détestait notre médecin généraliste, un type parfaitement compétent, et je ne sais plus quoi faire. Elle semble souffrir de pensées affreuses à son propos et, quoique je sympathise avec sa détresse, je tente de les dissiper en expliquant qu'elle imagine des choses. Cela la bouleverse encore plus, elle m'accuse de me ranger contre son camp, etc., etc. En plus de ça, j'ai reçu les résultats de mes examens oculaires. Depuis ce fameux accident, je me sens très nerveux quand je conduis et désormais l'horrible mot « cataracte » a été prononcé. Ce qui est idiot, c'est qu'en perdant confiance je risque plus que jamais d'avoir un autre accident. Lavinia, cependant, déteste être laissée seule longtemps, même en compagnie de nos amis, et de longues balades en transports en commun ne font pas partie des options. Je crains vraiment que le jour ne se rapproche où nous devrons laisser cette maison pour emménager en ville, voire dans une résidence médicalisée. Cette incertitude m'épuise. Et plus la confusion et la méfiance de Lavinia grandissent, plus le cercle de gens qui peuvent nous aider se rétrécit. Aujourd'hui, il m'arrive de la laisser toute contente avec un ami qu'elle ne peut plus reconnaître cinq minutes après mon départ. Je rentre à la maison et j'assiste à un vrai drame : Lavinia qui sanglote, en colère contre moi, et terrifiée ; l'ami insulté, vexé, indigné, ou même fâché.

Il est intéressant de constater à quelle vitesse l'amitié s'effrite face au rejet – même lorsque le rejet vient d'une personne qui n'a pas toute sa tête. La sympathie, la compassion, les tentatives de compréhension, tout ça s'évanouit à une vitesse extrême. Tout est pris de manière très personnelle et on manque d'assez d'amour pour atténuer la réalité. Quelle fatalité ! Et je suis aussi terrible que les autres. J'ai envie de lui crier dessus, parfois – même, dans les pires moments, de la frapper –, simplement pour qu'elle m'écoute. Lavinia a toujours été une femme obstinée, aux opinions tranchées, au caractère emporté, et c'est comme si toutes ses autres qualités plus douces étaient écrasées par ces traits dominants qui croissent et envahissent tout, maintenant qu'elle a perdu le vernis de civilité qui la freinait.

Ma très chère vieille amie, je ne devrais pas dire ces choses, même à vous. Je passe trop de temps seul, à essayer de comprendre cette histoire terrible qui nous arrive, à l'analyser, dans une tentative pour la gérer mieux. Je ne peux vous dire à quel point l'idée de votre détermination à combattre, là-bas à Ottercombe, me soutient. Je sens, par vos descriptions de la maison et de la vallée – sans compter celles de Nest et Georgie –, que je vous connais toutes, que vous êtes des amies que je pourrais aller retrouver en cas de désespoir ultime. Mais les vautours ne m'auront pas tout de suite, ne vous en faites pas ! William sera bientôt à la maison – oh, quel réconfort cette pensée m'apporte ! –, même s'il a ses propres soucis. Enfin. Assez de nous ! Faites-moi savoir comment vous allez, vous. Complètement remise, je l'espère, de votre fin de semaine ?

Mina relut l'e-mail d'Elyot de nombreuses fois, sentant monter en elle une haine croissante et irrationnelle pour cette inconnue, cette Lavinia. Elle songea à sa réaction. Il était clair que sa sympathie allait à Elyot, qu'elle « connaissait » – ou presque – plutôt qu'à son épuisante épouse. Il était beaucoup plus facile de prendre le parti d'Elyot, qui semblait toujours sensé, rationnel, joyeux face à l'adversité, plutôt que celui de Lavinia qui, admettons-le – même dans ses grands jours –, n'avait jamais semblé particulièrement attirante, à moins, bien sûr, qu'on ne soit séduit par les bigotes intolérantes, têtues et à l'esprit étroit...

Mina se reprit. Il était extraordinairement stupide, se rappela-t-elle, de se montrer possessive envers un homme qu'elle n'avait jamais rencontré et risquait de ne jamais voir en chair et en os. Bien sûr qu'il n'allait dévoiler que son meilleur côté, bien sûr qu'il recueillait sa sympathie du mieux qu'il le pouvait. Cependant – murmura en elle une petite voix –, il avait ouvertement admis avoir crié devant Lavinia et avoir eu envie de la frapper. C'était certainement là une réaction naturelle, à propos de laquelle il avait écrit de manière naturelle, sans artifice.

— Une bonne taloche lui ferait sans doute le plus grand bien, murmura Mina, contrariée, avant d'exploser de rire.

Bon sang, elle se trouvait là, à l'âge de soixante-quatorze ans, à se comporter comme une adolescente.

Et souviens-toi, se dit-elle. *Tu ne l'as jamais vu. Oh, je sais que tu as une image de lui. Une carrure militaire, cheveux gris abondants, distingué. Les yeux brillants, plutôt sexy. Eh bien rêve donc, dirait Jack. Il mesure sans doute un mètre dix et il n'a plus un poil sur le caillou.* « *Sans dents, sans yeux, sans goût, sans rien du tout*[1]. »

Soudain revenue à elle, elle commença à rédiger sa réponse.

De : Mina
À : Elyot
Bonjour Elyot,
Oh, mon cher, les choses semblent plutôt sombres de votre côté. Pas tant cette histoire de cataracte – terrible, mais elle peut être prise en charge sans trop de douleur, d'après ce qu'on m'a raconté –, mais plutôt cette pauvre Lavinia. Cela doit être une vraie misère pour vous deux, mais je me demande s'il est sage de tenter de lui faire voir la réalité en ce qui concerne votre médecin, et tout

1. Phrase tirée de Shakespeare (*Comme il vous plaira*, acte II, scène 7).

ça. Il peut paraître contraire à la logique, je le comprends très bien, de s'accommoder de ses fantaisies mais, en vous opposant à elle vous pourriez : a) la rendre encore plus déterminée dans son insistance, et b) détériorer sa confiance en vous. Il est important qu'elle sente que vous êtes de son côté et, après tout, est-ce si grave si vous devez jouer un peu la comédie ? Votre médecin peut comprendre – je suppose qu'il doit voir et entendre les choses les plus folles –, et je me demande si vous ne devriez pas en parler avec lui. Vous n'êtes pas obligé d'aller dans les détails, je doute qu'il soit choqué. Une telle situation (et cela pourrait aller de mal en pis) ne peut que vous faire du mal à tous les deux. Je crains que vous ne soyez déjà dans une voie sans issue et que l'important soit de préserver l'amour et la confiance qui vous unissent.

Oh, cher Elyot ! Je viens de me relire et j'ai l'impression d'être une sorte de mélange bas de gamme entre Mère Teresa et Mary Whitehouse[1]. Avez-vous remarqué à quel point il peut être facile de faire la morale aux autres et d'évoquer leurs dilemmes ? Eh bien, les rôles pourraient s'inverser bientôt. Je viens de recevoir un appel de Lyddie, qui rentre à la maison pour quelques jours. Son mari, il semblerait, est un chaud lapin. Elle a un grand besoin de tendresse et d'amour. Le moment ne pourrait pas être plus mal choisi car la pauvre Nest est dans un état lamentable. Son côté imprévisible… Je n'ai rien à ajouter, sauf : gardez-moi une place dans vos pensées.

---

1. Excessivement puritaine, Mary Whitehouse (1910-2001) militait pour la censure des médias britanniques.

XXV

— Le moment ne pourrait pas être plus mal choisi, dit Nest, les traits tirés, fatigués. Avec Helena et Rupert sur le point de partir en vacances.

— Essaie de ne pas anticiper des problèmes qui n'existent pas, dit Mina d'une voix douce. Lyddie n'est là que pour trois jours. Elle a seulement besoin d'un temps de pause pour reprendre son souffle.

— Quel sale type ! s'écria Nest. Je ne l'ai jamais aimé. Doucereux, charmeur. Toujours souriant. On ne devrait pas faire confiance aux gens qui sourient tout le temps.

— Oh, Nest, fit Mina, incapable de se retenir de rire. Il est maintenant trop tard pour prétendre refaire la partie, j'en ai bien peur.

Nest la regarda un moment, avant de s'esclaffer.

— Mama disait tout le temps ça, dit-elle. Tu te souviens ?

Et elles rirent encore, jusqu'à ce que Georgie les surprenne, venant chercher son petit-déjeuner.

— De quoi riiez-vous ? demanda-t-elle, sur un ton amical.

Nest se retint cette fois de répondre « de rien », ce qui aurait exclu sa sœur. Elle dit plutôt :

— Nous nous souvenions de cette manie qu'avait Mama de dire qu'on ne pouvait pas faire confiance aux gens qui refont sans cesse la partie. Un truc idiot, vraiment.

— Mais sans doute vrai, dit Georgie. Il y a du porridge, ce matin, Mina ?

Nest et Mina échangèrent un regard soulagé devant cette réponse sensée, espérant que cela dure.

— Si tu en as envie, répondit Mina avec entrain. Oh, et il y a Lyddie qui va venir nous rendre visite, elle arrive un peu plus tard dans la matinée. Elle va rester ici deux ou trois jours. Juste une petite pause entre deux travaux !

— Oh, fit Georgie, apparemment un peu déçue. Je voulais aller à Lynton ce matin, pour prendre un livre à la bibliothèque.

Elle fronça les sourcils.

— Je ne sais pas si je vous l'ai dit, ils ont reçu celui que je voulais...

— Oui, dit Nest rapidement. Tout à fait. La bibliothécaire a téléphoné hier après-midi. Mais rien ne t'empêche d'aller le chercher à Lynton.

— Bien sûr que non, acquiesça Mina. Je t'y déposerai un petit peu plus tard.

Ses yeux croisèrent ceux de Nest – « et je la baladerai loin d'ici aussi longtemps que possible », disait le regard complice qu'elle lui adressa. Mina sentit la tension de Nest diminuer. Tandis qu'elles prenaient leur petit-déjeuner, elle se demanda s'il allait être possible d'éloigner Georgie de Lyddie la plupart du temps. Cela serait fatigant, mais alors qu'elle songeait aux moyens d'accomplir un tel exploit, les chiens se mirent à japper et elles entendirent la voix de Lyddie dans le vestibule.

Mina l'accueillit la première. Elle la serra fort dans ses bras.

— C'est un plaisir pour nous, dit-elle. Oh, ma chère enfant...

Elle regarda Lyddie dans les yeux à nouveau, lui murmurant des petits mots doux.

Nest arriva derrière elle, dans son fauteuil, à faible allure. Elle put à peine supporter la souffrance qui se peignait sur le visage de Lyddie. Elle prit sa main tendue et la serra dans la sienne jusqu'à ce que Lyddie se penche pour l'embrasser.

— Je ne vais pas super bien, marmonna-t-elle, au bord des larmes.

Pour le bien de Lyddie, Nest ravala sa propre douleur autant que sa colère, et lui secoua la main.

— Tu vas nous raconter ça, dit-elle. Si tu veux. Peux-tu supporter la présence de Georgie ?

Lyddie hocha la tête, se redressa, tenta de sourire, et ses deux vieilles tantes la contemplèrent avec tendresse, la soutenant, l'enveloppant de leur amour, lui communiquant leur affection.

— C'est le Nemrod, tenta-t-elle d'une voix plus légère. Je le laisse sortir ? Vous savez que le Chapitaine le terrifie, d'autant qu'il est déjà stressé parce qu'il sent que les choses ne vont pas tout à fait pour le mieux...

— Bien sûr, on doit le laisser sortir ! s'écria Mina. Si le Chapitaine est incapable de bien se tenir, il va se retrouver enfermé dans le hangar à bois. Va le chercher et viens ensuite boire un café. J'étais sur le point de déposer Georgie à la bibliothèque de Lynton ; pendant ce temps, Nest et toi pourriez avoir une bonne petite conversation, ou tout ce que vous voulez. Je vais laisser les chiens dehors un bout de temps et tu peux faire rentrer le Nemrod, comme ça, il s'habituera à la maison. Tout ira bien. Préviens-moi lorsqu'il est dans le vestibule et je laisserai les miens sortir par la porte de la cuisine. Ils n'y verront que du feu !

Le Nemrod, ravi de recouvrer la liberté, crapahuta en tous sens sur la pelouse du jardin et fut bientôt de retour, la queue agitée, la langue pendante. Il semblait soulagé d'être à Ottercombe, malgré l'éventualité angoissante d'un face-à-face avec le Chapitaine. Il sentait une sorte de sécurité qui lui avait paru absente au cours des dernières vingt-quatre heures à Truro. Ils entrèrent, donnant le signal à Mina qui ouvrit avec soulagement la porte de la cuisine de manière à ce que ses trois chiens hurlants, désormais fous de curiosité frustrée, se précipitent dans la cour telles des flèches blanches ébouriffées, jusque sur le devant de la maison, et commencent à fureter pour dénicher l'intrus.

— Je vais les emmener avec moi en voiture, fit Mina tout en se penchant pour caresser la tête du Nemrod. Ne t'en fais pas, ils vont se calmer. Pauvre petit, tu dois être épuisé.

Le Nemrod aplatit ses oreilles pour répondre à ces amabilités. Ce faisant, il parvint à avoir l'air à la fois pathétique et courageux. Il était exténué. Réveillé très tôt, traîné en balade alors qu'il faisait à peine jour, puis poussé dans la voiture pour un voyage de deux heures... Sa queue battait contre la chaise de Georgie et elle le regarda avec considération tandis que Mina lui donnait un biscuit ou deux en compensation de ses souffrances. Il les croqua joyeusement et Georgie lui tapota la tête.

— Tu es un bon gros monsieur, lui dit-elle avec admiration. Ça te dirait, une petite promenade sur la plage ?

— Je suis certaine que oui, acquiesça Mina. Mais Lyddie a besoin d'un café et toi, tu dois aller à Lynton. As-tu besoin d'autre chose que ton livre à la bibliothèque ?

— Je ne sais pas, dit Georgie, distraite. Je ne me rappelle plus...

— Pas grave, répondit Mina, très calme. Nous avons toute la matinée pour faire nos courses. Va te préparer pendant que je fais la liste.

Une timidité les envahit une fois que Georgie eut quitté la pièce. La nécessité de faire du café pour Lyddie dissipa un peu cette impression et une légère agitation s'ensuivit, au cours de laquelle elles prirent toutes bien soin de ne pas se regarder les unes les autres. L'atmosphère fut allégée par l'apparition des trois chiens à la porte de la cuisine, où ils se tinrent en rang, fixant avec indignation le Nemrod par la fenêtre, lui qui s'était affalé de tout son long sur le plancher de la cuisine, profondément endormi.

— Ça vous est déjà arrivé, de vous faire avoir ? demanda Mina à la ronde.

Même Lyddie éclata de rire. Georgie apparut avec son manteau et son chapeau, portant un grand sac ; Mina ramassa ses affaires et l'entraîna dehors. On entendit le bruit habituel des chiens encouragés à monter dans le camping-car, le moteur fut mis en route et, finalement, le silence se fit.

Lyddie but son café, se moucha, et fixa la table. Nest la considérait avec sympathie.

— Si tu n'as pas envie de parler, ça ne fait rien, lui dit-elle. Tu n'es pas obligée, tu sais. Peut-être as-tu seulement envie de penser à tout ça en terrain neutre pour te donner un peu le temps de respirer. Fais comme tu en as envie.

Elle s'éloigna de la table en roulant, tournant ses regards vers la rocaille, et sirota son café.

— Ce qui est chouette avec toi et tante Mina, c'est que vous êtes de votre époque. C'est étrange, vraiment. Je ne pouvais pas imaginer où aller, sinon chez vous. Roger et moi n'avons jamais vraiment été proches et je ne connais presque pas Teresa. J'ai pensé à Jack et Han, mais ça ne semblait pas l'idéal, avec leur maison qui grouille d'enfants. À Truro, il n'y a pas d'espace pour des moments comme celui-ci, tu vois. Pas de chambre d'amis où se réfugier, ni de deuxième salon. Et je ne savais simplement pas comment gérer la situation. Mina t'a-t-elle expliqué ?

— Elle m'a dit que Liam t'avait trompée avec Rosie et peut-être quelques autres, fit Nest, toujours tournée vers la cour. Nous avons eu l'impression qu'il ne niait pas les faits.

— Non, il ne nie pas, dit Lyddie amèrement. Il ne pense pas non plus qu'un changement de son comportement soit une option envisageable pour lui.

— Voilà ce qu'on pourrait appeler une impasse, murmura Nest.

— J'y ai réfléchi la nuit dernière, et encore sur la route en venant ici, ajouta Lyddie, qui poussa sa tasse sur le côté, avant de poser la tête dans ses mains. Le truc, tu vois, c'est qu'on a une vie si étrange… Je ne peux simplement pas recommencer comme avant. Rosie a raison lorsqu'elle dit que, désormais, je ne pourrai jamais savoir avec laquelle de ces femmes il batifole. Je me sens tellement humiliée. Comment pourrais-je un jour retourner à L'Endroit ? En sachant ce que je sais ?

— Quelle habileté de la part de Rosie, n'est-ce pas ? Ses mots ont détruit ta sérénité.

— Il n'a même pas pris la peine de se défendre. Il semble croire que, parce qu'il m'a épousée, ça ne devrait pas me déranger. « Les autres m'importent peu. » Je le cite.

— Et, en ce qui le concerne, c'est sans doute vrai. Les autres sont sans doute classées dans la même catégorie que « pinte de bière » et « bonne prome-

nade ». Nécessaires sur l'instant, brièvement satis-
faisantes, facilement remplaçables.

La chaise de Lyddie racla les tommettes.

— Mais tu ne crois pas que je devrais accepter
de vivre ainsi, n'est-ce pas ? fit-elle anxieusement.
Comment te sentirais-tu, toi, si l'homme que tu
adores s'envoyait en l'air avec quelqu'un d'autre ?

Il y eut un silence. Le Nemrod grogna dans son
sommeil, s'étira, tandis qu'au-delà de la porte vitrée
un rouge-gorge picorait des miettes de pain grillé.

— Éventrée, finit par confier Nest. Trahie. Malade
de jalousie, et littéralement éviscérée. Je ne voudrais
être vue de personne, je me sentirais impuissante,
sans défense, mais le pire et le plus humiliant serait
que je l'aime encore et que je continue à le désirer
plus que tout au monde.

— C'est beaucoup trop précis pour être une hypo-
thèse d'école, finit par commenter la jeune femme.
Alors, qu'as-tu fait, après que ça t'est arrivé ?

— Je ne disposais pas de beaucoup d'options. Et
nous n'étions pas mariés. La situation était différente,
mais si tu demandes si j'ai lutté pour mon territoire, la
réponse est « non ». J'étais trop humiliée et je ne pouvais
supporter l'idée que qui que ce soit d'autre l'apprenne.

— Eh bien, c'est un luxe auquel je n'ai pas droit, fit
sévèrement Lyddie. J'ai envie de vomir lorsque je pense
à tous ces soirs où je suis entrée dans ce putain de bar
à vins où tout le monde se disait : « Pauvre idiote, si
seulement elle se doutait… » Et toutes ces femmes…

Elle déglutit.

— Comment a-t-il pu me faire ça ?

Nest hocha la tête.

— C'est à se demander s'il pense de la même
manière que les autres, non ? poursuivit Lyddie. C'est
comme la cruauté envers des enfants sans défense.
On se demande comment l'esprit des gens fonctionne

vraiment. On dirait que chez certains, il manque un petit bout, ou qu'ils pensent sincèrement disposer d'un droit divin pour opérer hors des règles usuelles, celles qui balisent la conduite de la plupart des gens. Liam semble dominé par une sorte d'urgent besoin de réussir et ses pulsions sexuelles pourraient bien faire partie intégrante de ce mécanisme. Ça expliquerait sa passion pour L'Endroit et sa volonté d'en faire un succès. Au mieux, c'est amoral plutôt qu'immoral. Il a une vision étriquée de la vie et il est prêt à sacrifier toute chose comme toute personne à son ambition.

Nest regarda Lyddie et fut choquée par sa pâleur, par les ombres sous ses yeux.

— Tu as l'air épuisée. Ma pauvre chérie. Ne crois-tu pas que tu devrais te reposer ?

— Je n'ai pas dormi la nuit dernière, admit Lyddie. Et je suis absolument lessivée. J'ai l'impression que ma tête est sur le point d'exploser.

— Prends un cachet et va au lit, suggéra Nest. Si ça ne fonctionne pas, reviens et nous essaierons autre chose.

— Allez, je vais faire une tentative. Maintenant que je suis ici et que j'ai vidé mon sac, je crois que je pourrai dormir. Non, ne t'en fais pas. Je ne veux pas de somnifère. Je vais dans ma chambre habituelle ? Super. Je te verrai plus tard, Nest. Et merci.

Elle se pencha pour embrasser sa joue.

— Tu as été géniale.

Une fois Lyddie partie, Nest prit conscience que, pour la toute première fois, elle avait complètement omis le préfixe « tante » en s'adressant à elle. Elle eut un petit sourire. C'était peut-être un compliment. Elle resta assise, regarda dehors, écouta la respiration régulière du Nemrod, et songea à Connor.

XXVI

C'est Mina qui, ignorant la situation, organise les choses pour que Connor aille prendre le thé avec Nest, juste avant la fin du trimestre. Sa lettre à Mina, la remerciant pour son après-midi à Ottercombe, en fait la suggestion très désinvolte – puisqu'il se trouvera près de l'école à la fin de la semaine suivante. « Si votre mère l'approuve, bien évidemment, et que la directrice de d'école de Nest le permet. »

Nest se sent soulagée d'apprendre que Connor a réussi sa visite à Ottercombe, mais la lettre de Mina fait résonner un signal d'alarme qui la rend mal à l'aise : « Il est très amusant et nous a fait rire. Mama a été charmée, mais pas autant d'ailleurs que lui-même ne l'a été par Henrietta, qui nous rendait visite pour le week-end. De toute façon, il nous a envoyé un mot de remerciement et demande si tu aimerais aller prendre le thé avec lui... »

— Il semble que ta visite à ma famille ait été un vif succès, commence-t-elle avec légèreté, une fois qu'ils sont assis dans le salon de thé de la petite bourgade.

D'autres familles sont attablées tout autour, avec leurs filles, et Nest est forcée de s'adapter à un décorum qui ne lui plaît pas du tout.

— Mina dit que tu as beaucoup impressionné Mama.

— C'est une femme adorable, dit-il calmement.

Il paraît à son aise, mais elle sent qu'il est tendu. La peur s'empare d'elle et ses doigts chiffonnent la serviette de papier sur ses cuisses.

— J'ai compris d'où vous teniez votre beauté, toi et tes sœurs, continue-t-il.

— Nous nous ressemblons toutes.

Elle voudrait prendre sa main, le toucher, le forcer à la regarder comme il faut, mais du coin de l'œil elle aperçoit la mère de la petite Lettice Crowe, élégante avec son foulard marine, qui les toise, et tente de se faire remarquer.

— Comment as-tu trouvé Mina ?

— Ah, Mina.

Il sourit, de cette façon qui fait fondre le cœur de Nest.

— C'est un ange, vraiment. J'aurais pu la reconnaître n'importe où, avec tout ce que tu m'avais dit d'elle. Une âme exceptionnelle.

— Et Henrietta ? Crois-tu qu'elle soit une âme exceptionnelle ? Il paraît que tu as fait sa connaissance également ?

L'arrivée du thé permet à Connor de reprendre ses esprits mais Nest, épiant son visage, sait que sa prémonition s'avère juste. Il sourit brièvement à la serveuse et avance sa chaise, faisant mine de réarranger les tasses, de vérifier l'eau chaude. Enfin, il la regarde et la vérité est là, dans ses yeux, révélée.

— Oui, dit-il. J'ai rencontré Henrietta.

Il soulève la passoire et la théière et remplit les deux tasses. Nest sait qu'elle n'aurait jamais pu réussir cet exploit sans trembler. À cet instant, la pleine décennie qui les sépare s'étire jusqu'à sa taille maximale. Il est sous contrôle, serein. Alors qu'elle est sur le point d'éclater en sanglots. Elle songe à Henrietta, à sa beauté, son esprit vif, sa confiance en elle, sa sophistication, et se sent misérable, consciente de sa propre immaturité. Il place le lait et le sucre à portée de main, pousse une tasse vers elle.

— Bois.

Cette injonction tranquille, ferme, la force à le regarder. Avec un léger mouvement de tête, il attire son attention sur les autres familles intéressées par leur rencontre et elle réagit instinctivement. Elle boit son thé, obéissante, soulève sa tasse d'une main tremblante, avant de la reposer dans sa soucoupe, avec un très léger tintement. Il remplit la théière et lui offre le plateau de gâteaux, le faisant tourner lentement, de façon presque taquine, comme pour tenter son appétit. Elle les regarde. Des rochers décorés de cerises glacées, un grand éclair au chocolat dégoulinant de crème en poudre reconstituée, un assortiment de carrés sucrés couronnés de quartiers d'oranges confites. Le dégoût la prend, et elle déglutit avec difficulté à l'idée de croquer ces collantes sucreries. Connor continue à faire tourner le plateau, tout en l'observant. Elle prend un rocher, ce qu'elle trouve le moins révulsant, et le pose dans son assiette.

— Je voulais te voir, dit-il avec douceur, parce qu'il me fallait te dire quelque chose en personne, et non par lettre. Ça n'a pas seulement à voir avec Henrietta. Je suis trop vieux pour toi, Nest, et tu sais que c'est une chose qui me cause des soucis depuis le tout début. Ma rencontre avec ta famille a confirmé mon opinion. J'ai l'âge de Mina. Je suis même plus vieux qu'Henrietta. Il ne leur est jamais passé par la tête, même un instant, que nous puissions être plus que de vagues connaissances, mis en contact par mes amis de Porlock. Elles te voient toujours comme une enfant – oh, oui, je sais que tu as dix-huit ans, mais tout à coup, je l'ai vu dans leurs yeux et j'ai réalisé ce que j'avais fait.

Il se penche vers elle, souriant très légèrement, comme s'il racontait une histoire ; dissimulant délibérément la tension qui règne entre eux, devant ses camarades d'école et leurs parents. C'est une parodie grotesque de l'intimité qu'elle désirait et elle comprend maintenant pourquoi il s'est assuré de la faire asseoir de façon à ce qu'elle soit protégée de la curiosité générale. Mme Crowe tente toujours d'attirer son regard à lui.

— On appelle ça un « voleur de berceaux ».

Sa voix chaude, souple, rend la chose presque amusante.

— Je ne peux pas continuer, Nest. C'était l'un de ces interludes magiques qui se produisent hors du monde réel mais qui se ratatinent lorsqu'ils sont exposés à la dure réalité. J'en ai eu la certitude lorsque j'ai rencontré ta famille.

Elle boit une gorgée de thé et brise le coin de son rocher. Le cocon d'Ottercombe et de cette école ne l'a pas préparée à ce genre d'expérience. S'ils étaient seuls, elle pourrait plaider sa cause, le serrer contre elle, tenter de le faire changer d'avis – mais que faire, en cet endroit fleuri, gentillet, entourée de ses vigilantes camarades ?

— Essaie de ne pas être trop dure avec moi. Ce n'est pas facile, Nest, je te jure, de te laisser partir.

Bizarrement, c'est lorsqu'il implore sa compréhension que, soudain, elle redresse le buste. Elle repousse son assiette et y jette les lambeaux de sa serviette en papier.

— J'ai un terrible mal de tête, dit-elle, très clairement, de façon à ce que celles qui écoutent puissent l'entendre. Je suis sincèrement désolée, Connor, mais je suis incapable d'avaler quoi que ce soit. Crois-tu que nous pourrions rentrer, tout de suite ?

Elle sourit à ses amies en passant parmi elles sur le chemin de la sortie, ignorant le geste d'inquiétude ostentatoire de Mme Crowe, et ils roulent en silence jusqu'à l'école. Il est trop intelligent pour risquer toute conversation supplémentaire qui pourrait entraîner des larmes, des suppliques ou des reproches. Il cache sa propre tristesse, sachant qu'elle a besoin de toute sa fierté et de tout son courage pour rentrer en conservant intacte sa dignité.

Quelques jours plus tard, elle reçoit une courte lettre de sa main, une redite des propos qu'il lui a déjà tenus – gentils mais fermes –, pourtant, elle ne parvient toujours pas à avaler toute cette histoire : elle l'aime trop. Ce n'est que lorsqu'elle rentre à Ottercombe, plus d'un mois plus tard, que Nest finit par croire que c'est vraiment fini, qu'il ne va plus l'appeler, ni apparaître soudain pour lui dire qu'il a fait une terrible erreur. Elle s'invente des scénarios dans lesquels il revient vers elle ; elle court répondre au téléphone ; elle s'empresse d'aller relever le courrier. Elle voudrait tout dire à Mina, mais n'arrive pas à l'admettre. Puis, le matin du 15 août, Mina reçoit une lettre d'Henrietta.

Lorsque Mina lit la lettre à Lydia – en version soigneusement expurgée – autour de la table du petit-déjeuner dans le petit salon, Nest comprend finalement que tout est fini.

— Connor et moi nous voyons très souvent. Tu te souviens de Connor, Mama ? Il est venu nous rendre visite... Et il passe très souvent à Londres. Nous avons découvert quelques amis communs et il m'a invitée à une fête à Oxford le week-end prochain, qui s'annonce très amusante...

Nest est la proie d'une telle souffrance que le reste de la lettre ne parvient pas à ses oreilles. Elle les imagine ensemble, sachant désormais qu'elle n'a pas la moindre chance de reconquérir son cœur. Il fréquente la plus séduisante de ses sœurs, comment pourrait-elle espérer rivaliser ?

Mina termine la lettre, plie les feuillets et la pose près de son assiette, laissant Nest perdue dans un vide tout gris ; un avenir où Connor ne figure plus. La pluie tambourine contre les carreaux, faisant sombrer son moral encore plus bas.

— Je ne me souviens pas d'un été aussi pluvieux, dit Lydia. La pelouse est comme une éponge.

— De nombreux cours d'eau débordent, dit Mina. Mais ça ne va pas durer longtemps comme ça. Même notre petit ruisseau est sur le point de quitter son lit.

La promenade vers la plage lui procure une sorte de satisfaction mélancolique, même si Nest voit une cane et ses canetons emportés à grande vitesse par le courant, dégringoler de grosses pierres en branchages. Les petits suivent de manière presque comique leur maman dans sa recherche d'eaux plus calmes où se reposer. Nest les suit, tellement préoccupée qu'elle met un certain temps avant d'apprécier à sa juste valeur la quantité d'eau qui dévale des hautes landes. Toutes sortes de petites sources jaillissent de la façade rocheuse comme si – c'est l'expression locale – la pierre était pressée tel un citron. Cette eau va rejoindre le ruisseau qui cascade vers la plage. Au commencement, le côté dramatique de la scène, le rugissement constant de l'eau, les cris des goélands, sont en accord avec son humeur. Cependant, elle est prise d'un étrange pressentiment. Comme si, aujourd'hui, la force de la nature était trop puissante pour elle. En temps normal, son gigantisme implacable, sa puissance, lui apportent le réconfort, replacent ses petites craintes dans leur contexte, mais aujourd'hui, il y a une férocité grandissante dans le pur vacarme causé par les éléments, les trombes qui déboulent des falaises, les vagues s'écrasant contre la plage, la lourdeur de la pluie qui se plaque contre la pierre.

Lorsqu'elle rentre à la maison, elle est soulagée de voir que Mina a déjà allumé un feu au salon.

— Mama n'est pas tranquille, dit-elle à Nest. C'est ce misérable temps de chien. Pure folie que d'allumer un feu au mois d'août, mais je crois que nous en avons besoin. Je viens de faire du thé, alors retire ton imperméable dégoulinant et va lui parler. Essaie de rester gaie, sinon elle angoisse. Rien de particulier, elle est comme ça. Si seulement cette misérable pluie pouvait cesser !

La pluie, cependant, ne s'arrête pas. Elle augmente en cours de soirée puis, vers vingt heures trente, un nuage de plus explose et quinze centimètres d'eau s'abattent en une heure. Dans les Chains, incapables de pénétrer le sol compact, les torrents se dévident à travers la lande, rassemblant tout devant eux dans leur course folle vers la mer ; d'immenses pierres et des arbres sauvagement déracinés enfoncent les ponts et les charrient vers l'avant de telle manière qu'à la fin les débris constituent une sorte de monstrueux bélier. Maisons et bâtisses sont pulvérisées comme des châteaux de cartes ; la West Lyn sort de son lit et part détruire routes, chapelles, boutiques et résidences, avant de se joindre à la East Lyn. Ensemble, elles zigzaguent violemment, profondes de sept mètres, transportant en elles cent mille tonnes de cailloux qui créent un barrage haut de huit mètres, jusqu'à ce que la pression fasse en sorte que l'immense marée se fraie un chemin dans un puissant vrombissement, emportant constructions, voitures et animaux loin au large.

À Ottercombe, Mina et Nest emploient de vieux sacs de sable pour empêcher l'eau de pénétrer dans la cuisine et regardent le ruisseau gonflé se répandre sur la pelouse et venir lécher les bords de la terrasse. Elles sont trop inquiètes concernant leur propre sécurité pour songer un seul instant à ce qui peut se passer plus haut sur la côte. Ce n'est qu'au matin que l'étendue de la dévastation se révèle – sur Lynmouth Street, auberges et maisons ont disparu sans laisser de trace. Le chemin est enterré sous la boue et recouvert de grands rochers, tandis qu'à un kilomètre au large, des centaines de grands arbres se tiennent debout, soutenus par leurs énormes racines, arrachés au sol – et on commence à raconter les gestes héroïques, en même temps que les tragédies.

Les femmes d'Ottercombe écoutent, sous le choc, leur poste de radio. Elles lisent les journaux avec horreur et remercient le ciel de leur sort enviable. Le chagrin personnel de Nest se mêle au deuil général et, désormais, ces désastres jumeaux, l'inondation de Lynmouth et la perte de Connor, seront pour elle inextricablement enchevêtrés.

XXVII

De : Mina
À : Elyot
Cher Elyot,
Quelle réunion de famille ! Lyddie est arrivée juste avant
le petit-déjeuner, l'air hagard. Oh, mon cher ! Les choses
sont clairement aussi terribles que nous l'avions craint.
J'ai emmené Georgie à Lynton – c'est une tout autre
histoire – en laissant Nest et Lyddie tranquilles toutes
les deux. Nous espérions que Lyddie serait capable de
parler de ses problèmes avec elle et, apparemment, ça
a été le cas. Cependant, Nest a trouvé l'expérience douloureuse, comme vous pouvez l'imaginer. (Vous ignorez
qu'il y a eu une longue pause entre la phrase que je
viens d'écrire et celle d'avant.) Mon cher Elyot, je suis
stupéfaite de constater à quel point je me suis confiée
à vous. Je vous ai fait cadeau de tant de nos secrets.
Ce faisant, je me suis libérée d'une partie du fardeau
que j'ai sur les épaules, mais je nous ai toutes placées
dans une position vulnérable. Il est étrange de constater
à quel point il a été facile pour moi de devenir intime
avec une personne que je n'ai jamais vue. Je sais qu'il
nous a fallu un bout de temps pour devenir de vrais
confidents, malgré tout, la facilité avec laquelle j'ai fini
par vous faire confiance est effarante et je peux voir
pourquoi les parents sont angoissés à l'idée que leurs
enfants « tchatent » sur Internet. Serait-ce aussi facile par
téléphone ? Je ne crois pas. Du moins, pas aussi rapidement. Nous avons tous connu ces moments en compagnie

d'étrangers, l'expression soudaine d'un souci, sachant que chacun repartira ensuite de son côté, mais j'ai fini par dépendre de vos conseils et de vos encouragements d'une façon très différente. L'écriture semble se prêter à une sorte de familiarité naturelle.

Enfin, Nest trouve la situation difficile. Lyddie lui a demandé : « Comment te sentirais-tu si l'homme que tu adores partait avec une autre femme », ou quelque chose de ce genre. Eh bien, Nest lui a dit exactement comment elle s'était sentie et elle est désormais inquiète à l'idée que Lyddie puisse lui poser des questions plus précises à ce sujet. Oh, comme les cachotteries et notre volonté de préserver l'image que nous avons de nous-mêmes peuvent faire de nous des prisonniers ! Pourtant, ce n'est pas la faute de Nest si elle a été forcée de pratiquer la dissimulation durant toutes ces années. Enfin, nous avons réussi à vivre cette journée jusqu'au soir sans autres terreurs, bien que nous soyons comme des chats sur un toit de tôle brûlante... Elyot, c'est que je peux sentir que « ça » approche... Une sorte de juste retour des choses, pour nous toutes. Nest l'a senti en premier, bien sûr. Il y a des semaines, lorsque Helena a téléphoné pour nous demander si nous pouvions nous occuper de Georgie jusqu'à ce qu'une maison de retraite puisse la prendre en charge, Nest a senti les premières secousses.

Pour ce qui est de Georgie... Bien, vous n'allez pas croire ce que je vous raconte, Elyot, mais ce matin, je l'ai perdue ! Oh, l'horreur me serre toujours le ventre, quoique je ne puisse également m'empêcher d'en rire, tout à la fois. Elle était de belle humeur, habillée de pied en cap pour Lynton, et seuls des yeux très attentifs auraient pu remarquer qu'elle portait des chaussures identiques mais de couleurs différentes. L'une noire, l'autre marron. Nous sommes parties dans la joie, en voiture, les chiens derrière, par ce beau matin clair. Elle était en forme. Elle s'est souvenue d'endroits avec beaucoup de précision lorsque nous sommes passées tout à côté. Ai-je pensé à vous dire que je me pose la question : son retour à Ottercombe n'est-il pas la pire chose que nous ayons pu faire à Georgie ? Enfin, c'est ce que je crois. Elle passe son temps à se faire renvoyer vers le passé et on voit bien qu'elle lutte pour demeurer ancrée dans le présent. On dirait, je crois, qu'il est plus facile pour elle de dériver vers l'arrière, qu'elle se souvient très bien d'épisodes vieux de quarante ans, alors qu'elle oublie ce qu'elle a fait la veille. Peut-être cela fait-il partie de sa démence. Évidemment, personne ne souffre plus de démence, n'est-ce pas ? Et surtout pas de démence sénile ! Oh, mon cher, quel mot politiquement incorrect : « sénile ». Il vaut beaucoup mieux le masquer par le mot Alzheimer, plus élégant, plus acceptable. La question est : ces deux troubles désignent-ils la même chose ?

Quelle que soit la vérité à ce sujet, Georgie semble certainement prête à glisser dans le passé lointain et se souvient de beaucoup de choses étranges. Ce matin, nous parlions de la mort de Papa, juste après la guerre. Elle s'était retrouvée chargée de veiller sur Josie et Henrietta, alors que celles-ci étaient toujours célibataires. Elle est très lucide, et même drôle, et voilà toute la tragédie. Nous arrivons à Lynton, nous garons le camping-car et nous nous mettons en route pour la bibliothèque. Nous sommes à cet âge, Elyot, qui fait ressortir le meilleur chez les plus aimables de nos concitoyens et on nous assiste, on nous sert, on nous sourit. Et c'est très bien. Nous chargeons les courses dans le véhicule, et nous voilà déjà attablées au café, en train de siroter nos tasses, lorsque je me rends compte que j'ai oublié d'acheter du pain. Je dis à Georgie que je dois filer à la boulangerie et que je reviens ; je lui demande de ne pas bouger jusqu'à mon retour.

Je cours, j'achète le pain, je reviens. Pas de Georgie. La serveuse, plutôt surprise par mon inquiétude, me dit que ma sœur s'est brusquement souvenue de quelque chose et s'en est allée. Bon. Bien que j'aie été incroyablement indiscrète avec vous, mon cher ami, je n'ai toujours pas informé les gens d'ici de nos problèmes personnels et je suis forcée de m'assurer qu'elle a payé l'addition – elle l'a fait ! – avant de me jeter dehors sur le trottoir. De quel côté est-elle partie ? Je cours d'un bout à l'autre, essoufflée, je visite tous ses endroits favoris. Pas de Georgie. Les gens me regardent bizarrement et je m'aperçois dans une vitrine : une vieille dame aux bras chargés, les joues écarlates, le chapeau de travers et le foulard à la traîne. Lynton n'est pas une grande ville et j'en ai vite fait le tour. Je passe même voir au centre de santé. Soudain – oh, je prie pour que ce soit vrai ! – je me demande si elle n'est pas retournée au camping-car. Peut-être est-elle, depuis tout ce temps, assise calmement à l'intérieur, à m'attendre. Je commence à courir – pourquoi n'y ai-je pas pensé avant ? Je ne verrouille jamais, au cas où un accident se produirait et que les chiens ne puissent plus sortir. Après tout, si des voleurs ont l'intention de s'embarrasser d'un vieux véhicule tout cassé, livré avec ses fauteuils mités, eh bien, pauvres hères, c'est qu'ils en ont plus besoin que moi ! Mais elle n'est pas à l'intérieur. Le Chapitaine jappe avec enthousiasme, Boyo Bon-à-rien me regarde anxieusement par la lunette arrière, mais... pas de Georgie.

C'est en faisant une dernière tentative désespérée avant de me rendre au poste de police que je l'aperçois, debout sur la chaussée, dans une ruelle transversale, fascinée par une quelconque maison de ville. Quelque chose, dans sa manière de se tenir, me prévient de ne pas la héler avec impatience. Je marche vers elle. « Je me demandais où tu étais », dis-je calmement, en m'approchant. « Ça va ? » Elle se tourne, l'air perplexe, triste. « Je cherche Jenna, dit-elle avec mélancolie. Mais je n'arrive pas à la trouver. Ils disent qu'ils ne la connaissent pas, ici. » Jenna, la fille qui nous surveillait quand nous étions gamines, est morte il y a plus de dix ans. Elle et son mari ont déménagé à Lynton dans les années soixante – précisément dans cette maison, dont les rideaux s'agitent, tandis que des visages soupçonneux nous espionnent. Je prends le bras de Georgie. « Jenna a déménagé », lui dis-je, ce qui n'est pas complètement un mensonge, bien que j'espère qu'elle ne me demandera pas où, car la promenade est longue jusqu'au cimetière. « Il faut que nous rentrions à la maison. » Elle me suit volontiers et je lui demande si elle a envie d'une petite balade le long de la côte, ou vers Simonsbath, pour la distraire. Le temps qu'elle soit installée et qu'on découvre que Boyo Bon-à-rien a mangé la moitié de notre miche de pain, je suis sur le point d'éclater en sanglots. Nous démarrons et je vois dans ma tête de quoi nous avons l'air : deux vieilles chouettes à moitié dingues aux cheveux blancs, en train de se battre avec un vieux camping-car pour lui faire prendre les tournants – et tout à coup, je dois le dire, je me mets à rire, mais à rire... Georgie, bénie soit-elle, se joint à moi et les chiens jappent comme des fous jusqu'à ce que je me gare à Brendon Two Gates pour reprendre mon souffle. « Ça, c'était chouette, observe Georgie joyeusement. Alors, où allons-nous, maintenant ? »

Voici donc, Elyot, le petit tableau de notre journée, sous forme de vignettes. Comment s'est passée la vôtre, je me le demande.

De : Elyot
À : Mina
Chère Mina,
Je dois dire, chère vieille amie, que j'ai ri également, cependant j'ai ressenti un tel pincement en lisant la description de Georgie devant la maison de Jenna... Je peux facilement m'identifier à ce genre de situation. Ces sauts entre réalité et – comment dire ? – la « perte du récit », comme dit William. Pour nous, tristement, ces périodes de lucidité deviennent rares. Pendant des heures, elle nous répète la même question, ou le même mot. Ce qui nous rend complètement fous, et reste à la fois si triste... En revanche, j'ai suivi votre conseil et j'ai cessé de tenter de persuader Lavinia que ses folles inventions concernant notre docteur ne tenaient pas debout. Je fais semblant de l'accompagner dans son délire désormais, et je me contente de murmurer quelque chose d'agréable, de hocher la tête, ou de paraître raisonnablement choqué. Je dois dire que c'est aller à contre-courant des recommandations habituelles, qui sont idiotes, j'en conviens. Parce qu'il semble que je conspire avec elle en répandant des mensonges au sujet de cet homme admirable, si tolérant et si efficace. En même temps, je soupçonne qu'il ne serait pas du tout surpris s'il apprenait les sentiments de ma pauvre Lavinia à son égard. Il a déjà vu tout ça, sans nul doute. Je crains qu'elle ne refuse désormais d'aller le voir. Nous sommes en pleine dérive dans un monde crépusculaire mais, comme vous avec votre retour des

choses, je redoute que quelque chose n'arrive bientôt, sur quoi je n'aurai aucun contrôle. Enfin, ce que je veux dire c'est : oui, vous aviez raison en me proposant d'accepter la situation et de « laisser dire ». Lavinia est plus calme et, parce qu'elle n'a plus à me persuader de croire ces horreurs qui lui embrouillent la tête, elle y pense moins et il est plus facile de l'en distraire.

Ma chère Mina, j'ai, moi aussi, été émerveillé par la facilité avec laquelle nous nous sommes glissés dans une telle camaraderie. Nous avons beaucoup avancé depuis le forum de discussion, non ? Pour être sincère, je crois que nous nous sommes tous deux mieux débrouillés face à nos différentes situations, grâce à cette possibilité que nous avons maintenant de lâcher la vapeur. Peut-être est-ce parce que nous ne pouvons pas nous voir que nous sommes à même de nous confier aussi ouvertement l'un à l'autre. Comme vous, je me suis interrogé et j'en ai conclu que ce que nous faisions n'était pas si différent d'une thérapie ou quelque chose de ce genre. Nous avons découvert que nous sommes de la même génération, que nous nous entendons bien, et notre amitié s'est développée de manière très naturelle à partir de là. Peut-être est-ce idiot de faire tant confiance, mais je crois que le temps a démontré que nous avions raison et que vous n'avez rien à craindre de moi. Vous m'avez tant réconforté qu'il m'est impensable ne serait-ce que de songer à la possibilité de vous causer le moindre tort. Je ne vois même pas comment cela pourrait se faire. Mais je comprends vos sentiments. Nous n'avons pas seulement parlé de nous-mêmes ; nous avons également parlé de ceux qui nous sont proches et nous sentons parfois que nous trahissons leur confiance. Eh bien tant pis. Nous l'avons fait par amour pour eux, de manière à mieux comprendre et pour reprendre des forces qui nous permettent ensuite de briller dans nos tâches.

Alors, trinquons à la vie de famille.

XXVIII

— La chose incroyable, c'est que je l'aime encore…

Les trois jours de Lyddie à Ottercombe touchaient à leur fin ; en brossant le Nemrod, affalé, elle planifiait déjà son retour à Truro après le déjeuner. Elle était là, agenouillée sur le sol de la cuisine comme si de rien n'était, vêtue d'un jean et d'un pull à col roulé. Le Nemrod grognait de temps à autre et il s'étira une fois ou deux, mais la plupart du temps il demeurait passif, exténué par leur longue promenade à l'aube sur Trentishoe Down. Après le petit-déjeuner, Mina, Georgie et les chiens étaient descendus vers la plage, tandis que Nest demeurait avec Lyddie dans la cuisine ensoleillée, à la regarder brosser son fidèle compagnon.

— Bien sûr que oui, acquiesça Nest. Ça serait bizarre, autrement. L'amour n'est pas aussi pratique que ça. Je me suis souvent demandé ce que ça pouvait être pour ces pauvres femmes de tueurs en série, qui découvrent subitement tout un côté insoupçonné chez l'homme qu'elles aiment. Comment font-elles ?

— Je suppose que ça peut se produire aussi à l'égard de quelqu'un qui n'est pas votre partenaire, fit Lyddie, un court instant distraite de sa souffrance. Un parent, par exemple.

— Oui, dit Nest après un moment. Possible. Ou un enfant.

— La vulnérabilité des tout-petits est quelque chose d'effarant, observa Lyddie. Jack dit qu'il vit dans la terreur qu'il arrive quelque chose à Toby ou Flora. Le pire, selon lui, c'est qu'on est constamment obligé, pour qu'ils grandissent, de les encourager à entreprendre des activités potentiellement dangereuses – autrement, on en ferait des reclus. Être forcé de décider à quel moment ils sont prêts à se lancer dans la prochaine grande étape... La condition de parent est une chose terrifiante !

— Il y a pire, opposa Nest, d'abord sombre, puis silencieuse.

Lyddie la regarda avec curiosité.

— Quoi donc ?

Silence.

— Voir d'autres personnes prendre ces décisions à votre place, finit par répondre Nest.

Lyddie, l'air pensive, recommença à brosser le Nemrod à grands gestes, pour faire briller son pelage noir et beige.

— Et de deux, dit-elle. La première fois, tu as parlé d'un amant infidèle et maintenant tu parles d'un enfant, mais comme quelqu'un qui sait vraiment ce que ça représente...

Nest la regarda, accroupie près du chien endormi. Son mince visage, pâle sous sa tignasse éclatante, était plein d'une innocente affection – elle avait l'air d'une enfant elle-même. Néanmoins, Nest savait d'instinct que le moment était enfin venu. Nerveuse, les mains serrées sur les cuisses, elle parla, résolument.

— Oui, je sais, commença-t-elle.

Son cœur semblait palpiter dans sa gorge.

— J'ai eu un bébé, vois-tu, il y a des années.

Elle détourna les yeux du visage de Lyddie où s'affichait la surprise, et se concentra sur son propre récit, de peur de perdre courage.

— Ce n'était pas si simple, dans l'ancien temps, d'être une « fille-mère ». On était mise à l'écart de la société et l'on ne pouvait pas non plus compter sur la moindre aide financière telle qu'il en existe aujourd'hui, et il fallait être très riche pour payer une nounou pendant qu'on allait gagner sa vie. J'étais prof d'anglais – oui, tu te souviens de ça – et, à l'époque, je travaillais dans le secteur privé...

— Ils ne t'ont quand même pas mise à la porte ?

Lyddie s'indignait si fort que Nest se força à sourire.

— Non, dit-elle. La directrice était une femme très juste. Et très sensible. Elle m'a offert une année sabbatique. J'étais tombée enceinte à l'automne et j'ai pris congé pour les trimestres de printemps et d'été. Si quelqu'un à l'école a soupçonné quelque chose, personne n'en a jamais rien dit, et j'étais très heureuse d'avoir un travail qui m'attendait au mois de septembre suivant.

— Mais qu'en a dit Mamie ?

Lyddie, qui avait complètement délaissé le Nemrod, était assise sur ses talons, en état de choc, et pleine de sympathie pour Nest.

— Et tante Mina ? Était-elle au courant ?

— Oh oui. Mina savait. Ta grand-maman fut horrifiée, au début, mais c'est Mina qui est parvenue à la calmer. Le problème, pour elle, était surtout la stigmatisation associée au fait d'avoir une fille enceinte hors mariage. C'est probablement très difficile à imaginer pour toi, les mœurs ayant évolué dans le bon sens sur ce chapitre, mais même au milieu des années soixante, être fille-mère constituait une véritable disgrâce...

— Mais le père, interrompit Lyddie. Ne pouvais-tu... était-il...

— Il était marié.

Elle avait parlé si bas que Lyddie se leva et se rapprocha pour prendre place sur une chaise près de la table, tenant toujours sa brosse à chien.

— Oh, Nest...

Nest la regarda.

— Ça n'était pas une aventure, murmura-t-elle avec difficulté. Rien de ce genre. Ce n'est arrivé qu'une seule fois. Mais je l'aimais, vois-tu.

Son visage se flétrit un peu – et elle sourit à nouveau, hochant la tête devant le geste rapide et impulsif de Lyddie.

— Ne t'en fais pas pour moi, dit-elle. Attends. J'essaie de réfléchir.

— Alors Mamie t'a forcée à faire adopter le bébé ? suggéra Lyddie avec douceur, pleine de compassion.

Nest inspira profondément, ses yeux regardèrent la cour sans la voir et elle acquiesça.

— Mmm, fit-elle, maîtrisant sa voix. Il fut décidé que... oui, le bébé allait être adopté. Même Mina fit pression en faveur de cette solution. Tout le monde était d'accord pour dire que c'était la solution idéale pour... enfin... la meilleure solution...

Lyddie se leva, laissa tomber la brosse et vint se mettre à genoux près du fauteuil de Nest. Devant cette souffrance, sa propre douleur s'atténuait.

— Comme c'est affreux.

— Ce fut affreux, oui.

Elle regarda la main chaude de Lyddie posée sur la sienne puis fixa les doux yeux gris qui la contemplaient avec tant d'amour.

— Mais que veux-tu dire par « tout le monde » ? Est-ce que toute la famille le savait ?

— Non, absolument pas. Josie et Alec étaient partis aux États-Unis et Georgie vivait avec Tom à Genève, dans le cadre d'une sorte d'échange de postes. Timmie était dans l'armée, déployé en Allemagne, mais lui, il était au courant. Timmie a été d'un grand réconfort.

— Et Mamie ? Était-elle au courant ?

Nest balaya la cuisine du regard, puis la cour, puis posa à nouveau les yeux sur Lyddie.

— J'ai songé à ce moment un million de fois, dit-elle. Et je ne vois rien de mieux à te répondre que la pure vérité. Oui, Henrietta était au courant. Elle savait, parce que c'est elle qui a adopté mon enfant. Ma petite fille.

Elle observa la confusion faire place à la compréhension et vit la soudaine montée de couleurs aux joues de Lyddie. Nest poursuivit :

— Pardonne-moi, si tu le peux, de briser mon silence aujourd'hui. C'est seulement que...

— Ton enfant ?

— Henrietta n'arrivait pas à enfanter. Elle avait fait de nombreuses fausses couches et elle ne pouvait plus avoir d'autre bébé après Roger.

Nest parlait rapidement, comme si, avec d'autres mots, il lui était possible d'atténuer les effets de la bombe qu'elle venait de faire éclater.

— Et elle désirait un autre enfant... Oh, mon Dieu ! C'est terrible.

Nest songea à différentes formulations et les rejeta ; elles n'étaient, en définitive, que des tentatives pour implorer sa pitié. Elle se sentait faible et malade mais tenta de le dissimuler à la jeune fille, qui restait à ses côtés, les yeux écarquillés, abasourdie.

— Je pourrais ajouter toutes ces choses si évidentes : nous avions l'impression que ça serait l'idéal pour toi ; tu aurais une meilleure vie avec Henrietta et Connor ; tu restais dans la famille.

Elle eut un léger hoquet de dégoût pour elle-même.

— Rien de cela ne saurait répondre à tes interrogations, je suppose. Le souci est que je ne sais pas comment tu te sens. Complètement sous le choc, j'imagine. Évidemment. Trahie ?

Nest déglutit, la gorge sèche.

— Et mon père ? demanda Lyddie après un moment. Était-ce cet homme dont tu m'as parlé, qui t'a délaissée ?

Nest regarda Lyddie et fut étonnée de constater qu'elle lui tenait toujours les mains. Elle s'efforça de s'endurcir avant le prochain obstacle.

— Oui, dit-elle. Je l'aimais.

D'une certaine manière, c'était important. D'une importance capitale.

— Et lui...

Elle pouvait voir tous les pièges, savait que Lyddie, dans l'état de dévastation où elle se trouvait en ce moment, jugerait selon ses propres lumières...

— ... Il était marié, fit Lyddie, terminant la phrase à sa place, mais presque calmement, comme si elle tirait ses propres conclusions.

— C'était Connor.

Nest ne supportait plus de l'entendre jouer aux devinettes.

— Ton père est... Ton père est ton père. Lui et moi...

Elle s'arrêta. Comment raconter cette partie de l'histoire sans condamner Connor au rôle du mari adultère ?

— Lui et moi...

— Vous étiez amoureux avant qu'Henrietta n'entre en scène.

Elles sursautèrent toutes les deux en entendant ces paroles de la bouche de Mina, plantée dans l'encadrement de la porte derrière elles. Leurs mains jointes s'étreignirent convulsivement.

— Georgie gambade dans le jardin avec les chiens.

Elle avait clairement dit cela pour les rassurer et elle sourit à Nest.

— J'ai l'impression que tu es en train de raconter cette histoire en commençant par le mauvais bout. Tu connais la règle ? Commencer par le début... On dirait que tu as tout inversé. Viens, mon enfant.

Elle tendit une main à Lyddie, qui se remit sur ses pieds. Elle semblait hagarde.

— Nest doit se reposer et j'ai des choses à te dire. Lorsque tu auras tout entendu, Nest et toi pourrez causer à nouveau.

Elle passa un bras autour de ses épaules et l'entraîna hors de la cuisine, puis dans l'escalier. Au bout d'un moment, Nest fit rouler son fauteuil dans le vestibule et se dirigea vers sa chambre. Elle referma la porte derrière elle.

Dès qu'elle fut seule, elle se mit à trembler. Que ça se passe ainsi, après plus de trente ans de silence ; après ces dernières semaines de stress intense et d'anxiété... Le moment s'était présenté et elle avait sauté sur l'occasion. Son soulagement était immense. Elle prenait de grandes bouffées d'air, s'apaisait, tentait de reprendre le contrôle de ses membres tremblotants. Qu'avait dit Lyddie, déjà ? Comment avait-elle réagi ? Mina était venue la secourir, comme toujours. Et ce dès le départ, lorsque au cours des premiers jours qui avaient suivi l'inondation et l'arrivée de la lettre d'Henrietta, Nest l'avait mise dans la confidence. Mina pourrait réussir à faire comprendre cette histoire à Lyddie, exactement comme elle était parvenue à la raconter à Mama, jadis.

Elle s'était installée entre Nest et Mama, qui affichait une expression atterrée.

— Ce n'est pas la fin du monde, avait-elle affirmé. N'est-ce pas, Mama ? Cela peut arriver à toutes sortes de gens. N'est-ce pas, Mama ?

Une certaine intensité dans la question avait lentement pénétré la conscience de Mama, jusqu'à ce qu'elle cligne des yeux et se détourne.

— Oui, avait-elle dit. Oui, bien sûr, mais malgré tout...

— Nous allons prendre ça en main, avait poursuivi Mina, souriant à Nest, rassurante. Ne paniquons pas, d'accord ?

Après coup, elle avait dit :

— Mais pourquoi es-tu allée lui balancer ça ainsi, idiote ? Pourquoi ne m'en as-tu pas parlé avant ?

Nest avait hoché la tête, au bord des larmes, incapable de dire un mot. Mina avait deviné :

— C'est Connor, n'est-ce pas ?

— Une seule fois, je le jure.

Nest s'était mise à frissonner de manière incontrôlable, tel un chien fiévreux.

— C'était au baptême de Jack. Connor est venu tout droit d'une conférence, tu te souviens ? Roger était malade et Henrietta avait été forcée de rester à la maison pour prendre soin de lui ! avait crié Nest, pleine de frustration et d'angoisse. Ça a été la seule fois.

Elle s'extirpa du fauteuil roulant pour s'étendre sur son lit et s'empara de ses médicaments. Nest se rappela toutes les réunions de famille ; l'humiliation et le désespoir. Seule Mina savait la vérité. Elle l'avait vue, impuissante, tenter d'étouffer son immortel amour pour Connor. Mina avait souffert avec elle, l'avait fait rire, lui avait donné du courage.

— Allons, cette fois encore, lui disait Mina fermement à propos d'un autre événement familial où Connor était annoncé. Si tu as réussi à survivre au mariage, tu peux survivre à ça.

Ce mariage était devenu l'étalon ; le point de référence.

XXIX

— Mais bien sûr que tu dois être ma demoiselle d'honneur, gémit Henrietta. Et bien sûr que non, tu n'es pas trop grande. Je sais que des fillettes, ça fait joli, mais il faut que ce soit toi. Mina sera trop prise par l'organisation, et tous les soins qu'elle prodigue à Mama. Georgie et Josie doivent s'occuper de leurs bébés. De toute manière, il me faut ma petite sœur. Si tu n'avais pas été là, Connor et moi ne nous serions peut-être jamais rencontrés.

Elle se tourne vers lui avec un air radieux, glisse un bras autour du sien.

— Ça, c'est vrai, dit-il, jovial.

Nest peut à peine le regarder, incapable de supporter ces gestes possessifs et ces caresses qui le lient à sa sœur. Elle écoute, en revanche ; elle écoute car elle veut entendre en quels termes il s'adresse à Henrietta. Elle l'appelle « mon chéri » mais il n'utilise jamais de mots tendres en retour. Nest y voit une sorte d'amère consolation, chérissant les moments où il l'appelait *lady* et l'ensorcelait par le son de sa voix. Il s'assure de ne pas faire naître d'attentes dans le cœur de Nest – il doit n'y avoir aucun regard soutenu –, mais il n'engendre pas non plus quelques soupçons en l'ignorant. Il la traite avec l'affection désinvolte d'un grand frère ; elle doit apprendre à le voir, à l'accueillir, à s'asseoir à ses côtés, dans un simulacre d'amicale indifférence.

Le mariage représente un nouveau type de torture. En tant que principale demoiselle d'honneur, on s'attend à ce qu'elle pétille : on doit la voir se délecter du bonheur de sa sœur et écouter le discours de Connor, au cours duquel il fait remarquer à l'assistance à quel point elle est ravissante et plaisante sur son entrée dans une famille si riche en beautés. Elle est assise là, elle rend leurs regards à ses amis, tous si heureux et si aimables. Elle offre un sourire éclatant à celui-ci, à celle-là, rit aux blagues de Connor. Seule l'expression de Mina, assise du côté opposé de la salle, montre qu'elle comprend. Son visage est grave mais son expression est ferme, elle montre secrètement qu'elle reconnaît sa douleur et soutient Nest en lui donnant du courage. Le cadeau du marié à la demoiselle d'honneur est un bracelet d'argent et de corail, à la fois magnifique et délicat.

— Comme vous, *lady*, dit-il tout bas, soulevant le poignet de Nest, auquel il l'a passé.

Ses lèvres effleurent brièvement sa main. Henrietta surgit au milieu de ce moment à couper le souffle et le cœur de Nest martèle violemment dans sa poitrine, mais Connor demeure calme.

— Il a insisté pour le choisir lui-même, dit fièrement Henrietta en admirant le bracelet. Ne suis-je pas chanceuse d'avoir un mari qui a du goût ?

Nest ne peut qu'acquiescer et sourire encore, jusqu'à ce qu'elle sente que les os de ses joues sont près d'éclater sous la douleur.

— C'est cette impuissance..., explique-t-elle plus tard à Mina. Comment apprend-on à cesser d'aimer ?

— On ne cesse jamais, répond Mina tristement.

Ignorant l'histoire de Tony Luttrell, Nest croit qu'elle parle de Richard et lui offre un câlin en guise de consolation.

Timmie fait de son mieux pour l'aider. Il l'invite à des fêtes et à des bals, la présente à de délicieux jeunes hommes qui tombent tous sous son charme, ce qui est gratifiant. Mais aucun d'eux n'est Connor et, après avoir goûté à sa manière à lui de faire l'amour, ils lui semblent tous brutaux, tous immatures.

Elle suit sa formation d'enseignante, passe par plusieurs relations masculines et, au cours de ces années-là, devient très proche de sa sœur Mina. Au départ, elle enseigne dans une école de Barnstaple. Mina la conduit à Parracombe, d'où elle saute dans un train chaque matin et, chaque après-midi, la grande sœur vient rechercher la plus jeune. Elles font de longues promenades au hasard, jardinent, s'occupent de Lydia. Pendant un certain temps, Mina fait l'objet des assiduités d'un veuf beaucoup plus âgé qu'elle, qui refuse d'accepter le mot « non » en guise de réponse. Il vit avec sa vieille sœur et ses deux enfants à Lynton et invite constamment Mina à leur rendre visite. Nest l'affuble du sobriquet de « M. Salteena[1] ».

— Car, dit-elle, c'est un vieillard de quarante-deux ans qui aime demander aux gens de venir habiter chez lui. Et ses moustaches sont noires et torsadées.

Elles explosent de rire, gloussent comme des enfants, étonnent Lydia par leurs étranges références littéraires, citent des vers, chantent *Mikado* et *Ruddigore*.

Henrietta encourage Nest à voler de ses propres ailes, à déménager d'Ottercombe.

---

1. Personnage principal de *The Young Visiters*.

— C'est différent pour toi, dit-elle en privé à Mina. Tu as passé quelques années à Londres et tu as épousé Richard. Tu as vécu ta vie – pas terrible, je dois l'admettre, mais bon, c'est fait – avant de venir t'enterrer ici. Oh, ne va pas croire que nous ne soyons pas reconnaissantes, Josie, Georgie et moi, de voir que tu prends soin de Mama, mais pour être franche, Mina, je crois que tu es plutôt comblée. Mais Nest a presque dix ans de moins que toi et, à part son temps de formation à l'université, elle n'est jamais sortie. Elle a vingt-cinq ans et il sera bientôt trop tard. Une de nos amies enseigne dans une école du Surrey, un pensionnat pour filles, vraiment super, et elle me dit qu'ils cherchent une maîtresse d'anglais pour les plus jeunes. C'est un excellent poste. Persuade-la de postuler. Elle vivra là-bas mais au moins elle aura l'opportunité de rencontrer des gens nouveaux. Fais-le, Mina. Ce n'est pas bien pour elle de se laisser disparaître ici comme ça. Elle te manquera, bien sûr...

C'est cette dernière phrase, sous-entendant un certain égoïsme de la part de Mina, qui convainc cette dernière d'en parler à Nest. Peut-être est-elle mûre pour un changement, peut-être qu'elle aussi sent qu'elle risque de ne jamais se créer une existence à elle, hors d'Ottercombe. Quoi qu'il en soit, Nest postule et obtient le poste.

— Si tu détestes, dit Mina à l'approche de la séparation, tu n'auras qu'à rentrer à la maison. Et puis, nous aurons toujours les vacances...

Une fois qu'elle habite le Surrey, Nest se met inévitablement à fréquenter Henrietta et Connor de manière plus assidue. Ils l'invitent à leur rendre visite pendant les vacances, la présentent à leurs amis, et Nest est forcée de lutter pour empêcher que se rouvrent ses douloureuses cicatrices, à peine refermées sur la plaie de son amour. Il subsiste une sorte de retenue entre eux, en particulier lorsqu'ils se retrouvent seuls face à face et, occasionnellement, très occasionnellement, avec les années qui passent, elle parvient à accrocher son regard. C'est un tendre, un perplexe coup d'œil, comme s'il venait de commencer à remettre ses actes en question. Elle a peur, cependant, de s'imaginer des choses, de mettre en péril sa fragile sérénité, qui croît peu à peu, et elle l'évite autant que possible. Elle réussit à supporter les fêtes d'anniversaire, les mariages, les Noëls, et dissimule avec succès son amour tenace, jusqu'au week-end du baptême de Jack.

Dix années de sage préservation réduites à néant en une seule soirée.

Anthea, la femme de Timmie, n'a pas voulu de l'église de Garrison pour le baptême de son fils, jetant son dévolu sur la petite chapelle du village du Herefordshire où elle a grandi. Les membres de la famille qui peuvent assister au service et aux festivités qui s'ensuivent réservent une chambre à l'hôtel local, mis à part Lydia et Mina, qui dorment chez les parents d'Anthea. Lorsque Nest, s'y prenant assez tard, s'efforce de trouver une chambre à louer, l'hôtel l'informe qu'ils n'ont plus de place, mais qu'un pub charmant pourra l'accueillir, situé à quelques kilomètres au-delà de la limite du Shropshire.

Elle s'apprête à descendre déjeuner lorsqu'elle aperçoit la voiture de Connor qui se gare dans le parking. Dissimulée derrière le rideau, elle le regarde sortir de l'auto et claquer sa portière. Il jette un bref coup d'œil à la grande bâtisse à colombages et elle peut voir que son visage est préoccupé, plutôt sombre. Elle se détourne et arpente la chambre, les bras croisés sur sa poitrine, en pleine réflexion, tandis qu'une excitation intense monte en elle. Elle attrape sa veste et descend au bar où elle s'informe du menu auprès du propriétaire, puis commande une omelette et un whisky. Lorsque Connor apparaît, elle le sirote toujours, assise à une petite table près de la fenêtre.

— Ah, te voilà, dit-il, s'attendant vraisemblablement à la trouver là. Que bois-tu ? Un scotch ? Oui, je crois que je vais m'en prendre un aussi. Tu en veux un autre ?

Elle hoche la tête et le regarde se rendre au bar. Il est charmant dans son habit chic et l'excitation palpitante, rythmique, augmente en elle si fort qu'elle prend une autre gorgée pour se calmer.

— Quelle farce !

Il est de retour, dépose son verre, s'assoit face à elle. Il a toujours l'air légèrement vexé, mais un peu amusé.

— Ta famille ! s'exclame-t-il.

— Je croyais qu'Henrietta et toi passiez la nuit à l'hôtel, dit-elle calmement.

— Nous devions le faire, répond-il. Sauf que Roger vient de tomber malade et qu'elle ne peut pas venir. Lorsque je suis arrivé à l'hôtel, Georgie et Tom étaient en pleine crise d'hystérie collective, parce qu'ils n'avaient pas réservé de chambre, croyant que ça ne serait pas nécessaire, à la fin octobre, et qu'il n'y avait plus de place pour eux et la chère Helena à l'auberge. Je leur ai offert ma chambre, et la réceptionniste – sans nul doute reconnaissante de se voir débarrassée de Georgie en pleine crise – s'est empressée de m'envoyer ici. Elle m'a dit que l'une d'entre nous avait déjà réservé dans ce pub et a eu l'obligeance de me révéler de qui il s'agissait.

— Ainsi, te voilà...

C'est peut-être le whisky qui la fait planer, la rendant confiante, désinvolte. Il la regarde et ses yeux souriants se plissent sous l'effet de la réflexion ; elle en perd le souffle.

— Eh oui, ainsi, me voilà, acquiesce-t-il.

Elle se demandera longtemps par la suite ce qui avait bien pu faire de cet après-midi et de cette soirée un moment magique, au cours duquel ils furent projetés tête la première dans le passé, si bien que leurs dix années de contrainte disparurent complètement. De toute évidence, l'absence d'Henrietta fut un facteur important – et, de manière tout aussi cruciale, l'absence de Mina. Lorsque Connor et elle rejoignent le groupe à l'hôtel pour le court trajet vers l'église, ils apprennent que Lydia a eu une mauvaise crise d'asthme et qu'elle et Mina ne viendront pas.

— Quel dommage, déplore Georgie, agitée. Et Tom et moi qui nous envolons pour Genève dans deux semaines. Je comptais les voir ici avant notre départ. Maintenant, je serai forcée de descendre dans l'Exmoor. Comme si je n'avais que ça à faire...

Les regards de Connor et de Nest se croisent et ils rient secrètement, avec délice, liés par la pensée, comme jadis.

— La dévotion d'une fille pour sa mère, quelle chose merveilleuse, murmure-t-il tout en se saisissant tendrement de son coude tandis qu'ils montent le chemin qui mène à l'église.

— Que tu es cynique, répond-elle en tentant de ne pas frissonner à son contact.

— Moi, *lady* ?

Il prend un air scandalisé :

— Pour l'amour de tous les saints !

L'après-midi s'allonge, la soirée débute, et la joute entre eux change de façon subtile. La famille d'Anthea se révèle très accueillante, les réjouissances et les rires vont bon train. Il semble parfaitement naturel que Nest et Connor passent ces heures ensemble, comme le ferait n'importe quel couple et, sans leurs chaperonnes, une complicité, faite de petites plaisanteries mais bien consciente, s'installe entre eux ; personne ne songe à se demander d'où cela peut venir. Le champagne fait se desserrer l'étau, les années de familiarité forcée se dilatent et se fondent en une intimité ; une fois de retour à l'hôtel, la longue ère de frustration et de solitude se résout en une longue nuit de libération passionnée.

XXX

Nest fut réveillée par Mina qui lui apportait une tasse de thé. Elle parvint à se soulever sur ses oreillers, cligna des yeux pour chasser ses rêves, lutta pour se souvenir.

— Lyddie, demanda-t-elle avec angoisse, comment va-t-elle ? Qu'a-t-elle dit ?

Mina posa le thé sur la table près du lit.

— Lyddie est repartie à Truro.

— Non !

— Oh, pas dans la colère ni le rejet. Rien de ce genre. Elle allait partir, de toute manière. Tu te souviens ?

— Oui, bien sûr, je me souviens. Quelle idiote j'ai été, Mina. De lui balancer tout ça à la tête alors qu'elle en a déjà plein les bras... Quelle a été sa réaction ?

Mina arrangea les oreillers confortablement sous les épaules de Nest et se percha sur le bord du lit.

— Elle a réagi de façon étonnamment calme, répondit-elle avec douceur. Ça a certainement représenté une grosse surprise, mais elle a écouté toute l'histoire, a posé des questions sensées, et a déclaré, avec beaucoup de bon sens, qu'elle allait avoir besoin de temps pour digérer tout ça.

— Oh, Mina, deux chocs en moins d'une semaine ! Elle doit vaciller. Crois-tu que ça soit raisonnable de la laisser conduire ?

— Ça lui fera quelque chose à quoi penser. Pour être honnête, il aurait été difficile pour vous deux de vous revoir ce matin à la table du petit-déjeuner, non ? Cette pause vous sera salutaire à toutes deux. Elle t'envoie tout son amour.

— Elle a dit ça ? demanda Nest avec impatience. Elle a vraiment dit ça ?

— Oui. Elle a dit ça.

Mina regarda le visage exténué de Nest avec compassion.

— Je n'inventerais pas quelque chose d'aussi important, tu sais bien.

— Non, finit par dire Nest. Tu ne ferais pas ça.

— Toi et Lyddie, vous vous aimez depuis plus de trente ans. Il ne faut pas oublier cela. Elle n'est plus une enfant. Elle sera tout à fait à même de voir la situation de manière équitable et réaliste, mais il lui faudra du temps pour retrouver ses repères.

— Tout ça, en plus de cette histoire avec Liam ; il lui faudra beaucoup de temps...

— Je n'en suis pas si sûre, fit Mina lentement. Elle trouve que tu as eu beaucoup de courage de le lui dire. Elle m'a déclaré : « Chacun a droit à sa propre histoire. » Je crois, même si ça peut paraître étrange, que ses propres problèmes vont lui donner une clairvoyance supplémentaire. Ce sont toujours les personnes qui n'ont jamais souffert et n'ont jamais connu l'échec qui sont les plus intolérantes. Lyddie sera juste, elle ne te jugera pas mal, j'en suis certaine, mais c'est tout de même un choc.

— Bien sûr que c'en est un ! s'exclama Nest. Grand Dieu ! Découvrir que ta mère n'est pas celle que tu croyais !

Elle secoua la tête et poursuivit :

— Comment digérer une telle chose ? Combien de fois me suis-je posé la question, en me demandant si je devais lui révéler la vérité...

— Mmm, fit Mina, songeuse. Et a-t-elle raison, à ton avis, lorsqu'elle dit que chacun a droit à sa propre histoire ?

— Eh bien, je suis très contente qu'elle pense comme ça. Et j'espère qu'elle ne m'en voudra pas d'avoir gardé le secret aussi longtemps. Mais de façon générale ? J'imagine que si je croyais cela, je lui aurais tout révélé après la mort d'Henrietta et de Connor. Ils m'avaient fait jurer de ne jamais lui dire. C'est un sujet complexe, aux implications si nombreuses. Ça s'est produit uniquement parce que j'étais fatiguée. Et dire qu'après tout ce temps ce n'est pas Georgie qui a vendu la mèche. Toute cette terreur...

Mina grogna.

— Georgie a été l'élément catalyseur, nuança-t-elle. Elle a joué son rôle. Et maintenant, tu vas aller dormir. Tu as l'air exténuée et ça ne me surprend pas. Bois ton thé et tâche de te reposer. Le pire est passé.

— Tu crois ?

— Oui.

Elle se pencha pour embrasser Nest sur la joue et se leva.

— Prends ton thé et cesse de t'en faire. Elle sait. Elle t'envoie son amour. Le pire est derrière nous.

Mina eut toutefois une dernière hésitation en regardant Nest qui buvait son thé.

— Simple curiosité, fit-elle. Dis-moi, comment tout ça s'est-il déclenché ? Qu'est-ce qui t'a fait soudain te lancer, après toutes ces années ?

Nest grimaça en réfléchissant.

— Nous parlions d'amour, le fait qu'il soit impossible de s'en débarrasser, quel que soit le mal que nous fait la personne aimée. Et nous nous sommes mises à parler des parents et des enfants, de la terrible responsabilité qu'accepter de laisser ses enfants grandir et s'émanciper représente. Et, pour une raison quelconque, j'ai dit que c'était pire lorsqu'une personne devait regarder d'autres gens prendre de telles décisions pour son propre enfant. Lyddie a sauté là-dessus et c'est parti comme ça. L'occasion s'est présentée. C'est tout ce que je peux dire.

— Je suis très contente. Je vois, maintenant, que c'était la façon idéale de s'en ouvrir. Et que le moment était venu. Maintenant, tâche de dormir.

Mina traversa le vestibule et se rendit à la cuisine. Il n'y avait nulle trace de Georgie, mais la théière était vide et la bouilloire était près de fondre sur la gazinière. Mina l'en ôta prestement, jura tout bas, et alla la remplir à nouveau. Elle se mit à crépiter lorsqu'elle releva le couvercle et y versa de l'eau froide, mais elle était trop préoccupée pour se laisser contrarier par Georgie bien longtemps. Elle pensait à Lyddie.

— Chacun a droit à sa propre histoire.

Pensivement, elle reposa la bouilloire sur le feu et alla chercher les chiens.

Lyddie roulait vers l'ouest. Elle traversa le pont de Turridge à Bideford. Elle conduisait comme une automate, une toute petite partie du cerveau concentrée sur la circulation, jusqu'à ce qu'elle se rende soudain compte qu'elle ne se souvenait absolument pas de la première partie du trajet. Ça s'était passé comme dans un rêve. Elle ralentit légèrement, regarda dans son rétroviseur, vit les larges flancs du Nemrod, tranquille, appuyé à la grille de séparation, qui regardait fixement les paysages défilant derrière lui.

— Ça a été la pire semaine de ma vie, lui dit-elle.

Il se tourna pour la regarder, les oreilles en alerte.

Mais était-ce vrai ? Elle se posait la question. Celui n'avait-il pas été pire – ou aussi terrible – lorsqu'on lui avait appris que ses parents avaient été tués dans un accident de voiture ? Le choc avait été cataclysmique, insupportable, et pourtant – vérité imbuvable –, le temps avait adouci la douleur, avait repoussé la tragédie assez loin pour qu'elle soit reléguée dans le lointain, nimbée de peine, mais sans le martyre du tout début. Elle se sentait coupable de l'admettre, mais « il fallait qu'il en soit ainsi », lui avait dit un jour Jack, en parlant du décès de son propre père.

— Comment pourrions-nous fonctionner, autrement, si nous continuions à porter ce genre de croix à chaque instant de nos vies ?

Ces phrases lui avaient apporté du réconfort, l'avaient fait se sentir moins égoïste, moins insensible. Lors de certains moments poignants – dont son mariage –, ses parents lui avaient atrocement manqué, mais il était vrai qu'elle avait fini par apprendre, par degrés, à vivre avec la tristesse et la solitude.

— Et maintenant ? murmura-t-elle. Et maintenant – eh bien, quoi ? Je n'arrive pas à réfléchir.

Il lui semblait impossible de penser à Henrietta autrement que comme sa mère. Elle l'avait élevée, avait pris soin d'elle, lui avait prodigué tous ces actes d'amour qui constituent l'enfance. Pourtant, Nest était sa mère biologique. L'extraordinaire pensée « Quelle importance ? » lui passa par la tête et elle se sentit coupable. Henrietta était décédée plus de dix ans auparavant et c'était peut-être pour cette raison qu'il était impossible de juxtaposer ces deux images : Nest d'un côté ; Henrietta de l'autre, deux femmes qui l'avaient aimée et chérie à leur façon.

— Nest a tout perdu, avait dit tante Mina. Primo, elle a perdu Connor – tu es à même désormais de vraiment comprendre ce que ça représente –, et ensuite elle t'a perdue. Elle n'avait aucun choix. Mama avait déterminé de manière absolue que tu serais adoptée et Connor a insisté fortement. Naturellement, ni Mama ni Henrietta n'avaient la moindre idée de l'identité de ton père, mais tu peux imaginer ce que ça a été pour Nest, assiégée de tous les côtés. Connor te voulait désespérément, mais que pouvait-il faire ? Aurait-il dû quitter sa femme et son fils pour vous soutenir, toi et Nest ? D'une façon ou d'une autre, c'était une décision épouvantable à prendre. Il fallait que quelqu'un perde, et Nest a tiré la courte paille. Elle a payé très cher son instant de plaisir. Elle n'a jamais cessé de l'aimer, tu sais, et je crois que lui les aimait toutes les deux ; que pour Connor, elles étaient deux côtés d'une même médaille. Et, pour rendre justice à Henrietta, ta mère était ravie d'aider sa sœur en t'adoptant et n'a jamais manqué de générosité à l'égard de Nest, qu'elle a impliquée dans ton éducation – en évitant de te faire du tort. Il n'y a eu qu'une seule occasion...

Elle s'était arrêtée soudain et Lyddie, tentant d'assimiler tous ces éléments nouveaux, n'avait pas insisté pour en savoir plus.

— Alors, papa n'était pas un coureur de jupons, pas vraiment ?

— Non, avait-elle répondu avec empressement. Oh, il y a eu de nombreuses occasions, mais les choses n'ont pas basculé. Connor n'était en rien un libertin. S'il n'avait eu ces scrupules liés à l'âge de Nest, de dix ans plus jeune que lui, et qui était toujours à l'école, il y aurait eu de grandes chances pour qu'il l'épouse. Henrietta représentait l'épanouissement, la maturité de tout ce que Nest promettait de devenir, et il a été terrassé par cette rencontre. Il a pris une décision et s'y est ensuite tenu. Nest ne l'a jamais tout à fait oublié. Là réside la tragédie. Oh, elle s'est bien débrouillée, mais à ses yeux, personne n'a jamais réussi à soutenir la comparaison avec Connor.

Ressassant les souvenirs, le regard bientôt perdu dans la baie de Widemouth, Lyddie sentit une nouvelle vague de sympathie pour Nest l'envahir. Elle savait, désormais, la difficulté à guérir d'un amour fou. Comment faisait-on ? Elle songea à Rosie. D'une certaine façon, elle avait été la Henrietta de Rosie.

« Il était à moi bien avant d'être à toi ! » s'était écriée Rosie.

Mais Rosie n'était pas prête à se retirer. Rosie avait l'intention de se battre. Liam l'avait-il jamais aimée ? L'aimait-il encore ? Comme Lyddie s'était sentie glacée, malade, en imaginant son père commettant des infidélités. Pour un instant, elle songea à Liam et fut plongée dans un marécage de révulsion, imaginant son père qui trompait, mentait et trahissait sa mère.

— Je n'arrive pas à me représenter Nest comme ma mère, avait-elle dit, au désespoir. Ce n'est pas… pas possible. Mummy était ma mère. Ce n'est pas que je n'aime pas Nest. Je l'aime. Elle a toujours été formidable pour moi, mais je ne peux pas faire ça.

— Tu n'es pas obligée, avait affirmé tante Mina. Nest ne s'attend pas à ce que tu changes l'affection que tu lui portes, ou celle que tu portais à Henrietta. Bien sûr que non. Ça serait impossible. Et inutile. Elle est Nest, une personne à part, avec sa propre relation avec toi. Il serait idiot de croire que rien ne va changer désormais, mais le passé demeure le passé, immuable. Tout ce qu'elle souhaite c'est que vous puissiez continuer à avancer sans que tu lui en veuilles pour t'avoir caché tout cela et pour t'avoir maintenant infligé un tel choc.

— Je ne pourrai jamais en vouloir à Nest, avait-elle dit après un temps – et elle s'était sentie étonnamment soulagée de réaliser que c'était la vérité. Elle est trop importante pour moi. Mais je ne veux pas tout de suite tenter de penser à elle de cette manière. Ce n'est pas... bien.

— Je suis d'accord avec toi, avait immédiatement dit tante Mina. Henrietta était ta mère de toutes les façons imaginables, sauf au plan biologique. Si ça peut sembler bizarre, je crois cependant savoir exactement de quoi je parle. La maternité, c'est plus que la simple production d'un bébé. Nest ne demande rien de plus que de n'être pas condamnée et, encore plus important à ses yeux, que tu ne condamnes pas ton père. Pourquoi crois-tu qu'elle ne t'a rien dit avant ? Après la mort d'Henrietta, par exemple ?

— Alors, pourquoi maintenant ?

Tante Mina avait respiré très, très profondément, puis avait laissé l'air quitter ses poumons avec son caractéristique « po-po-po ».

— Tu fais bien de demander. Après toutes ces années de silence, il semble presque cruel de sa part de te larguer une telle bombe alors que tu as déjà vécu un choc épouvantable. La simple vérité, c'est qu'elle craignait que quelqu'un d'autre ne te révèle la vérité avant qu'elle ne le fasse.

— Qui d'autre est au courant ?

Lyddie avait senti monter en elle une poussée inattendue de peur et de colère.

— Qui ? Est-ce que Jack est au courant ?

— Personne ne sait, répondit calmement sa tante. J'en suis certaine. Le problème, c'est que tante Georgie soupçonne un ou deux épisodes secrets et qu'elle essaie d'en faire tout un plat. Nest est devenue presque paranoïaque à ce sujet et elle s'est convaincue que Georgie était sur le point de te divulguer une quelconque information.

— Est-il possible que tante Georgie soit au courant ?

Lyddie se rendait compte qu'elle aurait détesté que les autres le sachent mais pas elle.

— Je crois cela hautement improbable. Il faut comprendre que ta grand-mère aurait préféré mourir plutôt que laisser quiconque, au-delà des personnes immédiatement concernées, savoir quoi que ce soit sur cette histoire. Georgie, Josie, Timmie et leur famille étaient tous à l'étranger à l'époque. Timmie savait que Nest était enceinte – mais ne savait rien de Connor – et j'étais au courant parce que Nest est venue ici pour être auprès de nous, mais personne d'autre. Georgie a toujours été une trouble-fête ; elle aimait froisser les gens et, maintenant, la voilà qui perd la tête. Nest porte ce secret depuis longtemps ; je crois simplement que ce poids était devenu trop lourd pour elle.

— Ça a dû être horrible. Un tel secret.

— Oui, un tel secret…, soupira Mina. Un poids effarant à porter, l'obligation de s'interroger constamment sur la bonne marche à suivre. Si tu n'en souffres pas, je dois admettre que je suis ravie que le silence ait enfin été brisé.

— Ça va aller, répondit Lyddie. Et je suis heureuse de savoir. Chacun a droit à sa propre histoire.

— Il y a encore une dernière chose, fit tante Mina avec un effort. Je crois que c'est important. Tu te souviens que ta maman voulait que tu travailles à ses côtés dans sa boutique lorsque tu as quitté l'université ?

— Oh, parfaitement. Ça a été l'objet d'une effroyable dispute. C'était une folle lubie.

— Connor, bien malgré lui, a lourdement hypothéqué la maison pour acheter le bail et acquérir le stock et, lorsque l'affaire s'est mise à perdre de l'argent, Henrietta a insisté pour que tu viennes travailler pour elle, afin d'économiser un salaire. Connor et Nest étaient absolument opposés à cette idée. C'était la première fois que Nest intervenait…

Mina s'était interrompue.

— Voilà la dernière chose qu'il faut que tu saches : au cours de cet ultime trajet en voiture, ils se sont disputés très fort, tous les trois, à ce sujet. Nest a toujours cru que si elle n'avait pas été si véhémente, si angoissée à l'idée qu'on te force à abandonner la carrière que tu t'étais choisie, Henrietta serait demeurée concentrée sur sa conduite et l'accident ne se serait jamais produit.

Lyddie la regarda fixement.

— Mais… ça n'a aucun sens !

— Possible. Elle s'est sentie insupportablement coupable d'avoir survécu et, dans la douleur et la dépression qui ont suivi, elle a tout exagéré. Je t'en parle parce qu'il faudrait que tu saches que, depuis ce jour, elle se punit en refusant de se rendre à la plage. Ça fait plus de dix ans qu'elle n'y est pas allée. Elle qui a toujours adoré la mer. Elle a choisi elle-même sa pénitence.

— Pauvre Nest, avait fait Lyddie, prise de compassion. Oh, pauvre, pauvre Nest… N'importe quoi a pu causer cet accident. Si ça se trouve, Mummy essayait de s'allumer une cigarette. Elle a toujours été dangereuse dans ces moments-là, elle zigzaguait sur la route en tous sens.

— J'ai cru que tu devais savoir, avait répété tante Mina. Il est inutile que tu lui en parles mais, si tu peux lui montrer que tu lui pardonnes pour tous ces artifices qu'elle a employés, elle pourrait finalement parvenir à se pardonner à elle-même.

Il y avait eu un long silence.

— Il faut que nous parlions, Nest et moi, dit enfin Lyddie. Pas tout de suite, cependant. J'aimerais prendre un peu de temps pour digérer tout ça très

soigneusement et pour m'y faire. Je crois que je vais
rentrer à Truro maintenant, tante Mina. Je crois que
ça serait une erreur de se voir au déjeuner comme si
de rien n'était et j'ai promis à Liam que je serais de
retour à la maison vers la fin de l'après-midi. Dis à
Nest que je l'aime, si tu le veux bien, et dis-lui aussi
que je vais revenir bientôt.

— Et Liam, avait demandé tante Mina d'un ton
prudent. As-tu réussi à prendre une décision ?

Lyddie avait secoué la tête avec désespoir.

— Mais il faut que je le voie. N'oublie pas de faire
passer mon message à Nest.

Sa tante l'avait embrassée et serrée fort contre elle.

— Je n'oublierai pas, promis.

Et maintenant elle était là, dans sa voiture, sur
la route de Truro. Elle se demandait ce que Liam
allait lui dire – et ce qu'elle-même lui dirait. Son
cœur se serrait de terribles appréhensions et, pour un
temps, l'idée de cette rencontre dont l'heure approchait chassa de son esprit toute autre préoccupation.

XXXI

Lorsqu'elle rentra finalement à la maison, Liam l'attendait. Il était assis à la table près de la fenêtre et lisait son journal. Il avait sans doute entendu la clé dans la serrure et le bruit de la valise qu'on déposait dans le vestibule. Pourtant, lorsqu'elle entra avec le Nemrod, il fit mine de continuer à lire, avant de lever les yeux, feignant une joyeuse surprise.

— Eh bien, bonjour ! fit-il.

Puis il prit une voix différente pour s'adresser au Nemrod :

— Salut, toi !

Le grand chien s'approcha en agitant la queue.

— Bonjour.

Elle se tenait timidement dans l'encadrement de la porte. Liam dissimulait sa gêne en frottant les oreilles du Nemrod et en jouant avec lui, mais elle n'avait rien pour occuper ses mains. Elle regarda tout autour de la pièce, puis posa les yeux sur lui et vécut son troisième choc. Cet homme était un étranger. Charmant, sexy – mais un étranger. Même la pièce avait changé. Elle semblait plus étroite et tout à fait inconnue. Elle fronça les sourcils, tenta de comprendre, se demanda si sa tête lui jouait des tours. Après tout, ça avait été une semaine hors du commun et elle était très fatiguée.

— Voudrais-tu une tasse de thé ? Ou quelque chose de plus fort ?

Il se tenait devant elle, maintenant, mais ne fit pas un geste dans sa direction.

— Tu as l'air crevée.

— Je suis exténuée, admit-elle.

Elle réalisa d'un coup qu'il lui serait impossible de lui raconter les révélations de Nest. Cela aurait été comme exposer toute son intimité à une vague connaissance, sympathique mais au fond indifférente. Elle se sentit seule au monde et eut une vague envie d'éclater en sanglots.

— Merci, un peu de thé, ça serait bien.

Il était important pour elle de se retrouver seule quelques instants, de manière à reprendre le contrôle d'elle-même ; elle se sentait incapable de tenir une conversation, fût-elle banale. Il ne prit pas la peine de faire des allées et venues comme il l'aurait fait autrefois – à errer ici et là, à demander des nouvelles des tantes, à lui poser des questions sur elle, dans les moindres détails. Elle resta assise à la table en silence, tentant de tirer de son cerveau une pensée cohérente. Tout au fond d'elle, cependant, une terreur secrète grandissait.

Elle l'écoutait parler au Nemrod, aller remplir son bol d'eau fraîche pendant que chauffait celle du thé. Elle entendit le bruit d'un puissant clapotis et, soudain, le Nemrod poussa la porte de la cuisine, traversa le vestibule et se jeta de tout son long sur le sol en grognant de plaisir. Liam posa la tasse devant elle et retourna s'asseoir. Elle se rendit compte qu'ils ne s'étaient pas embrassés. Il n'avait même pas touché son épaule ni esquissé le moindre geste affectueux. Sa peur grandit encore un peu. Elle leva la tête et le regarda par-dessus la table. Il lui rendit son regard, avec ce sourire plaisant, vide de sens ; ses yeux brillaient mais ils lui semblèrent inexpressifs. Elle le fixa plus intensément et il écarquilla les yeux, perplexe, comme s'il remettait son intérêt en question. Elle était simplement trop fatiguée, trop ramollie sur le plan émotionnel pour faire un quelconque effort de diplomatie.

— Je ne t'ai pas manqué, donc, annonça-t-elle platement en soulevant sa tasse.

C'était plus une déclaration qu'une question et les yeux de Liam s'ouvrirent bien grands, pris de véritable surprise, avant que le masque ne retombe en place.

— Et qui t'a dit ça ?

— Oh, je ne fais que deviner. Comment va… tout ?

— Tout ? se moqua-t-il. Tout va bien.

— Et tout le monde ?

— Mais de qui veux-tu parler par ce « tout le monde » ? C'est un peu ambigu.

— Oh, eh bien…

Elle couvrit la tasse de ses mains, faisant semblant de réfléchir.

— Joe ? Rosie ? Zoë ?

Le sourire de Liam se fana de manière visible et ses yeux se teintèrent d'une certaine inimitié.

— Serait-ce une question piège ?

— J'imagine que tu les as vus ?

— Je travaille avec eux, tu te rappelles ? Ça serait bizarre si je ne les avais pas vus.

— On aurait donc rendu son ancien boulot à Rosie ?

Son expression était maintenant tout à fait hostile.

— Non.

— Ah. Tu n'as pas revu Rosie, alors ?

Le silence dura un peu trop longtemps.

— Je suppose que ça signifie que tu l'as revue. Et je suppose qu'elle n'aurait pas voulu manquer une telle opportunité.

— C'est toi qui es partie, lui rappela-t-il. Tu n'étais pas obligée de partir.

Elle lui lança une sorte de regard à moitié souriant, à moitié incrédule.

— Tu dis que tout est ma faute ?

Il hocha la tête.

— Je ne dis rien du tout.

— Mais tu as revu Rosie.

Il était en train de perdre sa patience si soigneusement étudiée.

— Oui, j'ai revu Rosie. Je la connais depuis longtemps, souviens-toi. Longtemps avant que tu n'entres en scène.

— Ah oui, elle s'est donné beaucoup de mal pour me l'expliquer. Et j'ai comme l'impression, Liam, que tu regrettes de ne pas être resté avec elle.

Le silence dura encore plus longtemps et, cette fois, Lyddie ne l'interrompit pas. Elle demeura là à le regarder ; la terreur s'épanouissait comme une fleur dans son ventre.

— Elle m'accepte tel que je suis, finit-il par dire, presque maussade. Elle me prend tout entier.

Lyddie avala une gorgée de thé et reposa soigneusement la tasse sur le petit sous-verre de forme arrondie. Ils les avaient reçus en cadeau de mariage. Six dessins différents d'un chien à poil long. Elle le regarda, se souvint du jour de leur mariage, ce qu'elle avait ressenti, et fut soudainement submergée par une accablante impression de désastre.

— Je réfléchissais, dit-elle en faisant tourner et tourner sa tasse sur sa soucoupe, sans le regarder. En revenant ici. Je réfléchissais au moyen de s'en tirer. Je ne suis pas comme Rosie, tu vois. Je ne peux simplement pas te partager à gauche et à droite. Je ne peux pas faire ça. Mais imaginons que nous redémarrions à zéro ? Nous partons quelque part ensemble, tous les deux, et tu crées un autre bar à vins ?

Elle leva enfin les yeux sur lui et saisit son air de totale incrédulité.

— Bon Dieu ! fit-il enfin. Tu es folle ? Et qu'adviendrait-il de L'Endroit ? Tu voudrais que j'abandonne, comme ça ?

— Joe pourrait le reprendre. Tu pourrais recommencer ailleurs, dans une autre ville. Pourquoi pas ? Ça se fait tout le temps. Les magasins, les bars, on commence avec un, puis deux, puis des chaînes de machins par la suite.

Elle se souvint de leur première conversation et de sa réponse lorsqu'elle lui avait demandé pourquoi il avait appelé son bar à vins L'Endroit.

— Tu pourrais l'appeler Le Prochain Endroit, ou Le Meilleur Endroit.

Pour un instant, un bref instant, elle le vit comprendre sa vision, vit son visage s'éclairer fugitivement, avant que tout ne s'éteigne et que ses yeux redeviennent vides.

— Ça coûte trop cher, dit-il. Même si j'en avais envie. Joe ne pourrait pas gérer le bar tout seul et nous ne pouvons pas encore nous permettre de verser le salaire d'un gérant de bar. De toute manière, nous n'obtiendrions jamais un nouvel emprunt pour démarrer un nouveau bar.

— Et si tu te servais de l'argent de la maison d'Iffley, pour le nouvel endroit ?

Il rit et secoua la tête.

— Je me demandais avant combien de temps tu remettrais ça sur le tapis. Une goutte d'eau dans l'océan...

— Tu pourrais vendre cette maison...

— As-tu oublié son énorme hypothèque ? Aucun sens.

Encore un silence.

— Tu as dit « même si j'en avais envie », à l'instant.

Lyddie parlait lentement.

— C'est là que réside tout le problème, n'est-ce pas ? Tu n'as pas envie de changer, ou d'abandonner L'Endroit et, si tu es vraiment sincère, je crois que tu n'as même pas vraiment envie que nous tentions de réparer les pots cassés. Je me trompe ?

— Je ne comprends pas pourquoi tu en fais autant. Tu étais parfaitement heureuse avant. Rien n'a changé.

— Oh, mais si, fit-elle rapidement. Tout a changé, en ce qui me concerne.

— Je reste l'homme que j'ai toujours été.

— Oh, oui, mais vois-tu, je ne savais pas vraiment qui était cet homme que tu as toujours été. Je ne connaissais qu'une partie de toi et j'en suis tombée amoureuse. Alors que désormais, je sais que tu mens et que tu triches, que je ne saurai jamais à l'avenir si tu vas vraiment à la banque, à l'entrepôt, à un rendez-vous avec le comptable, ou si tu es à l'étage dans la réserve avec ta nouvelle serveuse. C'est un grand changement.

Elle le fixa un instant.

— Tu ne le comprends vraiment pas ?

Il haussa les épaules.

— Alors, que veux-tu faire ?

— Je t'ai déjà dit ce que j'aimerais qu'on fasse.

— C'est hors de question.

Elle demeura silencieuse. Son effroi grandissait et la remplissait de tristesse.

— J'ai su que c'était terminé à l'instant où je suis entrée et que je t'ai vu, finit-elle par dire. C'était comme si tu étais devenu pour moi un parfait étranger. Comme si, au cours de ces trois jours, tu avais complètement changé à mes yeux.

Il détourna le regard.

— T'aurais pas dû partir.

— Qu'est-ce que ça veut dire ? s'écria-t-elle. Si j'étais restée, serais-tu maintenant en train de considérer ma proposition pour repartir de zéro ?

— Non, répondit-il. Non, je ne le ferai pas. Mais ça m'a donné le temps de voir que...

Il hésita si longtemps qu'elle devina ce qu'il voulait dire.

— Ça t'a donné le temps de voir que tu n'as pas assez besoin de moi pour faire l'effort de t'amender. Pour nous.

Il acquiesça, toujours sans la regarder.

— Quelque chose comme ça.

— Et quel rôle a joué Rosie dans ta prise de décision ?

— Rosie a toujours été là lorsque j'ai eu besoin d'elle.

C'était comme s'il l'avait frappée en plein visage.

— Et combien de fois as-tu eu besoin d'elle au cours des deux dernières années ? demanda-t-elle avec fureur. Mon Dieu ! Et je me croyais si heureuse.

Il grimaça, presque dégoûté, comme si elle offensait sa sensibilité, puis la dévisagea finalement.

— Tu as raison, dit-il. Les choses ont changé. Je peux le voir, mais...

Il ouvrit les mains, puis les laissa retomber.

— Je ne vois pas l'intérêt d'en parler.

— Très bien, dit-elle. Super. Alors, c'est tout, c'est ça ? Deux ans de mariage dans la cuvette, juste comme ça.

— Je dois partir, dit-il.

Il se leva.

— Désolé. Je suis vraiment désolé, Lyddie. J'ai fait l'erreur de tomber amoureux. Oh, je l'ai été. Tu étais différente, vois-tu ? Habile avec les mots. Réservée. Avec ce petit côté inaccessible que je voyais comme un défi. Mais je n'en ai pas besoin. Je le sais, désormais. Pas si ça implique des disputes et des discussions et des tas de questions. Je ne sais pas gérer ce genre de trucs. Rosie me connaît. Nous sommes sur la même longueur d'onde. Elle connaît mes sentiments pour L'Endroit et elle accepte la situation. Elle admet aussi que j'ai besoin de variété de temps à autre. Elle n'aime pas ça, mais elle ne se plaint pas. Elle sait que je ne veux pas d'enfants, et elle non plus. Elle me suivra, quoi que je fasse et quoi que je veuille.

— Et moi, je fais quoi ?

— Eh bien…

Il ne haussa pas tout à fait les épaules.

— Tu as ton travail, après tout, dit-il en riant un peu. Il y a aussi l'argent de la maison d'Iffley.

Il perçut la brutalité de cette pointe et se mordit les lèvres.

— Désolé, dit-il. C'était minable. Je ne suis pas bon pour ce genre de discussion, j'en ai bien peur. Tu peux toujours te servir de tes tantes comme bouche-trou.

— Merci. C'est ce que j'ai fait.

— Je suis à L'Endroit, dit-il. Si tu as besoin de moi. Tu devrais parler à ton avocat.

Il s'arrêta, la veste sur l'épaule, la tête basse.

— Et merci, Lyddie.

Il la regarda en grimaçant.

— C'était bien, le temps que ça a duré.

Elle entendit ses pas qui longeaient la fenêtre, puis disparurent. Le Nemrod s'approcha et la regarda avec espoir. Elle lui rendit son regard, et se demanda s'il était possible, éventuellement, qu'elle parvienne à se lever. Ensuite qu'elle réussisse à marcher. Mais au bout d'un moment, elle se souleva de sa chaise, ramassa son manteau, et ils sortirent ensemble dans la nuit.

XXXII

— Bien sûr qu'elle doit venir, affirma Hannah. Bien sûr que oui. Les gamins pourraient aller passer quelques jours chez leur grand-maman.

— Ça ne sera que pour un soir ou deux. Ensuite, elle se posera à Ottercombe jusqu'à ce qu'elle ait mis un peu d'ordre dans ses affaires, fit Jack, assis sur le canapé, le gros Caligula ronronnant sur ses genoux. Elle doit de toute façon retourner au travail, apparemment d'ici la fin de la semaine prochaine – elle a du boulot jusqu'à Noël et ne veut laisser tomber aucun de ses clients. Coup de chance, il y a ce texte en retard. Son éditeur a accepté de le refiler à quelqu'un d'autre s'il arrivait cette semaine.

— Elle ne veut pas perdre ses contacts, je comprends ça, approuva Hannah. Elle aura besoin de ce travail. Mais parviendra-t-elle à en vivre ?

Jack hocha la tête.

— Pas la moindre idée. Roger lui paie des intérêts sur sa moitié de la maison. Ça devrait aider.

— Pauvre Lyddie. C'est tellement dévastateur de s'apercevoir qu'une personne sur qui on comptait vous a trompé. En plus de tout le reste, ça détruit la confiance en soi. Tu t'en serais douté, toi ?

— Euh, elle semblait bien, quand on l'a vue à Ottercombe, non ? J'oserais même dire que je l'ai trouvée en très bonne forme.

— Presque trop, non ? suggéra Hannah. Une gaieté un peu forcée, sans doute. Et souviens-toi quand elle n'a pas pu venir dormir ici. Je me demande de quoi il retournait. Il est toujours facile de faire preuve de perspicacité après les faits, mais je me suis toujours dit que Liam ne devait pas être de tout repos.

— Le souci, c'est qu'on ne peut rien faire pour l'aider. Rien ne pourra lui enlever cette douleur ni diminuer l'impact d'une révélation aussi brutale. Pourquoi faut-il qu'aimer engendre tant de souffrances ?

Elle lui sourit.

— Je n'avais pas idée, quand je t'ai épousé, que tu serais un tel papa poule. J'aurais dû avoir la puce à l'oreille lorsque j'ai vu tous ces petits garçons qui te suivaient, « Monsieur, j'ai perdu ceci... » ou « Monsieur, j'ai fait cela... », et toi qui te comportais comme une adorable vieille nounou.

— Je ne ressemble en rien à une adorable vieille nounou, s'indigna Jack. Je suis une brute immonde pour ces petits monstres. Je les terrorise !

— Oh oui, se moqua-t-elle. Ils sont morts de peur. Le petit Hobbes, l'autre soir, par exemple ? Tu lui as lu une histoire après vingt-deux heures...

— Sa maman lui manque, se défendit Jack, et je ne voulais pas qu'il réveille les autres...

Hannah renifla, incrédule.

— ... Et il avait passé une mauvaise journée, ajouta Jack.

— Tu es une bonne grosse poire et ils le savent tous, fit-elle en lui souriant. Tu es fait de guimauve d'un bout à l'autre. Flora a vu clair en toi dès l'âge de trois jours.

Il lui rendit son sourire.

— Notre enfant a un instinct infaillible pour découvrir les points faibles, je l'admets. Attila le Hun aurait pu s'abonner à son cours par correspondance.

Il se tut avant de poursuivre.

— Ta mère... Elle saura se débrouiller ?

— Oh ! là, ne commence pas à chipoter là-dessus, s'exaspéra Hannah. Elle s'occupe d'elle de manière splendide et ils adorent être avec elle. Tu le sais très bien.

— Oui, admit-il.

— Dans ce cas, c'est d'accord. Je vais lui téléphoner et, si elle accepte, je les déposerai en même temps que j'irai chercher Tobes à la garderie. Je crois que Lyddie pourra nous parler plus librement si nous sommes seuls avec elle. Il n'y a rien de pire que d'être interrompu toutes les cinq minutes quand on est dans cet état. Le mieux qu'on puisse faire pour Lyddie est de lui accorder notre attention. C'est tout à fait impossible tant que Flora est à la maison.

— Tu as parfaitement raison, dit-il. Je vais aller regarder les infos et je te préparerai une petite tasse lorsque tu auras fini de causer avec ta mère.

— Fantastique, dit-elle.

Elle s'arrêta à la porte et posa sur lui un regard affectueux.

— T'ai-je déjà dit que j'avais un faible pour les papas poules ?

— Il est trop tard pour tenter de me caresser dans le sens du poil, répondit-il dignement. Mes plumes sont toutes hérissées.

Il tendit les épaules, comme pour se gonfler, et caqueta plusieurs fois, prenant l'air d'une poule méditative.

— Tu ne t'en es pas rendu compte ?

— Super, admira-t-elle. Je reviendrai plus tard pour tâter tes plumes.

Elle disparut et Jack soupira lourdement, comme assommé, tout en étendant la main pour s'emparer de la télécommande.

— Et les gens se demandent de qui Flora tient ça…, murmura-t-il à Caligula. En tout cas, nous savons tous qui est en charge du poulailler dans cette maison.

Il alluma la télévision, posa les pieds sur le canapé et ferma les yeux.

À Ottercombe, Mina s'apprêtait à se coucher. Lyddie lui avait téléphoné pour lui annoncer que Liam n'accepterait une réconciliation qu'en cas de reddition complète de sa part, et que, par conséquent, elle n'avait d'autre choix que de quitter Truro. Elle demandait donc à passer un moment chez elles en attendant de savoir où elle installerait ses pénates. Bien qu'attristées par la nouvelle, Mina et Nest se sentaient profondément soulagées de savoir que Lyddie se tournait vers elles. Cela démontrait clairement qu'elle avait accepté son passé, même si elle n'avait pas eu le temps de l'assimiler entièrement. Elle allait d'abord rendre visite à Jack et Hannah, seulement pour quelques jours ; idée qu'approuvaient les tantes. Elles avaient une confiance absolue en son cousin et sa femme et savaient qu'ils lui permettraient de s'exprimer et la soutiendraient dans cette épreuve.

— Il faut simplement que Roger règle cette question d'hypothèque, avait dit Nest. Heureusement que le gros emprunt qu'avait effectué Henrietta a été épongé par les assurances. Connor a été tellement naïf de se lancer dans cette affaire.

— Henrietta refusait de lâcher le morceau, se souvint Mina. Elle n'en démordait pas. Au point de sacrifier Lyddie sur cet autel.

Nest l'avait soudain dévisagée, en état d'alerte.

— Lui as-tu dit, pour l'accident ?

— Je lui ai dit, répondit précautionneusement Mina, que vous vous étiez laissés entraîner dans une discussion enflammée au sujet de cette boutique et que tu avais toujours eu l'impression que c'était l'intensité même de cette discussion qui avait conduit Henrietta à relâcher sa concentration.

— Ce n'est pas l'entière vérité, trancha Nest.

— Peut-être pas, fit Mina avec fermeté. Mais c'est tout ce que tu peux lui révéler. La cause de cet accident vous regarde, Connor, Henrietta et toi. Pas Lyddie. Il serait très mal de l'impliquer là-dedans. Elle ne peut te pardonner en leurs noms, ce drame l'entraînerait simplement un peu plus vers le fond. Lui dire toute la vérité, à mon avis, relèverait d'une certaine complaisance.

Nest l'avait toisée, presque en état de choc.

— De la complaisance ?

— Oui ! Tu ne le vois pas ? Le seul bénéfice potentiel serait ton soulagement. Elle se sentirait forcée de t'absoudre et serait ensuite écrasée sous le poids de cette information ; elle devrait affronter l'horreur de cette histoire une nouvelle fois. Ce serait de la cruauté. Tu dois continuer à vivre avec ta part de cette histoire, Nest. Si Lyddie est à même d'accepter tout le restant de l'affaire et d'aller de l'avant, tu dois te pardonner enfin et la suivre. C'est terminé.

Elle avait vu Nest déglutir puis serrer convulsivement les accoudoirs de son fauteuil et, avec l'impression d'être une brute, elle l'avait laissée seule.

À présent, tandis qu'elle brossait ses fins cheveux blancs, laissant s'échapper entre ses lèvres de tendres « po-po-po », elle se remettait en question. À ses pieds, Boyo Bon-à-rien quadrillait le tapis, cherchant son jouet, alors que le Chapitaine l'épiait depuis son panier. Un peu plus tôt, à bout de nerfs, il avait caché le jouet derrière le rideau. Il observait maintenant son rejeton tandis que celui-ci procédait à une fouille méticuleuse. Mina sentit son haleine excitée sous son tabouret et se pencha pour voir de quoi il s'agissait.

— Que fais-tu ? demanda-t-elle. Benêt de Boyo. Que cherches-tu ?

Craignant une possible alliance, le Chapitaine se raidit dans sa couche, mais sa maîtresse était trop préoccupée pour deviner ce que cherchait Boyo Bon-à-rien. Elle le laissa d'ailleurs à ses affaires pour aller prendre place dans l'alcôve. Elle cliqua et patienta, concentrée sur l'écran, jusqu'à ce qu'elle puisse enfin ouvrir l'e-mail d'Elyot.

De : Elyot
À : Mina
Excellente journée. William est à la maison ! Oh, la joie et le soulagement de l'avoir avec nous, sain et sauf ! Lavinia a réagi de manière tellement positive. Elle l'a tout de suite reconnu et, bien qu'elle n'ait pas su se rappeler où il était passé, elle s'est montrée plutôt lucide. Elle semble avoir complètement oublié son ex-femme, Marianne – ce qui est tant mieux, en la matière –, mais son apparition inattendue fait un bien immense à Lavinia. J'ai préféré ne pas l'en avertir à l'avance, au cas où quelque chose irait de travers, mais je crois en définitive que c'était la meilleure chose à faire. Cette heureuse surprise a semblé déclencher quelque chose dans son cerveau, si bien qu'elle est... – j'ai failli écrire « elle-même », ce qui est loin de la vérité. Enfin, elle était si lumineuse que ça m'a réchauffé le cœur. J'avais presque oublié son sourire. Elle a un visage triste et gris, maintenant, et ne sourit que rarement.
Il a fallu hélas que l'on reparle de notre médecin de famille. J'avais prévenu William et il s'est montré sympathique, sans plus, ce qui est la meilleure attitude à prendre. Comme vous aviez raison à ce propos ! Quoi qu'il en soit, cette affaire a porté une légère ombre sur notre heureuse réunion. William a l'air en forme et jouit d'une permission

jusqu'à Noël, quand il prendra ses fonctions au ministère de la Défense. C'est bien de l'avoir ici au pays pour un bout de temps et, quoique je ne veuille nullement que nous devenions un poids pour lui, je sais que je pourrai compter sur son soutien et – ce qui est si important ! – qu'il égaiera mes journées. Comme vous, ma chère vieille amie, il est doué de cette aptitude bénie, de cette capacité à remonter le moral.

Mais assez de nous. Comment vont les choses à Ottercombe ? Quelle bonne nouvelle que le squelette soit sorti du placard. Vous avez été très discrète, avec raison, mais j'ai deviné à la profondeur de votre angoisse (et de votre soulagement subséquent) qu'il s'agissait d'un cadavre de belle taille. N'imaginez pas un seul instant que la présence de William puisse me rendre moins intéressé par des nouvelles de vous, comme à notre bonne habitude.

Elyot

Mina demeura pensive un moment. Il était bon de l'imaginer ainsi, profitant de la compagnie de son fils et réjoui par le retour d'un peu de lucidité chez Lavinia ; il serait égoïste de lui parler si rapidement des soucis de Lyddie. Mais elle sentait un désir ardent de les évoquer. Elle fut étonnée par l'intensité de son besoin et réalisa à quel point elle était devenue dépendante de lui. Elle répondit rapidement, de peur de faiblir.

De : Mina
À : Elyot
Tout va bien ici et vous avez raison de croire que mon soulagement est grand. Il y a longtemps que je n'avais vu Nest aussi en forme. Une certaine sérénité s'est enfin emparée d'elle. Il était grand temps. Georgie a passé une journée tranquille, comme si elle était intriguée par un bruit qu'elle seule peut entendre. Pas de drames, au moins !
Je suis si heureuse d'entendre à quel point l'arrivée de William vous a rendu joyeux. Vous méritez un peu

de repos, cher Elyot, et c'est charmant de songer que vous êtes tous ensemble. Quelle chance qu'il soit là pour Noël, non seulement parce qu'il est votre fils et qu'il se trouvait à l'étranger depuis longtemps, mais également parce que cela va alléger le fardeau qui pèse sur vos épaules.

Profitez bien de ces moments de compagnie. Nous nous reparlerons demain. Bonne nuit.

Mina éteignit son ordinateur, retira la longue robe diaphane et grimpa dans son lit. Elle tourna le bouton de la lampe de chevet et resta là, à regarder la pénombre.

— Chacun a droit à son propre passé.

Au bout d'un certain temps, elle étira le bras pour prendre le rosaire de Lydia et laissa filer les perles, douces et fraîches, entre ses doigts. Mais elle ne parvint pas à trouver le sommeil.

XXXIII

Nest aussi demeurait étendue sans trouver le sommeil. Elle songeait en détail à ce que Mina lui avait dit un peu plus tôt. Elle avait eu raison d'expliquer l'accident de cette manière à Lyddie ; et avait également eu raison de dire qu'elle, Nest, devrait vivre avec la vérité, sans pouvoir se permettre le luxe du pardon de Lyddie. La jeune femme ne pourrait jamais résoudre sa culpabilité et il serait cruel de lui faire porter une telle histoire. Il était suffisant qu'elle sache avoir fait l'objet de la conversation, que c'était cette angoisse à propos de son avenir qui avait pu entraîner la perte de concentration momentanée dont avait pâti Henrietta.

Nest ferma les yeux en se rappelant le profil de Connor, sa tête tournée vers elle. Il était tard, ils revenaient de la maison d'un ami commun où il y avait eu quelque fête. Henrietta conduisait. Nest accepta de monter dans la voiture et de dormir chez eux ce soir-là, pour la simple raison que Connor lui avait demandé de plaider la cause de Lyddie face à Henrietta. C'était la première fois en vingt ans qu'il demandait son soutien. Il lui avait même rendu visite à l'école, dans le Surrey, pour la prier de persuader Henrietta d'abandonner ses projets.

« Lyddie serait sacrifiée, déplore-t-il. Elle s'est bien débrouillée à l'université et on lui offre un travail

335

dans une grande maison d'édition. Elle en saute de joie. Le problème est qu'Henrietta angoisse à propos de son emprunt et croit qu'on devrait forcer Lyddie à nous aider. Elle parle de loyauté, de liens familiaux, tout ça. Henrietta a cette idée dingue que Lyddie n'a pas trop besoin de salaire, puisqu'elle sera logée à la maison, ce qui nous économiserait les frais de notre assistante à temps plein. Quelle sorte d'avenir ce serait pour Lyddie, je te le demande ? Et Henrietta croit que la présence de Lyddie dans la boutique fera venir des jeunes et stimulera notre commerce. Elle ne comprend pas que Lyddie ne soit pas enchantée par cette idée. Comment ai-je pu être assez idiot pour la laisser poursuivre cette histoire de boutique ? Je ne lui permettrai pas de sacrifier l'avenir de notre fille... »

Nest le regarde avec sympathie, profondément d'accord avec l'idée que Lyddie ne devrait pas rater sa chance à Londres, mais elle se demande en même temps comment il est possible que la naissance de leur fille ait tué de manière si définitive toute la passion qu'elle éprouvait pour lui. C'est comme si une épée était tombée entre eux et avait tranché les liens qui naguère les unissaient. Comme cela était difficile, si difficile, de laisser aller son enfant. Pourtant, quand elle finit par accepter ce qu'elle appelle amèrement les « conditions générales », cette période à Ottercombe fait partie des mois les plus heureux de sa vie. Elle se sent si bien, tellement en forme, « bien que j'appartienne à la classe des primates vieillissantes », dit-elle à Mina à son retour d'une visite chez le médecin. Mina fait la grimace. « Juste ciel, dit-elle, on a l'impression que ça fait de toi une sorte de gorille » – et elles rient de bon cœur. Même Mama, une fois que tout a été réglé (« Quand je me suis courbée sous le joug », dit Nest), redevient affectueuse et retrouve son caractère avenant.

L'acceptation, la reddition, sont peut-être les moteurs permettant cette nouvelle sorte de contentement. L'horreur et la crainte, la terreur pour l'avenir de son enfant – et pour le sien – cèdent la place à une confiance sereine. À Ottercombe, c'est comme si elle était sortie du monde, cachée loin du regard sévère de la société, comme si elle était à même de s'offrir entièrement à cette nouvelle expérience fantastique sans penser à l'avenir. Les trois femmes reprennent le fil de l'existence que Nest avait abandonnée derrière elle cinq ans auparavant, et elle se laisse aller avec bonheur aux soins prodigués par Mina. Elle se promène sur des kilomètres à travers la lande et passe des heures à regarder la mer, se délecte du sentiment paisible qui, par degrés, à la vue de son mouvement incessant, l'enveloppe de douceur.

Aussi souvent que possible, Timmie passe leur rendre visite, accompagné d'Anthea et du petit Jack, et il la réconforte. Ni lui ni Mama ne connaissent l'identité de l'amant de Nest et la question n'est jamais abordée. Il lui offre simplement son amour inconditionnel et ses encouragements, à sa manière. Tous adorent Jack, en particulier Lydia, qui aime le prendre sur ses genoux, où il s'affale, détendu et assoupi. Lorsque Nest le câline, qu'elle sent sa chaleur et son poids, qu'elle touche ses joues cramoisies et son duvet de poussin, il lui paraît impossible qu'elle ne puisse pas tenir son propre enfant de cette manière. Cependant, un certain instinct de conservation lui évite de pousser ses pensées trop loin, les écarte gentiment mais fermement, de manière à ce que la quiétude revienne baigner son âme et consoler son cœur. Il est entendu qu'elle aura le droit de choisir le prénom de son enfant et elle ne doute pas un seul instant. Si c'est un garçon, il s'appellera Timothy ; si c'est une fille, ce sera Lyddie.

Au cours de cet hiver et au début du printemps, Lydia souffre de ses habituelles crises d'asthme et de ses problèmes de bronches. Nest écoute sa mauvaise toux et observe sa fragilité croissante avec inquiétude, se rappelant ces années de guerre, alors que Mina vivait à Londres et que Mama leur avait lu *The Country Child* et la poésie d'O'Shaughnessy. Les rôles sont désormais inversés : c'est Nest qui fait la lecture à Lydia, alors qu'elles prennent place près du feu dans le salon, pendant que Mina coud des petits vêtements pour le bébé.

— T'arrive-t-il de te sentir seule ? demande Nest à Mina, un soir, après que Lydia est montée se coucher.

Elle se souvient qu'elle était partie refaire sa vie cinq ans auparavant, laissant Mina et Lydia seules à Ottercombe, et éprouve un sentiment de culpabilité.

— Seule ? répond-elle, pensive. Je ne crois pas, affirme-t-elle pour finir. Je m'occupe de Mama qui, comme tu peux le voir, requiert beaucoup de soins et, à dire vrai, je crois que je suis une personne naturellement solitaire. Sans compter que je dois m'occuper de la maison et du jardin. J'ai toujours eu cette passion pour les livres, pour les histoires. Je vis à travers elles, vois-tu, et les personnages sont très réels pour moi. Ils sont mes amis et j'ai toujours trouvé leurs mondes bien plus satisfaisants que la réalité extérieure.

Cependant, lorsque le monde du dehors s'impose à elle, Mina répond avec courage et enthousiasme. Nest sait que durant ses heures noires, après la perte de Connor, puis durant ces semaines vides et atroces – heureusement juste avant le début d'un nouveau trimestre –, quand Henrietta est venue emporter le bébé et, plus tard, dans les mois qui ont suivi l'accident, c'est Mina qui l'a soutenue, qui lui a donné le courage de poursuivre, qui l'a forcée à rester en vie.

Nest ne cessait de gigoter. Elle regarda son réveil : il était presque une heure et demie. Elle décida qu'il lui fallait une boisson chaude. Elle s'approcha du bord du lit, passa sa robe de chambre et prit position dans son fauteuil. Elle ouvrit la porte doucement, écouta un instant, puis roula vers le vestibule et la cuisine. Elle avait pris place à la table et buvait une camomille lorsque Mina entra.

— Oh, dis donc, s'exclame-t-elle. Toi aussi ? Tu ne broies pas du noir, j'espère ?

— Un peu, répondit Nest en reposant sa tasse. Je repense à l'accident, tu sais. J'essaie de déterminer si Henrietta a entendu ou pas ce que j'ai dit. Je ne cesse d'y repenser. Il pleuvait des hallebardes, une nuit terrible, si tu te rappelles. Les essuie-glaces étaient actionnés et la circulation mauvaise ; les pneus glissaient sur la chaussée détrempée. Je criais presque. Enfin, nous hurlions tous. Connor et moi avions trop bu et Henrietta se trouvait dans un sale état, parce qu'elle commençait à réaliser qu'elle ne parviendrait peut-être pas à imposer sa volonté. Elle n'était pas habituée à cela et elle commençait à paniquer. Elle était sur la défensive, contrariée que je m'en mêle. Elle savait que Connor m'avait enrôlée pour combattre dans son camp. Elle était brusque. « Je ne suis peut-être pas la mère de Lyddie… », a-t-elle dit, sarcastique. Et, sans trop réfléchir, j'ai rétorqué : « … Non, mais Connor est son père et… » Je me souviens m'être tue au milieu de ma phrase, avoir plaqué ma main sur ma bouche. Elle a vivement tourné la tête vers lui et ils se sont regardés. Et juste après, la voiture a percuté le gros convoi qui venait en sens inverse, nous avons tourné et tourné, hors de contrôle. Je n'oublierai jamais ces horribles bruits…

Mina avait placé son bras autour d'elle, la serrait contre sa poitrine, la berçait.

— Elle ne t'a peut-être pas entendue, dit-elle. La culpabilité peut déformer la réalité. Elle n'a peut-être tourné la tête que pour mieux t'entendre.

— C'est possible, fit faiblement Nest en retirant ses mains de son visage. De toute manière, je suis d'accord avec toi en ce qui concerne Lyddie. Tu as absolument raison là-dessus. J'aimerais savoir comment elle se sent par rapport à... cette autre chose.

Mina se redressa et plongea les mains dans les poches de sa robe de chambre. Ses doigts rencontrèrent le rosaire qu'elle avait inconsciemment laissé là un peu plus tôt, au moment de descendre au rez-de-chaussée. Elle resta là quelques instants, puis prit une profonde inspiration. « Po-po-po. » Enfin, elle déposa le chapelet sur la table, près de la tasse de Nest. Celle-ci le regarda.

— C'est celui de Mama, n'est-ce pas ? demanda la plus jeune des deux, momentanément distraite de ses pensées morbides. N'était-ce pas Timothy qui le lui avait offert ?

Mina mit la bouilloire sur le feu et se choisit une tasse.

— Pas vraiment. Il a appartenu à Timothy. Elle en a hérité après sa mort.

— C'était bizarre, non ?

Nest ramassa le rosaire et fit glisser les perles entre ses doigts.

— Pourquoi Mama ? N'avait-il pas de famille ?

— Pas que je sache. Toutes les lettres qu'il avait reçues sont revenues avec le rosaire et quelques autres objets. Timothy ne possédait pas grand-chose, je crois. L'appartement qu'il louait à Londres avait été bombardé et il n'avait presque rien en sa possession lorsqu'il est mort. Rien que ce rosaire, les lettres et quelques photographies.

— Je me souviens que nous recevions des lettres de lui, dit Nest en souriant un peu, se remémorant des temps plus joyeux. Et parfois des cadeaux.

— Timothy avait le don de l'empathie, dit Mina. Il a appris à connaître chacun d'entre nous et ses cadeaux étaient personnalisés et toujours parfaitement choisis. C'était un explorateur et un soldat, et je crois qu'il travaillait pour les services secrets durant la guerre. Il était l'ami de Papa ; un jour, il avait débarqué ici avec lui et il était resté tout un mois parmi nous. C'était l'été avant que Timmie naisse, l'un des étés les plus heureux dont je me souvienne.

Elle versa l'eau bouillante sur son sachet de thé et attendit un moment.

— Nous l'adorions tous, simplement. C'est lui qui nous a donné nos noms.

— Que veux-tu dire ?

Nest était interloquée, désormais complètement distraite de ses atroces souvenirs de l'accident, comme l'avait espéré Mina.

— Il nous a donné nos noms ? Comment est-ce possible ?

— Avant que Timmie ne vienne au monde, on nous désignait par des versions raccourcies de nos prénoms. Enfin, c'est ce que faisait Papa. Mama tentait de l'en empêcher et nous appelait par nos noms complets, mais Papa voulait avoir le dernier mot. Je ne le réalisais pas à l'époque, mais je vois clair, maintenant.

Elle hésita un instant, jeta le sachet dans la poubelle, agita son thé pensivement.

— Papa avait un côté brutal. Oh, non pas une cruauté physique, mais une sorte de dureté, une insensibilité. Il ne songeait jamais à ce que pouvaient ressentir les autres et ne se sentait pas particulièrement concerné par leurs souffrances. Il nous appelait « George », « Bill », « Henry » et « Jo ». Je me souviens de ce jour, tu sais, quand Timothy est venu. Nous sommes arrivées de la plage et Papa nous a présentées à lui. Il nous appelait le Bandar-Log, la « bande de singes », si tu veux, pour plaisanter. « Voici le Bandar-Log », a-t-il dit, avant d'énoncer nos noms devant Timothy. « Mais pourquoi ? » a demandé Timothy. Il semblait étonné, presque attristé. « De si charmantes petites... » Et Papa de répondre : « C'est presque aussi bien que d'avoir des garçons », ou quelque chose du genre, et j'ai regardé le visage de Mama. Timothy a fait de même. C'était comme si elle venait de recevoir un coup de poing. Il a commencé à nous donner des noms différents, plus gentils et plus féminins.

— Qu'a dit Papa ? demanda Nest, captivée comme toujours par les talents de conteuse de Mina.

— Le fait est que lui aussi adorait Timothy, dit Mina en venant s'asseoir à la table. Tout le monde l'aimait. Il était irrésistible : nous nous battions toutes pour nous asseoir à ses côtés ou pour lui tenir la main. Nous mettions nos trésors de côté pour les lui montrer, nous faisions de beaux dessins pour lui. Et il avait une telle allure. Te souviens-tu ? Très grand et blond, avec son visage bronzé. Il avait l'air d'avoir passé sa vie en plein air ; c'était un dur, mais d'une grande gentillesse.

Mina se tut un instant.

— Tu es au courant pour la « veuve » de Papa à Londres, bien sûr.

Nest acquiesça.

— Mais je n'ai jamais su, poursuivit Mina, ce que Mama savait à ce sujet. Rien du tout, au début, je suppose. Mais je comprends qu'il se servait des crises d'asthme de Mama pour nous faire partir de Londres chaque fois que c'était possible. Ça n'était pas une punition, pour elle qui adorait Ottercombe, mais je me demande si elle ne s'ennuyait pas de Papa ou de la compagnie des adultes. Elle avait fait de nombreuses fausses couches et n'avait jamais été bien forte, mais Timothy la ramenait à la vie par sa chaleur humaine. Est-ce que cela semble idiot ? Elle s'épanouissait et grandissait en sa présence et il servait de tampon entre nous toutes et l'insensibilité de Papa. Nous étions toutes amoureuses de lui, je crois. Pas seulement Mama.

Le regard de Nest quitta subitement le rosaire qu'elle égrenait entre ses doigts. Elle regarda sa grande sœur.

— Pas seulement Mama ? répéta-t-elle.

— Ils étaient amants, annonça Mina rêveusement. Je ne comprenais pas, à l'époque, j'étais trop jeune, mais je sais, maintenant – et en plus, j'ai lu leurs lettres.

Nest écarquillait les yeux.

— C'étaient des lettres d'amour ?

— Oh, oui. Une fois que je les ai lues, toutes les pièces du puzzle se sont assemblées. Ce fantastique été, avant la naissance de Timmie…

— Un instant, dit Nest lentement. « Avant la naissance de Timmie. » Tu viens de prononcer cette phrase. C'est ça, n'est-ce pas ? C'est le secret que connaît Georgie. Tu as dit une fois « Il y a d'autres secrets », avant de te refermer comme une huître. Je vois, maintenant. Un garçon après toutes ces filles et Timmie qui était grand et blond – même son nom ! Oh, je sais que Timothy était son parrain, mais tout de même. J'ai raison, n'est-ce pas ? Timothy était le père de Timmie. Oh, misère, imagine Mama…

— Ce n'est pas tout à fait ça, interrompit Mina avec douceur. Bien que ce soit ce que beaucoup de gens ont cru. Ces vicieux de Sneerwell ont constamment fait des allusions en ce sens. Mais ce n'est pas exactement comme ça que ça s'est passé, bien qu'il y ait une minuscule vérité dans cette version. Timothy détendait Mama, la rendait heureuse, la poussait à la confidence, et je crois que c'est pour cela qu'elle a réussi à enfanter de nouveau. Mais Timmie était le fils de Papa. Ce n'est que l'année suivante que Timothy et Mama sont devenus amants. C'est toi qui es leur enfant, Nest. Tu as été l'enfant de l'amour, le bébé qu'il adorait mais ne pouvait reconnaître.

Elle cessa de parler et le silence envahit la cuisine, emplissant les espaces.

— L'enfant de Timothy ?

— Elle l'aimait tant.

Il fallait que Nest sache aussi cela.

— C'est étrange comme l'histoire se répète, non ? Mama et Timothy. Tony et moi. Toi et Connor.

Nest la regarda et Mina vit qu'il n'y avait ni horreur ni tristesse sur son visage, juste une sorte d'émerveillement ébloui.

— Dis-moi tout, dit-elle. Recommence depuis le début et dis-moi tout ce que tu sais.

XXXIV

Lyddie laissa tomber sa valise sur le lit et regarda la petite chambre. Il y avait tout juste l'espace pour une commode et une chaise à côté du lit.

— Dieu merci, il y a un placard encastré dans le mur, dit Hannah. Il aurait été impossible de trouver la place pour une vraie penderie, ici c'est à peine plus grand qu'un tiroir, mais au moins nos visiteurs ne sont pas forcés de partager la chambre de Tobes et Flora.

— C'est super, assura Lyddie en admirant le vase posé sur la commode, où trônait une composition de branches couvertes de baies automnales et de rameaux de hêtre, et la pile de serviettes épaisses sur laquelle reposait un bloc de savon tout neuf au délicieux parfum. Merci, Han, c'est génial.

— Descends quand tu seras prête.

Elle disparut et Lyddie défit sa petite valise, la glissa entre le pied du lit et le mur, puis posa son sac de voyage près de la glace, sur la commode. Avant de quitter Truro, elle avait empaqueté le contenu de son bureau – ordinateur portable, ouvrages de référence, paperasse – et l'avait chargé dans la voiture. Puis elle avait rappelé à ses quatre principaux éditeurs qu'ils pouvaient la joindre sur son portable et avait trié ses vêtements d'hiver. Elle devrait revenir ici un jour, évidemment, mais il était important que ce moment constitue pour elle une cassure significative ; il lui fallait accomplir un geste indiquant qu'elle entrait dans une nouvelle ère.

Le Nemrod avait été troublé de voir disparaître l'espace qui lui était réservé à l'arrière de la voiture. Mais il avait tout de même pu sauter dans son panier, flanqué d'une caisse contenant sa gamelle et une semaine de croquettes. Lorsqu'elle avait quitté Londres, Lyddie avait entreposé une partie de ses affaires à Ottercombe et le reste à Oxford. Alors qu'elle roulait vers le Dorset, elle se sentait profondément soulagée de pouvoir compter sur une seconde maison dans laquelle se réfugier. Roger et Teresa auraient été d'accord pour l'héberger un bout de temps, mais la maison d'Iffley ne lui semblait plus aussi hospitalière. Teresa y avait imprimé sa marque de façon si forte et, en outre, ni l'un ni l'autre n'était aussi cher au cœur de Lyddie que Mina et Nest, ou Jack et Hannah.

En route vers le Dorset, elle se demandait, comme elle l'avait fait si souvent dans le passé, comment il était possible qu'elle ait toujours été plus proche de Jack que de Roger.

— Roger n'est pas au courant ? avait-elle demandé à Mina, inquiète.

— Non, non, l'avait rassurée Mina. Il n'avait alors que trois ou quatre ans. Non, Roger n'en a pas la moindre idée.

Elle avait fini par conclure, en quittant Truro, qu'il serait plus facile de raconter cette histoire à Jack qu'à Roger, même si elle avait commencé à réaliser qu'il lui serait impossible, au fond, de s'en ouvrir à qui que ce soit. Après tout, ce n'était pas son secret. Il concernait trop de gens. Cependant, il y avait autre chose. Elle pouvait certes imaginer tout le bien que ça lui ferait de révéler cette histoire à Jack, mais savait aussi qu'il était trop tôt, qu'il lui faudrait du temps pour intégrer, pour bien connaître ses propres sentiments à propos de sa nouvelle identité. Cependant, c'était une sensation étrange que de penser à Roger en tant que « demi-frère », alors qu'en même temps, bizarrement, il était son « cousin ».

Lyddie hocha la tête, confuse, mais pas particulièrement étonnée. Elle avait toujours eu de la difficulté à se rapprocher de Roger ; il était très replié sur lui-même et avait un côté irritable et ses remarques parfois cruelles, qui pouvaient blesser, malgré le sourire qui s'ensuivait et cette précaution, après coup : « Je plaisante », qui se riait de la sensiblerie de ses victimes. Alors que, du plus loin qu'elle se souvienne, Jack avait toujours été un enfant chaleureux et affectueux ; plein de compassion et de générosité envers les autres, sans compter son féroce sens de l'humour. Au moins, Jack demeurait son cousin, cela n'avait pas changé.

Lorsqu'elle eut terminé de défaire ses bagages et qu'elle descendit à la cuisine, il l'attendait. Il était assis par terre, appuyé contre un placard, les jambes tendues, et parlait au Nemrod, couché à ses côtés, qui regardait Jack avec un mélange d'affection et d'émerveillement. Lyddie éclata de rire et, dès cet instant, le petit nœud de peur et de souffrance qui pesait dans son ventre commença à se dénouer, à se dissoudre.

— Caligula lui a fait peur, expliqua Jack. Les chiens sont des gens très sensibles et Caligula s'est montré particulièrement impoli. N'est-ce pas ?

Le Nemrod lécha le nez de Jack avec gratitude tout en fouettant le plancher de sa queue.

— Il est très malade, commenta Hannah avec résignation. Mais que cela ne te cause pas de souci. Tu t'en doutes, je suppose, la présence du Nemrod va entraîner un véritable chaos lorsque les gamins rentreront, après le dîner. L'heure du coucher risque de constituer une expérience intéressante.

— Je ne suis venue ici auparavant que pour les vacances, admit Lyddie. Oh ! là, là ! on va devoir le cacher dans le garage.

— C'est hors de question, s'indigna Jack. Ses nerfs sont déjà à bout. Les gamins seront ravis ! J'ai hâte de voir leurs visages. Hannah t'a-t-elle dit que nous allions adopter un petit chien ?

— Non, sourit Lyddie, charmée par l'idée. Ça, alors... Tobes doit être fou de joie !

— Il n'en sait rien encore, précisa Hannah en versant du thé à Lyddie. Nous avons décidé d'attendre jusqu'aux vacances, de manière à mieux gérer la période de dressage. Et je ne pouvais pas supporter l'idée de l'entendre demander toutes les cinq minutes quand se termine le trimestre.

Jack fit un câlin au Nemrod et se releva.

— Tu sembles très fatiguée et plutôt tendue, dit-il à Lyddie en étudiant ses traits. Je te conseille un grand verre un peu plus tard dans la soirée. Moi, je n'ai pas vraiment le droit de commencer à picoler avant que nos petits chérubins soient couchés... On m'interdit d'être pompette lorsque je suis en charge du dortoir.

— Ce qui ne nous empêche pas de l'être, nous ! affirma Hannah, en adressant à Lyddie un hochement de tête. De toute façon, Jack n'était là que pour dire bonjour, il doit aller surveiller le réfectoire. Impossible de l'attendre.

— Je suis un saint, observa Jack.

Lyddie éclata de rire.

— Je suis d'accord. Tant pis, Jack. Tu devras nous rattraper.

— Je me disais que tu pourrais m'accompagner jusqu'à l'école, dit-il. Ça te dégourdirait les jambes, après ton trajet en voiture, et ça permettrait au Nemrod de cavaler librement.

— Avec plaisir ! Quelle bonne idée.

— Laisse-la terminer son thé, fit Hannah. Je m'occupe du dîner. Oh, c'est tellement merveilleux de ne pas avoir à présider la cérémonie du thé des gamins !

— Parle pour toi, ajouta Jack d'un air sombre. As-tu déjà vu cent cinquante petits garçons âgés de huit à douze ans en train de mastiquer à l'unisson ? Non ? Eh bien, évite-toi cela. Ça pourrait te dégoûter de la nourriture pour le restant de tes jours.

Plus tard, alors qu'ils marchaient sur le vert tendre de la pelouse, sous les châtaigniers, dont les garçons ramassaient les fruits chaque automne, Lyddie glissa la main sous le bras de Jack et celui-ci lui sourit.

— Ma pauvre chérie…, lui chuchota-t-il. Tu veux en parler ?

— Je vais te dire un truc étrange, rétorqua-t-elle. J'ai envie de vomir lorsque je songe à la manière dont Liam a agi, pourtant je le désire encore et je sens que tout ça est un désastre tragique, mais en même temps, je ressens une sorte de… eh bien… de soulagement. Oh ! C'est si difficile à expliquer ! Je pourrais donner l'impression que je m'en fiche, ce qui est faux. Mon cœur bat la chamade lorsque je pense à lui et je me sens perdue, mais tout au long de cette affaire, Jack, j'ai ressenti une étrange sensation d'irréalité. Peux-tu comprendre ça ? Comme si j'étais en vacances dans un endroit où aucune des règles normales du quotidien n'avaient cours. Oh, je travaillais, et ça c'était bien réel, mais il était étrange de bosser toute la journée pour ensuite me rendre à L'Endroit chaque soir et plaisanter avec Joe. Je me disais que des milliers de gens vivent comme ça, dirigent des hôtels ou des pubs, néanmoins ça me semblait irréel.

— Peut-être la différence, suggéra Jack après un temps, est que la plupart des couples d'hôteliers et de restaurateurs travaillent ensemble, contrairement à vous deux ? Ils poursuivent un intérêt commun. Ils démarrent l'entreprise ensemble, définissent leurs rôles au sein du projet, et leurs vies entières sont délimitées, contrôlées par ça. Tu m'as dit que Liam ne t'invitait jamais à jouer le moindre rôle dans son travail, et même qu'il t'en décourageait. Tu faisais le travail pour lequel tu as suivi une formation, seule à la maison, et te servais ensuite uniquement de L'Endroit comme d'un bar à vins où tu sortais chaque soir. Je me suis souvent demandé comment vous alliez pouvoir continuer comme ça, pour être honnête. Quelle aurait été la place des mômes, dans ce genre de système, par exemple ? Tu ne pouvais que devenir de plus en plus isolée. Les horaires de Liam sont tellement « antisociaux » – ou plutôt « antifamiliaux » – que je me demandais si, à cinquante ans, tu ne serais pas toujours en train de travailler seule à la maison toute la journée avant d'aller t'asseoir dans un bar chaque soir, tandis que Liam menait sa vie en parallèle.

Elle le regarda.

— Soupçonnais-tu que Liam me trompait ?

Jack grimaça, articulant sa pensée avec soin.

— J'avais l'impression qu'il jouait un personnage. Tu sais, sa manière de léviter d'une table à l'autre et de bavarder avec les blaireaux, cette façon particulière qu'il a de se mettre en scène – moitié majordome de la haute et moitié play-boy. Désolé.

Il lui jeta un regard, serra sa main.

— Je n'essaie pas de t'offenser, seulement il est tout de même un peu poseur. Un poseur très séduisant, soit dit en passant. Je peux comprendre que les femmes ne résistent pas à son charme.

— Ça a été mon cas, soupira Lyddie. Je crois que tu as tout à fait raison. Nous n'avions pas la moindre possibilité de créer une vie de famille, pas de week-ends, pas de vacances. Peut-être est-ce pourquoi, très bizarrement, je me sens presque soulagée. Ça n'enlève rien à ma peine...

— Non, mais ça te donne une piste de travail, dit Jack. Le fait que ça ait été, je veux dire... une erreur. Tu peux t'accrocher à ça. Je dois avouer que je m'étais demandé, à l'époque, si ce n'était pas un peu précipité, juste après James.

— Je commence à perdre confiance en moi. Perdre un homme peut passer pour une erreur, mais en perdre deux...

— Ça, ce sont de pures conneries. Le chiffre trois porte chance. Mais j'insiste pour procéder à la vérification du prochain candidat.

— Alors, tu ne crois pas que c'est une erreur de ma part d'abandonner la partie ? demanda Lyddie, étonnée de l'importance qu'allait revêtir la réponse de Jack.

— Je ne vois pas bien quelles étaient tes options, dit-il. Tu lui as fait une proposition constructive et il l'a rejetée. Qu'est-ce que tu aurais pu faire de plus ?

— Tu ne crois pas que je devrais simplement continuer comme avant ?

— Nom de Dieu, jamais de la vie ! s'écria-t-il. Bon sang, Lyddie ! Ne sois pas stupide. Quel que soit l'amour que tu lui portes, personne ne pourrait raisonnablement s'attendre à ce que tu acceptes un tel rôle. Il a mis cartes sur table et tu n'avais plus qu'à prendre ou à laisser. Et tu as décidé de laisser.

Elle sourit et pressa son bras.

— Merci, Jack.

— Je ne suis pas certain de mériter ta gratitude, mais de rien. Tu crois que ça va aller, pour toi, de séjourner chez les tantes ?

— Je pense, oui. Au moins, je pourrai travailler. Je suis contente, maintenant, de n'avoir pas convaincu Roger de vendre la maison, il y a si longtemps. Il ne pouvait pas se permettre de racheter ma part, à l'époque, alors qu'aujourd'hui si. Cet argent va m'être très utile. Ça a été comme un bas de laine, tout ce temps.

— Tu pourrais retourner à Londres reprendre ton ancien boulot...

— J'y ai songé, hésita-t-elle. J'ai besoin de temps pour penser à tout ça. Je vais en avoir, à Ottercombe.

— Il n'y a pas meilleur endroit pour récupérer, surtout avec ces deux adorables vieilles, dit-il affectueusement. Regarde, si tu passes entre les haies, tu te retrouveras derrière les dépendances, sur le sentier qui mène à la maison, et ça offrira au Nemrod une bonne occasion de galoper. Ça te va ?

— Bien sûr. Sois béni, Jack, tu me réconfortes tellement.

Il lui sourit.

— Tu fais le bon choix. Accroche-toi à cela... À plus tard. Nous parlerons à nouveau demain matin.

Elle regarda la haute silhouette avancer à grands pas vers le vaste bâtiment georgien, aperçut les gamins affairés sur le terrain de rugby qui lui faisaient signe de la main en criant son nom, et elle ressentit un mouvement de profonde affection pour Jack.

— Viens, dit-elle au Nemrod. Tu ne peux pas l'accompagner, mais il reviendra plus tard.

Elle fit volte-face, glissa les mains dans ses poches, et se mit à marcher, le cœur un peu plus léger.

XXXV

Nest était assise au salon, près du feu. C'était un après-midi de novembre triste et monotone. La bruine tombait, poussée contre les carreaux par un vent glacé, et il faisait bon lui tourner le dos, pour plonger plutôt son regard dans la danse rassurante des flammes. Les chiens et Mina étaient partis à la plage, malgré la température, et Georgie, fatiguée par ses courses du matin à Barnstaple, était montée faire la sieste. Il faisait bon, également, être seule dans cette pièce paisible, enfin libérée du poids de ce secret qui avait pesé sur son cœur pendant trente ans. Seule pour songer à tout ce que Mina lui avait révélé. Était-ce simplement le talent de Mina pour raconter les histoires qui lui avait permis d'écouter avec calme et, faute d'accepter immédiatement ces fracassantes révélations, de pouvoir au moins commencer à les prendre en compte sans peur ni colère ? Lyddie ressentait-elle la même chose ? Mina avait-elle fait jouer son enchantement là aussi ? Nest n'avait jamais ressenti autant de gratitude pour les talents de Mina. Elle était parvenue à tisser les événements du passé pour en faire une vaste tapisserie, cousant soigneusement chaque partie de manière à ce que les personnages se dégagent, hauts en couleur, passionnants, devant le décor lumineux et familier de la baie et de la mer, ou en mouvement dans la vieille maison, comme si c'était hier.

Nest regarda les objets qu'elle tenait sur ses genoux. Quelques photographies, une carte de Pâques, le rosaire. C'était les seuls qui lui restaient de son père, hormis, bien sûr, ses lettres, qui avaient été retournées avec ses effets. Ils ne s'étaient pas échangé un très grand nombre de missives, peut-être une vingtaine en tout. Elle les lisait en ordre chronologique, revoyant sa mère ouvrir les enveloppes à la table du petit-déjeuner : le froissement du papier mince tandis qu'elle tournait les pages, qu'elle les repliait pour les glisser dans l'enveloppe, et cette manière qu'avait sa main de se poser ensuite par-dessus, comme pour se rassurer, se prouver qu'elles étaient bien réelles. Compte tenu des circonstances, leurs lettres étaient presque choquantes de franchise :

« Oh, mon amour, écrivait-elle, comment puis-je supporter cette interminable séparation ? » Ses réponses débutaient toujours par « Très cher amour ». Et il couvrait des pages entières de ses épanchements d'amour pour elle.

« Je suis enceinte de toi et ne ressens que la plus profonde des joies. Oh, comment puis-je ne pas être terrifiée ? Je suis si heureuse… »

Il n'avait nullement été question qu'elle quitte Ambrose qui, par chance, était passé à Ottercombe quelques semaines après la visite de Timothy, de telle façon qu'il n'eut jamais le moindre doute sur sa paternité. Il était évident que Lydia, même pour Timothy, n'aurait jamais songé à quitter ses enfants et tout aussi clair que Timothy ne le lui avait jamais demandé :

… Quel genre de vie pourrais-je t'offrir, amour de mon cœur, qui pourrait t'offrir la stabilité et la sécurité dont toi et tes enfants avez besoin ? Comment pourrions-nous préférer nous amuser à leurs dépens ? Je les aime beaucoup et, s'il advenait que nous les heurtions de quelque manière que ce soit, notre amour ne serait plus que cendres et poussière...

Elle lui répondit :

... Savoir que je porte ton enfant m'offre le plus grand des bonheurs, et j'ai près de moi ton homonyme, ton filleul. Quand je regarde Timmie, je me souviens de notre première rencontre, lorsque tu te tenais dans l'entrée, et que tu as dit : « Pardon d'arriver sans vous avoir prévenue. » J'ai su tout de suite que je brûlerais d'amour pour toi...

Nest avait été étonnée par la naïveté et la simplicité de ces lettres. Ils étaient comme deux enfants, pétrifiés par ce cadeau merveilleux qu'était leur amour. Au début, Nest avait lu avec avidité, dévorant les mots comme une affamée, réapprenant sa propre histoire ; mais ensuite, elle avait eu honte.

— J'ai l'impression de les avoir espionnés, avait-elle dit à Mina. Ça semble injuste, d'une certaine façon. Ils étaient tellement... innocents, si tu vois ce que je veux dire.

— Oh, je vois exactement ce que tu veux dire, avait-elle admis d'un air contrit. J'ai ressenti la même chose. Mais lorsque Mama est morte, je ne savais pas ce qu'il fallait faire de ces lettres. Et j'avais commencé à deviner la vérité. Vers la fin, elle s'est mise à parler de lui, à croire qu'il était là auprès d'elle, et il n'était pas difficile de relier certains fils. Il me semblait mal de détruire ces lettres sans savoir exactement si j'en avais le droit. Au bout du compte, je les ai lues et j'ai décidé de les conserver, juste au cas où.

— J'en suis ravie, affirma Nest avec ferveur. Ce qui reste étrange, c'est que, bien que je me sente légèrement déloyale, je suis en même temps bizarrement fière d'être le fruit d'un tel amour. Ouh, ça paraît ringard, non ?

— Pas du tout. Pas le moins du monde. Nous aurions toutes été emballées à l'idée que Timothy soit notre père. Tu devrais en être fière.

— Je voudrais, avait continué Nest, que Lyddie voie les choses ainsi. Simplement, ça l'aiderait, comme cela m'aide, à prendre tout en compte, à accepter.

— Je crois que tu te rendras compte que la trentaine d'années d'amour et d'amitié que tu as consacrées à Lyddie te rapporteront bien plus que cette acceptation. Le fait que dix ans se sont écoulés depuis la mort d'Henrietta facilite les choses. Ce que je dis peut sembler brutal, mais il sera moins compliqué pour Lyddie de réajuster l'image qu'elle se fait d'Henrietta, avec le recul. Et ce qui importe en fin de compte, c'est l'amour. Lyddie n'a pas à choisir, ni à se préoccuper de rester loyale, elle n'a qu'à s'autoriser à continuer de recevoir ton amour.

Nest écouta le vent qui projetait des poignées de pluie glacée contre les carreaux et plongea encore une fois le regard dans les trésors posés sur ses genoux. Une photo de Lydia et Timothy se tenant de part et d'autre de Nest, âgée de sept ans. Elle porte des sandales, appuie un pied sur l'autre, serre une poupée de chiffon dans ses bras et regarde le photographe d'un air attentif. La main de Timothy repose sur l'épaule de Lydia qui s'incline légèrement vers lui en caressant la tête de la petite. Il rit, encourage la photographe, alors que Lydia le fixe, le visage rayonnant d'amour. Derrière la photographie, une note griffonnée à l'encre, presque effacée : « 1941, Lydia et Timothy avec Nest, Ottercombe. »

— C'est sans doute moi qui l'ai prise, avait dit Mina. Timothy avait un appareil photo et adorait faire des clichés. C'était habile de leur part d'organiser tout ça, sans que nous ne soyons au courant. Je suppose que les autres avaient été envoyés à la plage de façon à ce que Mama et lui puissent profiter de l'occasion. Tu as vu le reste des photos dont nous disposons, sur lesquelles nous figurons les unes ou les autres en leur compagnie. Celle-ci est la seule sur laquelle vous êtes tous les trois.

Nest la regarda à nouveau, s'efforçant de se souvenir de l'occasion. Les mots d'une autre lettre vinrent à son oreille :

> C'est un amour de bébé, seulement, oh ! là, là ! Ambrose insiste pour l'appeler Ernestina ! Autrefois, il voulait que Timmie s'appelle Ernest, comme son père, et finalement, à ma grande joie, il a décidé de le baptiser en ton honneur. Mais il est fermement décidé, cette fois. Un nom aussi lourd pour un tout petit bout d'humanité, si jolie...

Nest tenta de se souvenir du chef de famille, mais c'était très difficile. Il était toujours demeuré distant, ne venait pas souvent à Ottercombe, même après la guerre, et sa mort s'était produite alors qu'elle avait quinze ans. Cependant, elle arrivait facilement à se remémorer Timothy, l'aura d'excitation qui l'entourait, le sentiment de sécurité qu'il inspirait.

— Mais je ne devais pas avoir plus de sept ou huit ans lorsqu'il est mort, avait-elle affirmé à Mina. C'est bizarre, non ?

— Je suppose que tu te souviens de l'atmosphère, avait souri Mina. Quand Timothy était ici, c'était comme Noël, Pâques et tous nos anniversaires d'un seul coup. Il était spécial.

— Comme Timmie. Ou Jack ?

— Je me suis souvent demandé à quel point le fait que Mama ait rencontré Timothy, qu'elle ait pensé à lui tout au long de sa grossesse, seule ici avec nous, à quel point cela a pu affecter l'enfant qu'elle portait. Je sais que ça peut paraître étrange, mais je crois qu'il est possible que Timmie ait été formé par leur amour, d'une certaine façon, et que cela s'est ensuite transmis à Jack. Pour être honnête, il eût été facile de croire que Timmie était leur enfant, mais il suffit de lire les lettres pour savoir qu'ils ne sont devenus amants que l'année suivante.

Nest passa doucement les doigts sur la vieille photographie et regarda la deuxième : un portrait de Lydia pris par le même appareil, et de toute évidence, par Timothy lui-même. Son air de tendre adoration ne pouvait avoir été déclenché que par lui : magnifique, mélancolique, les lèvres souriantes. Au verso : « Lydia, 1934. » Elle devait avoir trente-cinq ans. Nest connaissait bien la dernière photographie. Lydia était assise devant les portes vitrées, ses enfants rassemblés autour d'elle. Elle tenait Nest encore bébé dans son giron, tandis qu'Henrietta et Josie étaient assises en tailleur par terre à ses pieds. Timmie lui arrivait aux genoux, Mina était juste derrière lui, les mains posées sur ses épaules, et Georgie était debout à la droite de Lydia, se donnant l'air de présider la petite assemblée. Nest examina soigneusement chaque visage. Lydia souriait d'un air serein, une main soutenant la tête du bébé tout en le protégeant des rayons du soleil. Charmantes avec leurs dents de piano, étonnamment semblables, Henrietta et Josie souriaient avec enthousiasme, le petit événement engendrant une inhabituelle camaraderie. Timmie avait l'air vaguement angoissé, cramponné à son soldat tricoté, tentant de s'assurer que lui aussi serait immortalisé. Le sourire de Mina était chaleureux, joyeux, confiant, et contrastait avec l'expression presque sévère de Georgie. Au verso, on avait griffonné : « Ottercombe, 1936. »

Étrangement émue, Nest rassembla les photographies en soupirant et regarda la carte postale de

Pâques. Sous le dessin d'une simple croix, baignés de lumière, on lisait les mots : « Il s'est levé. » À l'intérieur, Lydia avait écrit : « Avec amour, de nous tous à Ottercombe. » Chacun avait signé. L'écriture de Georgie était claire et attentionnée, celle de Mina ronde et généreuse. Les deux fillettes s'étaient appliquées à signer en écriture anglaise. Timmie avait épelé son nom en majuscules tremblotantes, deux fois plus grandes que toutes les autres signatures, et il était clair que Lydia avait guidé le crayon de Nest pour lui permettre d'ajouter sa contribution bien à elle. Sur le côté opposé aux signatures et aux vœux se trouvait un couplet imprimé :

Le tumulte et les cris meurent
Les capitaines et les rois s'en vont
Ton ancien sacrifice toujours debout
Un cœur humble et contrit
Seigneur Dieu des armées sois avec nous
De peur que nous oubliions – de peur que nous oubliions !

Nest se demanda quel sens pouvait avoir pour son père ces mots du poème *Recessional* de Kipling, et pourquoi il les avait gardés sur lui. Ou était-ce parce que la carte renfermait l'amour de toute sa famille ? Elle réfléchissait toujours à cette question lorsqu'une voix résonna à son oreille.

— Qu'as-tu là ?

Il fallut à Nest plusieurs secondes pour maîtriser le choc, violent, avec le sentiment de son cœur qui s'effondrait. Puis elle réussit à lever les yeux vers Georgie, tout en protégeant ses trésors de son regard curieux, les glissant dans le sac où elle mettait ses lunettes et son livre.

— Pas grand-chose, répondit-elle en essayant de garder un ton égal. Je ne t'ai pas entendue entrer.

Georgie longea le fauteuil de Nest et prit place au bout du canapé.

— Je n'arrivais pas à dormir, dit-elle, laissant son regard dériver vers l'âtre. Le vent se lève.

— Mina devrait bientôt rentrer, fit Nest tout en prenant de profondes inspirations.

Soudain, elle se détendit. Elle avait oublié que Georgie n'avait plus aucun pouvoir sur elle, désormais.

— Je crois que tu peux être certaine, lui avait affirmé Mina en lui remettant les lettres, que Georgie ignore tout de Connor et de toi, et ne sait donc rien en ce qui concerne Lyddie. Voici le secret que connaît Georgie. Elle les a lues elle aussi.

Puis, avec un soupir de soulagement :

— Po-po-po. Comme c'est merveilleux que tout soit enfin révélé.

— Pas tout, non. Tu ne proposes pas que je dise tout à Lyddie, avait anxieusement demandé Nest à sa sœur. Pas en plus du reste ?

— Non, non, avait ajouté Mina en secouant la tête. Du moins, pas encore. Ce jour viendra peut-être. Il te faut attendre, voir venir. Mais au moins, nous pouvons toutes deux nous détendre un peu, maintenant. C'est toi que Georgie associe à son secret, pas Lyddie.

Nest regarda Georgie avec compassion. Ses crocs lui avaient été retirés. Son règne de terreur était révolu.

— Tu te souviens de Timothy ? demanda-t-elle d'un ton naturel.

Georgie la regarda d'un air narquois et commença la saynète étrange de son mouvement, un haussement d'épaules tenu en bride, un petit sourire aux lèvres, un éclat tranchant dans les yeux.

Elle est comme une enfant qui sait avoir commis un acte répréhensible et le justifie avec une sorte de défiance désinvolte, songea Nest.

— Je connais un secret, dit Georgie.

Et tout à coup, venu de nulle part, un souvenir emporta Nest vers un après-midi d'été torride. Elle et Timmie offraient le thé à leurs jouets, sous les arbres du jardin. Georgie se tenait au-dessus d'eux comme une tour menaçante et Timmie était effrayé. Nest pouvait sentir l'effroi passer de sa main brûlante à la sienne. Même Mina, en faisant son apparition, n'avait pas su restaurer l'harmonie. L'atmosphère joyeuse et l'après-midi ensoleillé avaient été tailladés par une laide colère et des voix contrariées, et elle, Nest, se mit à pleurer de chaudes larmes de peur, prise par un sentiment d'impuissance, de destruction imminente. Elle avait entraperçu le caractère éphémère de l'enfance et pressenti la perte de l'innocence.

En ce jour, plus de soixante ans plus tard, elle se pencha vers Georgie et lui toucha doucement le bras.

— Moi aussi, dit-elle.

XXVI

Sur le chemin du retour, en revenant de la mer, Mina se sentait à la fois étrangement étourdie et joyeuse. Les dernières semaines, depuis l'arrivée de Georgie, avaient été éprouvantes. Jamais les soins prodigués à Lydia et à Nest n'avaient eu cet effet sur elle. Il était étonnant de constater à quel point ce type d'angoisse pouvait s'avérer beaucoup plus épuisant que les efforts physiques. Vers la fin de sa vie, Lydia nécessitait qu'on lave ses draps ou qu'on monte et descende l'escalier des douzaines de fois par jour ; il avait fallu soigneusement préparer ses repas et lui tenir compagnie, mais elle était très peu irritable et ne se plaignait jamais. Elle adorait la présence de Mina à ses côtés.

— Oh, bien, toi aussi tu as monté ton café, nous pouvons le boire ensemble.

Et elle avait toujours aimé que Mina lui fasse la lecture.

— Qu'est-ce que ça sera ce soir ? Oh, bien sûr, *Twilight on the Floods*. Où en étions-nous ?

La télévision la rendait impatiente, elle avait de la difficulté à suivre les différents accents, ou les scènes d'action, même si elle continuait à adorer les drames costumés et refusait de rater la moindre seconde du tournoi de Wimbledon.

Mina appréciait tout moment de répit, même si Lydia avait besoin de savoir qu'elle se trouvait toujours dans les parages. Elle avait toujours été ravie de voir ses petits-enfants, en particulier lorsque tous étaient rassemblés à Ottercombe. Elle avait correspondu de manière ininterrompue avec ceux de Josie aux États-Unis et ne ratait jamais une occasion de montrer leurs photos à quiconque trouvait le temps d'y jeter un œil. Chaque hiver, ses crises d'asthme et ses bronchites devenaient plus sévères, mais elle s'était accrochée à la vie avec une étonnante ténacité. Mina avait tenu son corps frêle dans ses bras tandis qu'elle inhalait du baume de benjoin, une serviette sur la tête, et elles avaient ri ensemble face aux humiliations de la vieillesse. Elle avait presque quatre-vingts ans lorsqu'une série d'accidents vasculaires cérébraux avait mis fin à ses longues souffrances.

Mina remonta la capuche de son manteau pour se protéger de la pluie et se courba contre le vent. Les grands hêtres, certains encore ornés de leur maigre butin de cuivre, grognaient sans cesse au-dessus de sa tête tandis qu'à ses pieds, parmi les larges racines dénudées, des colverts s'abritaient des tourbillons déchaînés. Les chiens galopaient dans les roseaux et grimpaient les flancs escarpés de la clive, pistant les cerfs et les blaireaux, et lorsqu'elle voulut les appeler, le vent arracha les paroles de sa bouche et les projeta au loin.

Elle continuait de marcher, songeant à Lyddie et à Nest. Elle pria pour que tout aille pour le mieux entre elles. Elle se souvint des efforts de Nest pour dissimuler sa douleur de voir sa sœur aimer et chérir sa fille alors qu'il ne lui était pas permis de jouer le moindre rôle, sinon celui d'une aimable tante.

— Parfois, lui avait désespérément confié Nest en privé, je me demande s'il ne vaudrait pas mieux que je ne la voie jamais. Je ne peux pas exprimer mon envie de la prendre dans mes bras et de la serrer, et puis, oh, mon Dieu, lorsque Henrietta me la confiait, petite, j'avais tellement peur de fondre en larmes ou de me lever pour m'enfuir avec elle que je n'osais même pas y penser et je restais là, assise, comme une baudruche, tellement accaparée par mon effort pour garder le contrôle de mes émotions que c'était un complet désastre.

— Je dois dire qu'Henrietta s'est vraiment montrée gentille, avait admis Mina. Elle avait subi toutes ces fausses couches, et elle savait donc un peu ce que tu ressentais. Mais, d'une certaine façon, je suis d'accord, ce contact devait être très difficile pour toi.

— J'ai pensé partir tout de suite, peut-être à l'étranger pour un certain temps, mais miss Ayres a été si gentille de me laisser garder mon poste... Et elle s'est montrée si ouverte d'esprit, ç'aurait été un tel manque de gratitude. Autrefois je souffrais pour Connor, mais aujourd'hui, je souffre pour tout ce qui s'est passé avec Lyddie.

Mina avait passé son bras autour d'elle.

— Tu souffrais pour Connor ?

— Oui.

Nest l'avait regardée, distraite un court instant.

— C'est bizarre, non ? Une fois que Lyddie est née, ça a été comme si un rideau était tombé sur tout ça. Je me sentais très froide, détachée. Peut-être était-ce une sorte d'instinct de conservation. Je crois que je serais devenue folle si mes sentiments n'avaient pas changé à son endroit. Même lorsque je le voyais avec Lyddie, je ne sentais rien de plus qu'une sorte de soulagement en constatant qu'il l'aimait tant. Ça me confirmait que j'avais bien agi. Puisqu'il m'était impossible de la garder.

Mina s'arrêta afin de ramasser de petites branches pour le feu et des brindilles que le vent avait jetées au sol. Elle soupira de soulagement, ravie de cette nouvelle impression de légèreté, libérée du poids des secrets. Elle se releva soudain et se sentit à nouveau étourdie. Elle fut forcée de poser la main sur le tronc mousseux d'un arbre pour retrouver son équilibre.

— N'est-ce pas bizarre, s'était écriée Nest avec indignation après avoir lu les lettres, que Mama soit tombée enceinte de Timothy et se soit montrée si horrifiée lorsque la même chose m'est arrivée ? Elle était si sûre qu'il était hors de question que je garde mon enfant. Elle se comportait comme si c'était une immense honte.

— Je crois qu'il faut prendre plusieurs facteurs en considération, avait répondu Mina avec calme. Primo, et c'est très important, il faut rappeler le temps qui s'est écoulé entre sa grossesse et la tienne. C'est inouï comme les gens ont la faculté d'oublier et comme tout est très différent dans leur mémoire. Le temps embellit les souvenirs. Il y avait un élément profondément romantique, amplifié par la guerre, qu'elle n'a pas vu dans ton cas. Si tu avais été impliquée dans une relation à long terme, folle amoureuse, Mama aurait peut-être réagi avec compréhension. Mais dans les faits, il fallait cacher ce côté-là de l'affaire et tu as été obligée de présenter les choses comme un accident. Pauvre Nest, tu étais prisonnière d'une loyauté qu'il t'était impossible de lui exposer. Secundo, et encore plus important, c'était une femme mariée, bénéficiant de la protection et du statut de son mari.

— Malgré tout, avait répliqué Nest tristement, je crois qu'elle aurait pu se montrer un peu moins « victorienne » à ce sujet, étant donné les circonstances…

— Je crois qu'elle restait entièrement fidèle aux principes de son éducation victorienne : deux poids, deux mesures, et hypocrisie ! Il faut admettre qu'une fois qu'il a été décidé qu'Henrietta prendrait le bébé, elle s'est montrée très douce.

— Ça va, avait souri Nest, je ne vais pas la jouer meurtrie à ce stade de l'affaire. C'est tellement incroyable. Je ne me vois pas avouer tout ça à Lyddie avant un bon bout de temps. Je crois qu'elle a assez de soucis comme ça.

— Bien, je suis d'accord, mais cela renforce votre lien, non ? Un jour, qui sait, tu pourras peut-être partager ça avec elle.

— Peut-être. Notre prochaine rencontre sera très stressante. Je passe mon temps à imaginer que sa générosité est trop belle pour être vraie, comme si elle n'avait pas encore bien tout compris, et que lorsqu'elle l'aura fait…

— Bien sûr qu'elle a tout compris. Absolument. Je crois qu'elle aura beaucoup plus de difficultés à supporter la trahison de Liam.

— Je me demande ce qu'elle va faire, avait dit Nest d'un air sombre. Crois-tu qu'elle retournera à Londres ?

— Pour reprendre son ancien boulot ?

Mina secoua la tête.

— Je l'ignore totalement. Je ne peux imaginer ce qui arriverait au Nemrod si elle faisait une telle chose. Peut-être que Jack le prendrait. Ils parlent d'adopter un chiot. Ou nous pourrions l'accueillir ici.

— Le Chapitaine n'aimerait peut-être pas.

— Le Chapitaine serait peut-être forcé de la mettre en veilleuse !

Elles avaient ri ensemble. À présent, Mina ouvrait la porte de la cuisine. Elle et les chiens entrèrent, et elle s'arrêta pour tapoter la tête du Chapitaine, comme pour se faire pardonner sa dureté. Elle les envoya se coucher dans leurs paniers afin qu'ils se sèchent un peu, posa la bouilloire sur la plaque et traversa le salon. Nest n'était nulle part en vue, mais Georgie se tenait assise à l'extrémité du canapé, légèrement affaissée, la tête appuyée contre la poitrine. Elle était immobile, comme pétrifiée, et lorsque Mina prononça son nom, elle ne bougea pas. Le cœur serré, Mina s'approcha et se pencha vers elle.

— Georgie, fit-elle d'une voix rauque, avalant sa salive, la bouche soudain très sèche. Georgie ?

Sa sœur ouvrit un œil et la fixa.

— Mais où diable étais-tu ? demanda-t-elle avec humeur. L'heure du thé est passée depuis longtemps.

Mina se redressa et prit une profonde inspiration, retenant une forte envie de la gifler.

— La bouilloire est en marche, dit-elle. Ça ne sera pas long.

De retour dans la cuisine, elle se rendit compte que ses mains tremblaient lorsqu'elle voulut soulever la théière.

Plus qu'une semaine, se dit-elle, d'un air sinistre. Puis elle commença à faire le thé.

De : Mina
À : Elyot
J'avoue qu'ensuite je n'ai pas pu m'empêcher de rire. Peut-être les nerfs. Une crise d'hystérie. Mon Dieu, quelle période ! Nest est apparue dans la cuisine, elle se demandait ce qui pouvait bien se passer. Le couvercle de la bouilloire sur le point de fondre et moi assise à la table, pleurant de rire. Je dois dire qu'un court et terrible instant, j'ai cru que Georgie était morte et, pour être franche, je crois que j'en étais soulagée. Nest s'est occupée du thé, finalement, et lorsque nous sommes retournées au salon, Georgie était assise bien droite, presque agressivement joyeuse. Je crois en revanche qu'elle entre dans un nouveau stade de dégradation.
Je serai heureuse d'être libérée de cette responsabilité – ce qui semble cruel, car elle est ma sœur –, mais

367

je commence à me faire trop vieille pour ces grandes manœuvres. Lyddie sera bientôt de retour et la pauvre Nest est très agitée, mais ce sera un grand plaisir de la recevoir, en attendant qu'elle puisse décider de ce qu'elle a envie de faire. L'argent qu'elle pourra obtenir de cette maison à Oxford pourrait lui permettre de s'installer dans un petit logement quelque part, mais où ? Je crois que, légalement, elle aura droit à une partie de la maison de Truro, et même à une part dans le bar à vins, mais je suppose que les deux sont déjà largement hypothéqués et Lyddie n'est pas du genre « œil pour œil, dent pour dent ». Elle pourra demeurer ici aussi longtemps qu'elle en aura envie, évidemment...

De : Elyot
À : Mina
Prenez soin de vous, mon amie. Vous méritez de bien vous reposer. Je suis très heureux de compter sur la présence de William, qui peut conduire la voiture à ma place. Ma confiance est au plus bas, en ce moment, et c'est un grand soulagement. Assurez-vous que Lyddie puisse disposer d'un excellent avocat – même si ce ne sont pas mes affaires...

XXXVII

— Je ne suis pas certaine que ça m'ait fait du bien de passer du temps avec vous deux, confia Lyddie à Hannah, qui conduisait sa voiture en direction du centre commercial de Dorchester. Vous êtes si parfaitement accordés. Ça me montre tout ce que j'ai perdu.

— En es-tu certaine ? demanda Hannah. Enfin, as-tu seulement vécu ça avec Liam ? Cette impression de parfait naturel ?

À travers le pare-brise, Lyddie fixa la pluie qui s'abattait sur les collines aux formes douces et arrondies.

— Je suppose que non. Ça n'a jamais été comme toi et Jack – mais nous avons eu des moments...

— Oui, bien sûr, lança Hannah, prise de remords. Désolée. Je ne tentais vraiment pas de déprécier votre histoire. Il serait complètement faux de prétendre que Liam était une sorte de monstre et que tu n'as jamais été heureuse avec lui. Tant de gens font ça, as-tu remarqué ? Ils se convainquent que rien n'a jamais fonctionné et nient tous les moments de bonheur.

— Je crois que c'est plus souvent le cas du partenaire qui a décidé de partir plutôt que celui qu'on laisse tomber, repartit Lyddie. Il semble qu'il faille justifier ses actions envers soi-même – et envers les autres – et il devient essentiel de persuader tout le monde de l'existence de toutes sortes de problèmes. C'est idiot, en fait, mais parfaitement compréhensible.

— Oui, c'est idiot, admit Hannah en prenant un virage. Tes amis savent en général très bien de quoi il retournait et il est impossible de leur faire avaler n'importe quoi. C'est peut-être plus facile de se tromper soi-même. Par contre, il existe des cas où le contraire s'applique : tu vois des amis complètement humiliés et tu voudrais qu'ils retirent leurs œillères, qu'ils trouvent le courage de se lever et de partir.

— C'est donc ce que vous pensiez à mon sujet ? demanda Lyddie tristement.

— Mais non, ma chère, bien sûr que non.

Hannah étendit le bras et prit les mains de Lyddie.

— Tu as été heureuse. Le fait est qu'il est impossible pour nous de juger qui serait idéal pour celui ou celle qu'on aime. J'ai des amis qui sont follement heureux avec des gens qui me tueraient d'ennui ou qui me rendraient cinglée en dix minutes.

— Alors, comment trouvais-tu Liam, honnêtement ?

Il y eut un silence.

— Franchement ? demanda Hannah, prudente.

— Franchement, fit Lyddie avec fermeté.

— Lorsque je l'ai rencontré, au début, je me suis dit : *Oh, la chanceuse !* Disons les choses telles qu'elles sont, c'est un homme très attirant. Mais, au bout d'un certain temps, j'ai senti que ça allait à sens unique et que rien ni personne ne pourrait lui barrer la route. Je craignais qu'il ne trouve le mariage trop contraignant et qu'il t'abandonne en chemin. Par exemple, je n'ai jamais pu imaginer Liam en tant que père, ce qui n'était pas nécessairement grave, mais je savais que tu voulais des enfants. De plus, ça me semblait une manière de vivre si étrange, pour toi. Tu vois de quoi je parle ? Passer toute ta journée à travailler avant d'aller au bar à vins. Il n'y avait aucune vie privée, pas de week-ends, ni de soirées vous permettant d'être vous-mêmes. Ça m'a inquiétée.

— Mais Liam lui-même ?

— Eh bien, je détectais en lui cette sorte d'agitation qui le tourmentait. Il est vigoureux, plein d'énergie, mais il a quelque chose de désespéré. C'est comme s'il passait son temps à se voir en représentation, en train de jouer un rôle et, au fond, je sens une terrible obsession. Tant que tu es prête à te sacrifier pour cette obsession, tout ira bien. Mais fais un pas de côté et tu seras jetée au rebut. Je crois qu'à une autre époque il aurait pu conquérir un monde, ou accompagner Scott dans sa découverte de l'Antarctique, mais bon...

Elle s'interrompit et Lyddie la regarda. Elle était assise toute droite, les mains posées légèrement sur le volant, les sourcils froncés, paraissant faire un effort de concentration.

— Mais bon... ?

Hannah se mordit les lèvres.

— J'ai failli me montrer trop brusque, admit-elle, inquiète.

— Eh bien, vas-y. Je crois que je peux encaisser.

— J'allais dire : mais bon, peut-être pas non plus, parce qu'il y a quelque chose de petit chez Liam. Je suppose que ce genre d'homme, dont la position naturelle est le commandement, la conquête, la découverte, a souvent un appétit sexuel assorti.

Elle haussa les épaules avant de poursuivre :

— Pas toujours, évidemment, mais je peux imaginer que ça en fasse partie. Une sorte de brutalité, dont Liam a certainement fait étalage. Il a du charisme également, mais en même temps, j'ai l'impression qu'il ne sera jamais plus qu'une grosse grenouille dans une petite mare.

Hannah jeta un regard à sa passagère.

— Je t'ai fait de la peine ?

— Non, répliqua Lyddie.

Elle se remémorait l'expression qu'avait eue Liam lorsqu'elle avait évoqué son idée de lancer une chaîne de bars à vins ; comme il avait d'abord compris sa vision avant de reculer d'instinct.

— Bon, tu as un peu piqué mon orgueil. On se sent comme une imbécile, non, lorsqu'on s'est fait avoir ?

— Oh, diable ! s'écria Hannah. Écoute, n'importe qui se serait fait avoir par le charme d'un tel homme. Quelle femme n'aurait pas craqué pour lui ? Il m'a coupé le souffle. Il m'a fallu du temps avant de commencer à… le soupçonner.

— C'est un soulagement, vraiment, souffla Lyddie. Ça me confirme que j'ai pris la bonne décision. Il n'est pas facile de détruire un mariage.

— Mais ce n'est pas lui qui l'a détruit ? C'est lui qui dicte les règles. Et ses règles sont injustes, Lyddie. On ne peut pas accepter une situation comme celle-là, où un des partenaires dit : « Je dois avoir la liberté de faire tout ce dont j'ai envie, et je ne me soucierai pas que tu en sois blessée ou humiliée. » C'est impensable. Mariage ou pas. Enfin…

Elle haussa encore les épaules.

— … Sauf si tu ne peux pas vivre sans lui.

Elle lui lança à nouveau un regard inquiet.

— As-tu l'impression que c'est le cas ?

Lyddie inspira profondément.

— Parfois, admit-elle. Il arrive que je sois tentée, tellement il me manque. Mais il me suffit de penser à Rosie, ou d'imaginer que je retourne à L'Endroit, et je sais alors que c'est impossible. Il va falloir que je me débrouille, d'une manière ou d'une autre.

— Tu songes à retourner à Londres ?

— Je n'en ai simplement pas la moindre idée. Je ne l'imagine pas. Ce serait comme tout recommencer de zéro. Sauf que je n'ai plus vingt-deux ans et que mes amis sont en couple ou mariés.

Elle secoua la tête et tenta d'alléger l'atmosphère.

— Et puis, que ferais-je du Nemrod à Londres ?

— Tu sais que ça n'est pas nécessairement un problème, si c'est vraiment ce dont tu as envie.

Lyddie sourit.

— Que Dieu te bénisse... Mais je voudrais bien savoir quelle est la meilleure solution.

— Pourrais-tu vivre de ce que tu fais en ce moment ?

— De justesse, oui. À condition que je touche l'argent de la maison et que je m'achète un logement, même minuscule. Sans hypothèque ou loyer, je pourrai survivre.

— Liam vendra-t-il votre maison de Truro ? Tu recevras quelque chose pour ça, certainement ?

— Elle est largement hypothéquée et je n'ai pas envie d'en rajouter avec lui sur ce plan-là. Il a déjà bien assez de soucis financiers.

Hannah haussa les sourcils mais se tut pendant quelques secondes.

— Ne prends aucune décision importante avant les fêtes, suggéra-t-elle finalement. Nous irons vous voir à Ottercombe, ce sera un bon moment et tu pourras venir chez nous pour le Nouvel An. La chère vieille Mina prépare déjà sa fête du millénaire pour l'an prochain. Elle t'en a parlé ?

Lyddie accepta avec gratitude cette invitation à bifurquer vers un sujet de conversation plus léger.

XXXVIII

Plusieurs jours s'écoulèrent avant que Mina ne corresponde à nouveau avec Elyot.

De : Mina
À : Elyot
Ainsi le jour approche. Je jurerais qu'il y a des années-lumière que je vous ai annoncé l'arrivée de Georgie. Et c'est maintenant terminé. Nous avons toutes survécu et, bien que sa présence ait fait resurgir tant de souvenirs, puis forcé l'ouverture de plusieurs boîtes de Pandore, je peux honnêtement dire que je pense, en définitive, que ça s'est bien passé. Nest semble en meilleure forme, plus heureuse, plus jeune, et Lyddie et elle paraissent s'être installées dans une nouvelle forme d'acceptation de leur relation, large-ment soutenues par l'affection qu'elles ont toujours eue l'une pour l'autre. De mon côté, j'ai été obligée de faire face à une décision stupide prise lorsque j'étais jeune fille et qui était demeurée ensevelie depuis lors. Je voudrais vous en dire bien plus, mon cher Elyot, mais ces secrets n'appar-tiennent pas qu'à moi et vous en savez déjà tellement sur ce qui se passe ici, à Ottercombe... Je demeure persuadée qu'un jour vous viendrez nous rendre visite.
Pour ce qui est de Georgie, maintenant qu'elle est sur le point de partir, je me sens prise d'un soudain élan d'affec-tion envers elle ! Plus sérieusement, quoique je me sente attristée à l'idée de la voir partir en maison de retraite, je sais qu'il nous serait impossible de la garder ici. J'ai constaté une détérioration de son état, même au cours

du petit laps de temps où elle a été parmi nous, et je ne voudrais pas me retrouver responsable d'un désastre. Ma première responsabilité est de m'occuper de Nest, mais il y a des moments – des moments difficiles et interminables – où je me sens très mal à l'idée d'avoir laissé partir Georgie. Je sais qu'Helena fera tout le nécessaire – quelle froideur, n'est-ce pas ? – mais j'ai également l'impression que très bientôt Georgie ne saura plus vraiment où elle se trouve et n'y prêtera guère attention. J'ai peut-être l'air de plaider en ma faveur, ce qui pourrait être partiellement vrai, mais je crois qu'elle est en train de perdre son emprise sur ce qui se passe autour d'elle. Ses moments de « flou » se produisent plus souvent et durent plus longtemps. Je me demande à tout instant où elle se trouve et ce qu'elle est en train de manigancer.

Lyddie semble bien faire face à la situation, même si je la soupçonne de s'ennuyer beaucoup de Liam. Elle travaille très dur, ce qui occupe son esprit et lui évite de broyer du noir. Mais lorsqu'on s'approche d'elle par surprise, on peut apercevoir le reflet de la tristesse qui la mine en profondeur. Les chiens apprennent à vivre ensemble, eux aussi. Ma chère vieille Polly Garter passe le plus clair de son temps à dormir, mais Boyo Bon-à-rien adore son nouvel ami et apprécie de toute évidence l'arrivée de sang neuf par ici. Lui et le Nemrod jouent merveilleusement bien ensemble et Boyo apprend à ignorer le caractère grincheux de son géniteur et à voler de ses propres ailes. Il roule en ce moment des mécaniques – c'est du « moi et mon pote le Nemrod » – alors que le Nemrod lui-même voit sa confiance croître ; il ose même pénétrer dans une pièce où règne le Chapitaine, non sans une certaine nervosité toutefois, en se postant le plus loin possible du vieux chef ! Alors, comment vont les choses de votre côté ? Lavinia ? William ? Tout se passe bien, j'espère.

De : Elyot
À : Mina

Comment vous dire à quel point je me réjouis de votre réponse. Je peux très bien imaginer vos émotions contradictoires en ce qui concerne Georgie. Vous connaissant, ma chère vieille amie, je sens que vous seriez plus heureuse si vous pouviez la prendre sous votre aile et l'entourer de votre réconfort, mais vous avez raison de résister à cette envie. J'ai appris à mes dépens à quel point cette horrible démence peut ramper silencieusement, ralentissant un instant, bondissant la seconde suivante ; on ne sait jamais ce qui se passera d'une journée à l'autre. Là où vous vous trouvez – et telle que vous êtes –, vous ne pouvez simplement pas vous permettre de prendre cette responsabilité. Si quelque chose devait mal se passer, vous ne pourriez jamais vous le pardonner.

Si vous décelez un peu d'angoisse – ou même de panique ? – dans ma « voix », vous avez bien raison. De façon très soudaine, hier, Lavinia a sombré. Elle ne me reconnaît plus, hurle de terreur lorsque je m'approche d'elle, lutte contre moi. Elle a tenté de se sauver, se battait contre la porte d'entrée en essayant de l'ouvrir, est mal tombée et a dû être transportée à l'hôpital. Elle s'est fracturé le poignet, s'est foulé la cheville et se retrouve dans un état misérable. Comme vous le savez, ce n'est pas la première fois qu'elle n'arrive pas à me reconnaître, mais il avait toujours été possible de la calmer, au bout d'un moment. Cette réaction vraiment violente nous a tous deux terrifiés – malheureusement, William était allé faire des courses – et je n'arrive pas à oublier l'expression de peur sur son visage alors qu'elle me dévisageait, ni son état lamentable, une fois qu'elle s'est étalée par terre.

William se demande si je fais bien de la garder à ma charge, dans ces conditions, et suggère que je me range à l'opinion de notre médecin de famille, qui partage son avis sur la question. Mais il me semble que nous nous débrouillions bien jusqu'à présent. Comme pour vous avec Georgie, l'idée de placer Lavinia dans une résidence médicalisée me désespérait. Eh bien, désormais, j'en ai peur, ce ne sera plus à moi de décider. Je n'écris pas cela, chère Mina, pour quémander votre sympathie ou pour me défouler, quoique je puisse admettre qu'il y ait peut-être un peu des deux, mais pour souligner le bien-fondé de votre décision : laisser partir Georgie vers un lieu approprié aux soins qu'elle nécessite. C'est une terrible décision à prendre – et, pour parler franchement, elle ne relève pas exclusivement de vous, n'est-ce pas ? Mais je crois que vous avez pris la bonne. Elle a passé de bons moments en votre compagnie, j'en suis persuadé. Sachez le reconnaître et lâchez prise.

Je ne saurais vous dire comme je suis heureux que William soit à mes côtés en ces moments.

À bientôt.

De : Mina
À : Elyot
Mon cher Elyot,

J'ai été choquée à la lecture de votre compte rendu de la crise de cette pauvre Lavinia et de son accident. Quelle chose diabolique que celle-là, qui dévore l'esprit, vole les souvenirs et la raison ! Je suis tellement contente de savoir que William est là pour vous. Quelle gentillesse de votre part de partager avec moi votre expérience pour me soutenir dans mon hésitante décision. Vous avez raison de le suggérer : mon instinct voudrait que je garde Georgie, mais je peux désormais voir à quel point ce serait une erreur d'y songer. Même si Helena et Rupert le permettaient, ce dont je doute.

Mais ne parlons plus de moi ! Mes pensées vont vers vous. Puis-je vous aider en quoi que ce soit ?

De : Elyot
À : Mina

Continuez simplement à être présente et à me faire sentir que j'ai une très bonne amie sur qui je puis compter. Le souci, Mina, et je sais que vous aussi en êtes déjà à la même conclusion, c'est que nous arrivons au bout du rouleau. Il n'existe pas de scénario imaginable qui me rendrait ma Lavinia dans un état de santé ne serait-ce qu'acceptable. J'en suis très conscient : cet accident nous a amenés à un point de non-retour. Je sais désormais qu'il nous aurait été impossible de poursuivre calmement nos vies comme nous le faisions. Même cette nouvelle situation, maintenant que Lavinia est hospitalisée, semble plus souhaitable que la solitude dont j'ai souffert. Je réalise enfin que je poursuivais simplement mon quotidien en refusant de regarder au-delà du prochain repas, en refusant de songer à l'avenir.

Dieu merci, j'ai William.

De : Mina
À : Elyot
Bien sûr que je suis là. Vous le savez. Oh, mon très cher ami, comme j'ai de la sympathie pour vous. Bien sûr, Lavinia doit vous manquer énormément et je comprends tout à fait que vous auriez préféré l'avoir à la maison comme avant. C'est encore plus dur parce qu'elle a vécu entièrement dépendante de vous ces dernières années. Tout à coup, on n'a plus aucun but, un vide terrible couvre votre univers de grisaille et la vie rampe futilement hors du présent. Et moi qui suis censée vous réconforter ! Que puis-je dire ?

De : Elyot
À : Mina
Votre compréhension très concrète est mille fois plus utile que les banalités creuses, les habituels lieux communs. Comme d'habitude, vous m'avez réconforté et m'avez fait sentir que je n'étais pas seul au monde. Comme cela m'est important. Et, bien que William soit d'une aide précieuse, dans des moments comme celui-ci, nous avons besoin de personnes qui ont souffert la même épreuve. Chère Mina, je n'ai pas le temps de vous écrire plus ce soir, sinon pour vous exprimer mon immense gratitude. Dieu vous garde, et bonne nuit.

De : Mina
À : Elyot
Je sais que vous ne lirez pas ce mot avant demain matin, et c'est tant mieux. Il vous faut vous reposer. Je n'arrive pas à me coucher, cependant, sans vous rappeler que nous sommes ici, si vous avez besoin de nous ; si vous croyez qu'une visite à Ottercombe peut vous faire du bien, à William et à vous. Je me souviens que vous m'aviez dit vivre près de Taunton, ce qui n'est pas très loin.
Enfin, bref ! Il est sans doute bien trop tôt pour songer à une telle chose et je suis certaine que vous passez beaucoup de temps à l'hôpital, mais l'invitation est lancée.
Bonne nuit, cher Elyot.

XXXIX

Helena vint chercher sa mère en fin de matinée. Pour les trois autres qui l'attendaient depuis le petit-déjeuner, les heures avaient semblé interminables.

— Ce n'est pas que je veuille qu'elle disparaisse, a assuré Mina, mais elle paraît tellement misérable. J'ai l'impression de l'avoir trahie.

— Je sais, a répondu Nest. J'éprouve exactement la même chose, moi aussi. Mais que peut-on y faire ? Tu sais bien qu'on ne peut absolument pas s'occuper d'elle indéfiniment.

Lyddie les regardait d'un air angoissé. Elle avait interrompu son travail pour descendre faire du café et constatait leur détresse manifeste.

— Elle ne veut pas partir ?

Elles se tournèrent vers elle, prêtes à partager leurs craintes.

— C'est juste qu'elle ne connaîtra personne là où elle va et ce sera si étrange pour elle, fit Mina en se tordant les mains. Franchement, j'ignore à quel point elle réalise. Je perçois simplement cet air de reproche qui émane de sa personne. Comme si elle considérait que sa maison est à Ottercombe... et que nous sommes en train de la mettre à la porte. Sa présence ici l'a ramenée – enfin, comme nous toutes – tellement loin dans le passé que je me demande si elle parviendra à se souvenir de sa vie juste avant qu'elle n'arrive.

— Je suis certaine qu'elle le peut, affirma Lyddie d'une voix douce. Après tout, elle ne demande pas qui est Helena, n'est-ce pas ? Et elle ne remet pas en question le droit de sa fille à venir la chercher ?

— Non, admit Mina après un instant d'hésitation. Non, tu as absolument raison. Mais j'ai toujours l'impression qu'un certain changement s'est produit.

Nest se mordit la lèvre. Elle avait l'horrible sentiment que le changement s'était produit à la suite de son échange avec elle au salon, lorsque Georgie avait dit « connaître un secret » et que Nest lui avait répondu « moi aussi ». Après ce court dialogue, Nest avait observé une expression de surprise, de confusion et, finalement, de désespoir qui passait sur le visage de sa sœur. L'étrange sursaut de ses épaules, le sourire narquois, l'agitation du pied et la joie intérieure étaient morts d'un coup et elle s'était affaissée dans le canapé, effondrée. Elle avait ensuite refusé de répondre ou de parler à Nest et tournait même la tête pour ne pas lui faire face. Au bout d'un certain temps, Nest s'en était allée. Mais elle se sentait coupable. Comme si, en se confrontant enfin à Georgie après tout ce temps, elle lui avait arraché sa puissance, avait désamorcé sa volonté vitale de contrôle.

Jusqu'au jour du départ, Georgie était demeurée dans cet état d'ennui et d'apathie. Elle se traînait, s'affalait dans les coins, indifférente. Lorsque Mina lui avait annoncé qu'Helena venait la chercher pour la ramener à la maison – en bégayant légèrement –, Georgie l'avait regardée sans la voir, mais s'était montrée prête à monter avec elle à l'étage pour faire ses valises.

— Il demeure tout de même, ajouta Lyddie, que ce phénomène est progressif. N'importe quoi peut arriver et vous n'êtes simplement pas équipées ici pour toute éventualité. Elle pourrait s'aventurer dehors, sur la lande ou sur la grève. Tu ne peux pas être sa geôlière, tante Mina. Elle sera très bien traitée et adorera probablement côtoyer les autres résidents. Nous irons lui rendre visite. Maintenant que je suis enregistrée sur l'assurance du camping-car, je pourrai vous y conduire toutes les deux, on dormira à l'hôtel quelque part. Ce sera chouette.

Mina la regarda, submergée de gratitude. Si on en avait fait la suggestion, elle aurait catégoriquement nié ne pas être suffisamment forte pour prendre soin de Nest ou gérer Ottercombe, mais ce souffle de jeunesse et d'énergie représentait un gigantesque soulagement. Les dernières semaines l'avaient vidée encore plus qu'elle ne pouvait le réaliser et le soutien solide et pragmatique de Lyddie constituait un véritable remontant. Elle eut une brusque envie d'éclater en sanglots.

— C'est une idée… merveilleuse.

Elle s'effondra brutalement sur une chaise de cuisine et Nest roula jusqu'à elle, tandis que Lyddie préparait le café.

— Ça te fera du bien d'avoir un chauffeur privé, après toutes ces années de service, plaisanta Nest. Imagine. Tu pourras à nouveau contempler ce que tu ne voyais plus en conduisant. Tu sais, ces soudaines apparitions de bouts de lande ou de mer qui m'arrachent des « Oh, regarde ! » et que tu ne peux pas admirer parce que tu es en train de changer de voie ou je ne sais quoi…

— Je me demandais, juste à l'instant…

Mais avant que Lyddie n'ait le temps de leur faire partager ses pensées, on poussa la porte et Georgie fit son entrée. Elle les regarda toutes trois d'un air suspicieux et, par réflexe, Mina commença à se lever, mais Lyddie prit la parole et Mina se laissa retomber sur sa chaise avec gratitude.

— Synchronisme parfait, tante Georgie. J'étais en train de faire du café et j'allais justement te chercher.

Georgie fronça les sourcils, regarda partout dans la cuisine sans répondre, et sa bonne humeur abandonna Mina. Nest s'avança et lui toucha en passant le bras, pour la réconforter.

— Georgie, tu cherches quelque chose ? fit la plus jeune des sœurs d'une voix douce.

Georgie la regarda d'un air méfiant, les sourcils toujours tendus par cette grimace, puis se détourna pour se mettre à fouiller sur les étagères. Ses mains tâtonnaient, ses pas étaient courts et mal assurés. Les trois autres la regardèrent en silence, immobiles, sans oser respirer.

— Aaahhh.

Georgie laissa s'échapper un son qui n'était qu'un long soupir de soulagement.

— Tu as trouvé ? hasarda Nest d'un ton léger.

Georgie la fixa prudemment pendant de longues secondes avant d'ouvrir la main pour montrer ce qu'elle contenait. C'était la petite voiture de Timmie, lavée et usée par des dizaines de milliers de marées et Nest – le temps d'un court et terrible instant – voulut la lui arracher des mains.

— Je la lui ai volée, confia Georgie. Il est le favori de Papa, mais moi je suis l'aînée. Je vais la cacher.

Ses yeux passèrent sur Nest et elle parut étonnée, comme surprise de la voir en chaise roulante, puis elle regarda Lyddie, qui posait sur elle des yeux pleins de compassion.

— Mama ? murmura-t-elle.

Son visage confus, voire terrifié, se froissa soudain et Mina se dépêcha de lui prendre le bras.

— Allons vite la ranger dans les valises, histoire de ne pas la perdre à nouveau, dit-elle. Ensuite, nous boirons notre café.

Elles sortirent ensemble. Lyddie, émue, regarda Nest.

— Houla ! C'était terrifiant. Qu'est-ce que c'est que cette histoire de voiture ?

— C'était la voiture de Timmie, expliqua Nest. Timothy, son parrain, la lui avait envoyée, et Timmie l'adorait. Georgie l'a retrouvée sur la plage la semaine dernière. Elle traînait dans le sable depuis toutes ces années, mais elle s'en souvenait encore. J'avais l'espoir de la conserver, pour diverses raisons, mais bon... voilà la situation...

— Quelle honte, déplora Lyddie. Était-ce une sorte... de souvenir ? Parce que Timmie et toi avez grandi côte à côte ?

— Oui. Il y a de cela, et autre chose encore. Timmie et moi étions très proches et je l'aimais beaucoup...

Elle aurait voulu ajouter : « Et aussi parce que c'était un cadeau de mon père, et j'ai tellement peu d'objets pour me souvenir de lui... »

— ... Ce qui explique peut-être que j'aie tant d'amour pour Jack.

— Oh, ce sont des anges, fit Lyddie avec chaleur. J'adore Jack et Hannah, mais c'est bon d'être ici, Nest.

Elles se regardèrent d'un air gêné, se remémorant toutes deux trente ans de gestes d'affection, mais elles n'avaient pas encore assez confiance pour oser le moindre geste.

— Je suis contente que tu te sentes bien parmi nous, dit Nest. Tu es heureuse ici, dans ton minuscule bureau ? Tu sais que c'était la chambre de Timmie ?

— Je l'adore. Elle a exactement la bonne taille, pas trop grande, et j'ai pu installer tous mes trucs. Tante Mina m'a trouvé une grande table de travail et une bibliothèque pour mes ouvrages de référence et tout ça, et j'ai un vrai bon fauteuil, désormais. Liam a été gentil de me laisser la voiture. J'ai réussi à embarquer presque toutes mes affaires, lors du dernier voyage.

— Mais tu ne l'as pas revu ?

Lyddie secoua la tête.

— Je lui ai annoncé l'heure de mon arrivée et il s'est tenu à bonne distance.

Elle renifla sans joie.

— Je ne savais pas si je devais être déçue ou soulagée.

— Les deux, j'imagine. Ce ne serait pas naturel, autrement.

— J'ai été un instant tentée de me rendre à L'Endroit. D'entrer comme une cliente ordinaire et de commander un café, mais je n'ai pas osé.

Nest gloussa.

— Ça ne me surprend pas. Il est un peu trop tôt pour ce type de courage.

Lyddie la regarda, se demandant comment elle avait pu faire semblant de croiser Connor en tant que simple belle-sœur, comment elle avait pu cacher sa douleur et son désir. Elle se sentit traversée d'une onde de respect et de camaraderie envers Nest, éprouva à son égard une sorte de gratitude, et sut à cet instant que c'était cela qui reliait véritablement les gens : une profonde compréhension des choses, et le partage. Elles sourirent, atteignant timidement ce nouveau stade d'affection et de confiance mais, avant que l'une ou l'autre pût rouvrir la bouche, la sonnette d'entrée retentit, ce qui fit bondir de leurs paniers les chiens de Mina. Ils se mirent à japper furieusement, pendant que le Nemrod demeurait assis tout droit et les regardait avec étonnement.

On entendit la porte s'ouvrir, une voix dans le vestibule qui faisait « bonjour », et Helena apparut à la porte de la cuisine.

— Tu arrives juste au bon moment, fit Nest en se redressant. Nous venons de préparer du café. As-tu fait bonne route ?

De toute évidence, Helena s'attendait à une sorte de tendre reproche, à une désapprobation silencieuse mais palpable, et elle s'était préparée à adopter une attitude presque farouche, défensive, mais ses peurs s'évaporèrent face à l'atmosphère de tendresse et de bonne volonté qui flottait dans la cuisine et elle parvint à s'asseoir avec un café, entreprenant de décrire son trajet tout en admirant le Nemrod. Il fut décidé de ne pas étirer inutilement les adieux ; lorsque Mina apparut avec Georgie, peu de temps après, il était tacitement convenu qu'Helena et sa mère partiraient sur-le-champ.

— Nous nous arrêterons tôt pour déjeuner, dit Helena. Comme ça, elle ne se fatiguera pas trop. Quant à vous, vous viendrez donc nous rendre visite.

— Oh, nous viendrons, fit Lyddie joyeusement. Tout est déjà planifié. Il va falloir que tu nous trouves un bon hôtel à proximité, et qui accepte les fauteuils roulants, Helena. Puis que tu nous envoies ses coordonnées. Au revoir, tante Georgie. À bientôt.

L'attitude positive de Lyddie leur permit de passer au travers de ces douloureux adieux. Toujours l'air perplexe, Georgie fut embrassée, serrée dans les bras de ses sœurs, puis poussée dans la voiture pour être emmenée au loin par Helena, qui démarra et emprunta l'allée.

Toutes trois se tenaient debout devant le chemin et regardaient s'éloigner le véhicule, soudain embarrassées. Mina, retenant ses larmes, ravala aigrement sa salive, se remémorant le jour de l'arrivée de Georgie.

— Te souviens-tu, lui avait-elle demandé ce jour-là, lorsque nous allions tout en haut de l'allée attendre Papa et Timothy, pour redescendre avec eux, juchées sur le marchepied ?

Le jardin ensoleillé s'était tout à coup peuplé de souvenirs... Le visage de Mina se renfrogna.

Nest, qui se tenait à côté d'elle dans son fauteuil, lui enserra la taille. Elles se regardèrent.

— Je suis certaine que je ne la reverrai plus jamais, murmura Mina douloureusement.

— Je ressens la même chose, assura Nest. Pourtant, si, nous la reverrons. Peut-être pas à Ottercombe, mais Lyddie nous conduira là-bas. Nous irons lui rendre visite.

Elle tourna la tête vers Lyddie, avec une expression d'impuissance, et celle-ci s'approcha et les serra toutes les deux dans ses bras.

— Je le ferai à coup sûr, promit-elle joyeusement. Mais je vais avoir besoin d'un peu d'entraînement pour conduire ton vieux monstre, tante Mina, alors pour commencer je vous propose un petit tour à Dulverton, où nous pourrions déjeuner au Copper Kettle. Trish nous mettra de bonne humeur et la traversée de la lande devrait nous offrir des vues splendides, un jour comme celui-ci.

— Quelle idée magnifique ! s'écria Mina, encore au bord des larmes. Oh, ce serait un vrai délice. Mais en as-tu le temps, ma chérie ?

— J'ai commencé à travailler tôt ce matin, dit Lyddie – elle qui, incapable de trouver le sommeil, avait tendance à travailler de nuit pour éviter de penser à Liam –, et je travaillerai à nouveau ce soir. L'important, c'est de profiter au maximum de ce jour fantastique avant que le soleil ne se couche.

Elles se précipitèrent à l'intérieur pour prendre leurs manteaux et, tandis que Nest se tortillait afin d'enfiler une veste chaude, Mina surgit près d'elle.

— Je crois que ceci t'appartient, dit-elle.

Elle ouvrit la main. Là, dans sa paume grande ouverte, reposait la petite voiture argentée.

Nest la regarda, puis leva les yeux vers Mina.

— Comment est-ce possible que...

— Aucune importance, fit Mina sèchement. Dans très peu de temps, elle n'aurait plus eu la moindre signification pour elle, si jamais Helena n'a pas mis la main dessus pour la balancer à la poubelle ; alors qu'à tes yeux, elle a de l'importance.

— Oui, dit Nest, les yeux humides. Elle a de l'importance pour moi.

— Range-la, alors, et viens, dit Mina. On nous sort !

Le camping-car était déjà devant la porte quand le fauteuil de Nest déboucha dehors. Elle referma derrière elle.

— Et les chiens ? dit Mina. Oh...

— Ça va aller très bien, affirma Lyddie. Allons. Place-toi comme il faut, Nest. Voilà. Tu es devant avec moi, tante Mina, et tu devras partager la place avec le Chapitaine. Cette chère vieille Polly est déjà dans son panier, Dieu soit loué. Allez, maintenant, tu vas près de Nest, Boyo. Voilà... bon Boyo...

Et elles furent prêtes. Le Chapitaine était assis sur les genoux de Mina et regardait agressivement le Nemrod par-dessus l'épaule de la vieille dame. Le géant occupait déjà confortablement le grand espace libre à côté du fauteuil de Nest, alors que Boyo Bon-à-rien avait pris place entre ses immenses pattes, avec sur le museau une expression qui semblait dire : « Moi et mon ami le géant... » Le Chapitaine laissa s'échapper un petit jappement de mépris et tourna le dos à la scène pendant que Lyddie grimpait à son poste, ajustait son siège et démarrait. Elle fit une grimace en direction de Mina, qui tenta de l'encourager d'un sourire rayonnant, puis brusquement le véhicule s'ébranla en direction du bout de l'allée.

XL

Pendant toute une semaine, le temps clair et ensoleillé se maintint et permit des excursions quotidiennes. Les dames d'Ottercombe allèrent à Simonsbath prendre un café, déjeunèrent au Hunter's Inn, où les paons sauvages terrifièrent le Nemrod, roulèrent le long de la côte et par la mer des Rochers. Lyddie, aussi fatiguée qu'elle fût par le manque de sommeil et son mal d'amour, était cependant heureuse de se rendre utile, de sentir qu'on avait besoin d'elle, et – mieux encore –, elle s'amusait bien. Mina et Nest avaient toujours été importantes à ses yeux, mais maintenant, alors qu'elle vivait avec elles, elle découvrait la profondeur de leur humour, l'étendue de leur courage. Son affection grandissait au fur et à mesure de ses découvertes.

— Je m'amuse vraiment avec elles, dit-elle à Jack lors d'un week-end où sa famille et lui leur rendirent visite, peu de temps avant les fêtes.

— C'est relâche en fin de semaine, avait-il annoncé au téléphone. Les petites crapules rentrent à la maison, Dieu merci, et nous pourrions venir vous voir dimanche, si vous pensez être en mesure de nous supporter.

Leur arrivée augmenta l'impression de continuité et Lyddie commençait à se rendre compte de sa guérison progressive.

— Bien sûr qu'on s'amuse avec elles ! avait répondu Jack, indigné. Tout le monde sait ça !

— Oui, évidemment, avait-elle poursuivi, mais je songe à rester ici un peu plus longtemps, Jack. Non seulement parce que je crois pouvoir les aider en conduisant la voiture et en prenant en charge tous les trucs que Mina ne devrait sans doute plus faire à son âge, mais, très égoïstement, parce qu'elles m'aident.

— Tout à fait juste, ajouta Jack. C'est ce qu'il y a de tragique dans notre société moderne. On ne considère plus que les personnes âgées ont des choses à offrir. Leur courage, leur sagesse et leur expérience sont écartés d'un geste. Elles te font sans doute beaucoup plus de bien que tu ne leur en fais.

— Je suis d'accord, répondit-elle avec humilité. J'ai vraiment besoin d'elles. Et aussi de toi, bien sûr.

— Mais naturellement, confirma-t-il. Tu ne pourrais rien faire sans moi, je le sais très bien. C'est un don, chez moi. Une sorte de fardeau que je tente de porter avec noblesse...

— Oh, tais-toi ! s'esclaffa-t-elle. C'est vrai, je me demandais récemment si c'était bien que je reste ici. Pour toutes sortes de raisons.

— J'imagine, dit-il habilement, que tu dois craindre qu'elles ne finissent par se reposer sur toi et qu'ensuite tu ne trouves plus jamais le courage de les quitter. C'est ça ?

— Un truc comme ça, admit-elle. Même si, en ce moment, je ne peux pas m'imaginer aller où que ce soit. Je crains seulement de ne me servir d'Ottercombe que comme d'un refuge où panser mes blessures. Je crains, lorsque j'irai mieux, d'avoir envie de faire autre chose. J'ai cette horrible peur de me servir d'elles.

— Je crois que tu devrais te fier à leur simple bon sens. Accepte le présent tel qu'il est et cesse de t'agiter. Profites-en de telle manière que toutes les trois vous soyez heureuses de ces moments, et ne gâche pas tout en tentant de trouver des réponses à tel ou tel scénario imaginaire qui pourrait bien ne jamais se matérialiser. OK ?

Elle sourit.

— Merci, Jack, dit-elle.

— Alors, vas-tu me laisser t'installer Internet comme je l'ai fait pour tante Mina, de manière à ce que tu puisses envoyer des e-mails à tes amis ? Allons, Lydd, pourquoi ne pas nous rejoindre au XXe siècle, avant qu'il ne soit trop tard ? Encore une année ! Cours le risque... Pourquoi pas ?

— Peut-être, rit-elle. Je le ferai peut-être. La chère vieille tante Mina adore ça. Elle tchate avec ses copines toute la nuit. Je vois sa lampe briller sous sa porte jusque très tard.

— Eh bien, allons-y, alors. En avant ! On pourra se parler tous les jours. Hannah adore ça !

— Je vais y penser, promit-elle. Vraiment.

— Le déjeuner est servi, annonça Toby, surgissant soudain. Et maman dit que ça sera froid si vous ne descendez pas immédiatement.

— Voilà une directive à laquelle je ne désobéis jamais, n'est-ce pas, Tobes ? La parole de Mummy est à la fois la loi et le verbe divins, en particulier lorsqu'il est question de nourriture.

— C'est quoi, la loi et le verbe divins ? demanda Toby, de façon prévisible.

— Demande à ta tante Lyddie, fit promptement Jack – avant de disparaître vers la cuisine.

Toby lui adressa un sourire radieux.

— Nous allons à la plage après le déjeuner, dit-il. Tout le monde et aussi les chiens. C'est le Nemrod que j'aime le plus. J'aimerais tant qu'on ait un chien... On n'a pas le droit d'aller se baigner aujourd'hui, il fait trop froid, mais Mummy dit qu'on peut quand même faire un tour à la plage. Enfin, tous sauf tante Nest. Elle ne va jamais à la mer, hein ?

Lyddie baissa les yeux sur lui en songeant aux mots de Mina.

— Non, dit-elle lentement. Non, elle n'y va jamais. Je crois qu'elle fera sa petite sieste après le déjeuner.

La voix claire d'Hannah leur parvint de la cuisine et Toby attrapa la main de Lyddie.

— Allons, dit-il. Déjeuner !

Plus tard, alors que l'expédition vers la plage se préparait, Lyddie annonça qu'elle allait rester à la maison avec Nest et faire la vaisselle.

— Pas de souci, dit-elle. Prenez le Nemrod. Tante Mina saura le rappeler à l'ordre.

Un délicieux silence envahit les lieux une fois la porte refermée et Lyddie sourit à Nest.

— As-tu envie de te reposer ? demanda-t-elle. Je ne vois aucun inconvénient à m'occuper de la vaisselle toute seule, vraiment.

— À vrai dire, ça me ferait du bien, admit Nest. Malgré toute l'affection que j'ai pour eux, quelques heures en leur compagnie sont une sorte d'épreuve. Tu es sûre ?

— Parfaitement sûre, affirma Lyddie. Allez, va-t'en. Je t'apporterai une tasse de thé plus tard, si tu veux. De toute façon, tu les entendras certainement rentrer.

— C'est fort probable, oui.

Elle s'éloigna en roulant et Lyddie prit possession de la cuisine. Elle entreprit de nettoyer méthodiquement les assiettes et, au bout d'un certain temps, se rendit compte qu'elle chantonnait. Ces petites manifestations de joie inattendues la surprenaient toujours et elle s'activa tranquillement, heureuse de pouvoir compter sur un tel refuge.

Assiettes et couverts avaient été lavés et rangés, la cuisine nettoyée, et la bouilloire était en route sur le fourneau, lorsqu'elle entendit le bruit de la petite bande qui revenait.

— Ça a été un sacré boulot de les arracher de la plage, dit Jack en prenant une tasse de thé, mais il faut vraiment que nous nous mettions en route sans trop tarder. Le trajet est long et les garçons seront de retour ce soir.

On alla chercher Nest, qui se joignit au groupe pour le dernier quart d'heure. Avant que les enfants ne soient installés dans la voiture, ils firent des adieux larmoyants aux chiens, reçurent les caresses des adultes, et il y eut les remerciements, les promesses de futures réjouissances.

— On trouvera moyen de se voir pour Noël, dit Jack en serrant Lyddie dans ses bras. On arrangera quelque chose.

Il se pencha pour embrasser Nest, lui tint un instant la main très fort, puis se tourna vers Mina.

— Lyddie a l'air bien, lui murmura-t-il – sa voix était couverte par les adieux des autres.

— Oui, n'est-ce pas ? répondit-elle avec empressement. Et c'est une telle joie de l'avoir parmi nous. Mon cher garçon, tu es une bénédiction pour nous tous !

Il baissa les yeux vers son bon vieux visage et se pencha pour embrasser légèrement sa joue.

— Je t'aime tout plein, ma chérie, dit-il avec tendresse. Nous nous parlerons plus tard.

— Dieu te garde, répondit-elle. Conduis prudemment.

Ils roulèrent dans l'allée, la main de Toby s'agitant furieusement derrière la lunette arrière. Les trois femmes demeurèrent sans bouger sur le gravier. Elles entendirent la voiture qui accélérait et s'engageait sur la route des landes.

— Et maintenant, dit Lyddie, je crois qu'il est temps pour toi et les chiens de vous reposer un peu, tante Mina. J'ai allumé le feu dans le salon. Sers-toi une autre tasse de thé et va la siroter en paix.

— Quelle merveilleuse idée, répondit Mina. Mais et toi ?

— Ah, fit Lyddie, les mains posées sur les poignées du fauteuil de Nest. Eh bien, pour ma part, je pense qu'il est temps que Nest et moi allions faire un petit tour ensemble du côté de la mer.

Elle lui sourit.

— Qu'en penses-tu, Nest ?

Le silence sembla les envelopper toutes les trois et Mina réalisa qu'elle retenait son souffle. Après un long moment, Nest se tourna pour regarder le visage de son enfant.

— Je crois que c'est une très bonne idée.

C'était exactement comme dans son souvenir. Comme dans ses rêves. La clive escarpée, habillée de mélèzes, de chênes et de grands et nobles hêtres, leurs branches nues et chétives tendues vers le ciel ; de gros buissons de rhododendrons sous l'épaule rocheuse de la lande. Le vert clair des fougères léchant le bord de l'eau. Le cours d'eau qui cascadait à ses côtés, par l'étroite vallée, se lovait sur les pierres lisses et sous les saules, tandis que les canards plongeaient parmi les roseaux et que le fort parfum des ajoncs montait dans la brise. Ses mains serraient les bras de son fauteuil roulant alors qu'elle se tournait d'un côté et de l'autre, chaque vision appelant des centaines de souvenirs, jusqu'à ce qu'enfin la falaise s'abaisse pour dévoiler cette plage en forme de croissant, protégée de chaque côté par de grands escarpements, et que le cours d'eau termine son inexorable voyage à la rencontre de l'océan.

L'océan. Nest se rendit à peine compte que son fauteuil avait cessé de bouger. Qu'elle prenait place sur un rocher plat faisant face aux vagues qui s'écrasaient sur la terre ferme, s'abattaient contre les murs vertigineux de pierre et glissaient sur le sable argileux. Des voix furent charriées par le vent.

« *On vivra ici ensemble quand on sera plus grands.* »

« *Venez-vous me dire que j'empiète sur vos terres, ou êtes-vous simplement une dryade qui passe par là ?* »

« *Daignerez-vous partager cet endroit magique avec moi pour l'après-midi,* lady ? »

Elle ne se rendit aucunement compte que de chaudes larmes roulaient sur ses joues glacées tandis qu'elle écoutait le bruit régulier des vagues et permettait à l'air salin de laver son aigreur et sa souffrance. Elle prit conscience de la présence de Lyddie, agenouillée à ses côtés. La jeune femme sécha les joues de Nest avec son mouchoir et l'embrassa avant de se redresser.

— Il faut rentrer avant le crépuscule, dit-elle doucement. Mais nous reviendrons, n'est-ce pas ?

— Oh, oui, fit Nest, essayant de maîtriser sa voix. Nous reviendrons. Et merci, Lyddie.

Lyddie rangea son mouchoir, regarda encore une fois la mer et fit pivoter le fauteuil en direction de la vieille maison.

Mina les regarda s'éloigner, le cœur lourd de gratitude : le miracle s'était produit. L'acceptation était accomplie. Elle avait vu croître l'amour entre Nest et Lyddie et, enfin, toutes ses hésitations avaient disparu. Elle appela les chiens, décida qu'elle pourrait survivre sans une autre tasse de thé, se rendit au salon, encore étourdie par toute cette joie. Elle pressa inconsciemment ses doigts contre ses joues fanées, cherchant à conserver le baiser que lui avait donné Jack, et prit place dans un coin du canapé, pendant que les chiens, épuisés, se jetaient avec soulagement dans leurs paniers respectifs. Elle plongea son regard parmi les flammes du feu qui dévoraient les bûches et songea à ces dernières semaines. Les escapades en camping-car, les soirées calmes et pleines de joie, les promenades avec les chiens ; puis elle remonta plus loin. Elle apercevait des scènes entre les braises rougeoyantes, entendait des voix dans le murmure des flammes.

« *Je vais vous raconter quelque chose, dit la Conteuse, mais gardez-vous de trop remuer, de tousser ou de vous moucher sans cesse...* »

« *Excusez-moi d'arriver à l'improviste.* »

« *On devrait l'appeler Kim, et pas Tim. Kim, le "Petit-ami-de-tout-le-monde". Sauf que c'est un grand ami... Il est mort. Mort.* »

« *Vous serait-il possible de parler à M. Shaw dès que possible ?* »

Se réveillant soudain, comme si elle sortait d'un profond sommeil, Mina songea tout d'abord à Timmie, à son départ pour l'école, puis à son départ pour l'armée, et puis à Jack et à sa petite famille. Elle murmura une prière pour leur sécurité et leur bien-être et, sentant une vague l'étourdir, elle eut le temps de voir clairement, avec une joie profonde, Lyddie qui souriait à Nest ; et elle l'entendit dire : « Je pense qu'il est temps que Nest et moi allions faire un petit tour ensemble du côté de la mer », et elle revit l'expression de Nest, qui répondait avec amour et confiance. Ce fut sa dernière pensée consciente.

XLI

Au cours de ses promenades à l'aube, avec les chiens, dans les collines surplombant la maison, le regard plongé vers l'océan, Lyddie tenta d'accueillir et d'accepter ce nouveau coup dur. Sans tante Mina, elle avait l'impression d'avoir perdu l'équilibre, après avoir posé le pied en toute confiance sur une marche qui n'était plus là. Montant dans l'ambulance, elle avait laissé derrière elle une Nest blafarde mais résolue.

— Tu dois y aller ! Je ne peux pas venir, mais elle ne doit pas rester seule. S'il te plaît, accompagne-la. Tout ira bien pour moi !

Elle avait tenu la main froide et indifférente de Mina, tout en scrutant d'un air suppliant son visage calme et serein. Puis à l'hôpital, ce fut l'attente, solitaire ; mais elle savait la vérité et apprenait déjà à faire face à un avenir dans lequel ne figurerait plus son éternelle tante Mina.

Jack téléphona à Ottercombe pour annoncer qu'ils étaient arrivés sains et saufs à la maison. Dès qu'il sut la nouvelle, il sauta dans la voiture et rebroussa chemin. Hannah s'occupa des enfants et un remplaçant vint donner les cours. Jack fonça directement à l'hôpital, à la demande de Nest, et prit en charge les horribles formalités qui s'imposaient.

En ce matin, le quatrième depuis la mort de Mina, Lyddie observa le parcours d'un pétrolier longeant le canal de Bristol. Elle se laissait caresser par les rayons du soleil fraîchement levé, sentait les larmes couler tout au fond de sa gorge.

— C'est qu'elle a toujours été là, avait-elle dit à Jack. Elle et Nest, après la mort de maman et de papa... Je n'arrive pas tout à fait à imaginer la vie sans tante Mina.

— Elle t'a tout légué. Ottercombe, tout ! lui avait-il annoncé. Savais-tu que je serai son exécuteur testamentaire ? Tante Nest a l'usufruit, elle a le droit de vivre à Ottercombe jusqu'à la fin de ses jours, mais c'est une question de pure forme, bien sûr. Puisqu'elle ne survivrait pas là-bas toute seule.

— Elle n'est pas seule, avait tranché Lyddie. Je resterai avec elle.

Jack l'avait considérée pensivement.

— Tu vas habiter à Ottercombe ?

— Oui. Même si je le voulais, il est impensable de la déraciner maintenant. Ça a été un choc épouvantable pour elle. En plus de tous les coups qu'elle a reçus, ce serait vraiment le comble. De toute façon, je ne veux pas partir. J'adore ce lieu et je ne peux imaginer un autre endroit où vivre. Je ne soupçonnais pas que tante Mina me laisserait la maison, en revanche.

— Elle savait qu'on pouvait te faire confiance, que tu allais prendre soin de tante Nest et il est également possible que...

Il avait hésité. C'est elle qui avait fini sa phrase, avec un peu d'amertume :

— Qu'elle ait deviné que j'allais avoir besoin d'un endroit où me réfugier.

Il avait haussé les épaules, en la regardant avec compassion.

— Peut-être. Lorsque tu parles des coups qu'a reçus tante Nest, tu veux parler de son accident ?

— Euh, oui…

Elle s'était tout à coup souvenue que Jack ne savait rien de la véritable relation qui l'unissait à Nest. Elle avait trouvé étrange de lui dissimuler des choses.

— Oui, bien sûr. Crois-tu que ce serait déraisonnable ? Que nous habitions ensemble à Ottercombe ?

— Bien sûr que non, avait-il répondu. Si tante Mina arrivait à tout gérer, je suis certain que tu en es capable, même si tu dois te rappeler que tu as un travail à temps plein. Il y a un peu d'argent placé, Richard Bryce était un homme riche, ça devrait vous aider un peu. Non, c'est juste que j'ai vu tante Mina dédier sa vie à Mama, puis à tante Nest, et je ne veux pas te voir te sacrifier de la même façon.

— Était-ce un sacrifice ? avait-elle demandé. Je ne connais personne qui ait été aussi comblé que tante Mina. Et quelle sagesse que la sienne, lorsqu'on songe qu'elle n'a passé que quelques années hors de la vallée. Nous nous sommes tous tournés vers elle à un moment ou à un autre, n'est-ce pas ?

— Oh, je suis d'accord, avait souri Jack. Tante Mina savait faire le lien entre tous et, d'une manière ou d'une autre, elle a conservé son intégrité intellectuelle. Elle ne se refermait jamais. Je suis ravi de savoir que vous serez ensemble, toi et tante Nest, mais je ne veux pas que tu oublies qu'il y a une vie en dehors d'Ottercombe, c'est tout.

— C'est promis. Le jour viendra peut-être où nous voudrons vendre et déménager en ville, quelque chose comme ça. Mais je ne veux rien précipiter ni bouleverser Nest plus qu'elle ne l'est déjà.

— Parfait.

Jack avait réfléchi un moment.

— As-tu remarqué que tu ne l'appelles plus « tante » depuis un certain temps ?

— Ah, c'est vrai, n'est-ce pas ? avait-elle admis après une pause. Étrange, non ?

Très loin au-dessus des eaux turbulentes, un minuscule aéroplane d'argent traçait sa route dans les cieux, déroulant un long fil lumineux qui s'effilochait et s'entortillait sous leurs yeux. Son ombre, longue et mince, s'étendait sur l'herbe fraîchement croquée par les chèvres. Elle étendit les bras, écarta les doigts, deux par deux, de manière à en faire deux paires de longs ciseaux. Elle fit mine de couper quelque chose, de nombreuses fois, jusqu'à ce que soudain, agacée par ses enfantillages, elle plonge les mains au fond de ses poches et fasse volte-face. Elle rappela les chiens.

À Ottercombe, Nest se levait par étapes. Elle se posta à l'extrémité du lit et tira à elle une longue jupe de flanelle faite de camaïeux de bleus et de rouges. C'était Mina qui avait découvert le délicieux bonheur des jupes et des pantalons à taille élastique, qui avait commandé des catalogues, les avait épluchés avec elle, avait insisté pour que Nest continue à se vêtir avec goût, ce qui soutenait sa confiance en elle.

Assise sur le bord du lit, Nest combattait les larmes qui la menaçaient jour et nuit. Mina était partout : à l'œuvre dans le jardin, faisant à manger dans la cuisine, lisant près du feu. Nest la vit sans cesse lors des jours sombres qui suivirent sa mort, elle dansait sur la terrasse, un chiot dans les bras, lui tenant la patte comme à un partenaire de gala. Elle s'assurait de servir un verre, essentiel avant le dîner ; poussait le fauteuil roulant dans les allées du supermarché pour permettre à Nest de choisir quelque chose de spécial pour son anniversaire.

— Le Christ ne chercha pas à être l'égal de Dieu, mais se fit humble...

Le verset pénétra dans l'esprit de Nest sans y être invité. Peut-être était-ce là ce que signifiait la paix durement atteinte par le Christ ; une sorte de lâcher-prise, dans la joie, volontaire...

Elle entendit Jack qui s'activait dans la cuisine et reprit son équilibre, poursuivant le lent processus par lequel elle se vêtait. Que serait-elle devenue sans Lyddie et Jack ?

— Je vais rester ici, avait annoncé Lyddie avec une ferme générosité. Nous sommes destinées à vivre ensemble, toi et moi. Nous passerons au travers de cette épreuve. Il faudra que tu me montres les us et coutumes de la maison, par contre.

Nest était trop reconnaissante pour protester sérieusement et refuser d'être un fardeau.

— Et puis, où irais-je ? avait demandé Lyddie. J'espère que tu n'as pas l'intention de me mettre à la porte ? De toute manière, il faut bien que quelqu'un s'occupe des chiens.

Sa jovialité n'avait en rien trompé Nest et son cœur se gonflait en regardant sa fille.

— Liam est-il au courant ? avait-elle demandé à Jack en privé.

Il avait acquiescé.

— Lyddie lui a téléphoné pour le lui annoncer, avait-il confié. Mais il est clair qu'il n'en a rien à faire.

Jack avait eu l'air étonnamment en colère, ce qui n'était pas dans ses habitudes, et Nest s'était sentie pleine d'affection pour lui. Il avait pris en charge les funérailles et elle avait été soulagée que cela lui fût épargné.

— Fais-moi seulement savoir les noms des gens à qui tu voudrais envoyer un faire-part, avait-il dit. Et j'espère que tu seras d'accord, mais j'ai relu sa correspondance électronique et j'ai envoyé un message à certaines des personnes présentes dans son carnet d'adresses. Ça semble mal, je sais, de lire ses e-mails, mais je me demandais s'il n'y avait pas quelqu'un d'important, qui se serait demandé ce qui se passait. Elle avait plusieurs amis proches et en particulier un homme, Elyot. T'a-t-elle jamais parlé de lui ?

Nest avait hoché la tête en fronçant les sourcils.

— Je ne crois pas. Elle ne parlait d'eux que de manière générale. Ça lui faisait du bien d'avoir ces gens avec qui discuter et je sais que certains d'entre eux prenaient soin d'invalides dans mon genre.

— Eh bien, ce type avait l'air plutôt soucieux de ne pas avoir de ses nouvelles. Sa femme est malade et hospitalisée, apparemment, et je suppose qu'ils se sont rencontrés sur un forum de discussion consacré aux aides-soignants. En lisant leurs messages, il est clair qu'ils étaient bons amis. Je vais les imprimer pour que tu puisses les lire.

Il hésita.

— Ça paraît peut-être un peu bizarre, mais je crois que tu devrais les parcourir, toi aussi. Bref. Tous ses proches contacts sont au courant, désormais.

— Tu es si gentil, avait-elle soupiré, encore une fois au bord des larmes. Pardon, je suis tellement idiote !

— Laisse-toi pleurer, avait-il conseillé avec sympathie. Je le fais souvent.

Enfin habillée et calée dans son fauteuil, Nest entendit la voix de Lyddie qui parlait à Jack, ainsi que le jappement aigu de Boyo Bon-à-rien. Le Chapitaine était celui qui souffrait le plus de l'absence de sa maîtresse. Polly Garter était trop vieille pour ressentir autre chose qu'un léger étonnement face à son absence prolongée, alors que Boyo était, lui, trop jeune et trop attaché au Nemrod pour s'inquiéter de quoi que ce soit. Mais le deuil que portait le Chapitaine était à fendre le cœur. Il avait adopté Nest en tant que protectrice, s'asseyait près de son fauteuil et la suivait partout, jusqu'à ce que Lyddie le traîne impitoyablement dehors lors des promenades avec les autres. Les quatre chiens apprenaient à dormir le soir dans la cuisine, en bonne intelligence. Nest appréciait la compagnie du Chapitaine, leur peine partagée, et elle le soulevait souvent sur ses genoux et chuchotait à son oreille tout en caressant sa tête blanche et chaude, comme Mina le faisait autrefois.

À cet instant, il l'attendait sans doute, en compagnie de Lyddie et Jack. Redressant les épaules, forçant ses lèvres à sourire, elle roula dans le vestibule et se dirigea vers la cuisine.

XLII

Avant le jour des funérailles, la maison avait été nettoyée de fond en comble. Au salon, les flammes de l'âtre se reflétaient dans le vernis du bois de rose et de l'acajou, le parfum des fleurs de freesia flottait dans l'air, et même les paniers des chiens avaient été lavés. En attendant le retour de l'église, la maison paraissait prête à accueillir tout le monde, avec ses senteurs familières de feu de bois, la fragrance des fleurs, l'arôme de la cire d'abeille et l'odeur des chiens.

Les chambres avaient répondu avec bonhomie à la violente tornade de nettoyage, époussetage, frottage et polissage que leur avait imposée Lyddie.

— Il est bon de ne pas rester inactive, avait-elle dit, pleine de compassion pour Nest, forcée à la quasi-inactivité.

— Je vais arranger les fleurs, avait répondu celle-ci. Je suis au moins capable de faire ça.

Hannah était arrivée deux jours plus tôt, après avoir laissé les enfants chez sa mère.

— J'aurais peut-être pu m'occuper de Tobes, mais pas de Flora. Il faut pouvoir se concentrer, dans des moments comme celui-là, et j'ai peur que Toby soit vraiment très mal. Il adorait tante Mina, je crois que ce serait simplement trop pour lui. À la fin, j'ai décidé de le laisser lui aussi, ce qui me permet de m'occuper des repas sans être distraite. Combien serons-nous de convives ?

— Je n'en suis pas certaine, répondit Lyddie en tâchant de ne pas éclater en sanglots.

Ces assauts subits de tristesse étaient étranges, qui frappaient de nulle part pour vous tordre le cœur. Elle retint de lourdes larmes avant de poursuivre.

— Je crois que nous serons huit à la maison. Nest et moi, toi et Jack, Helena et Rupert, ainsi que tante Josie, qui fait le voyage depuis Philadelphie avec son plus jeune fils, Paul. Roger et Teresa arrivent en voiture tôt demain matin. Mais j'ignore combien de personnes pourraient se présenter à l'église demain et nous suivre ici ensuite.

Hannah la regarda et remarqua les ombres sous ses yeux, les fines lignes de tension autour de sa bouche.

— Tu as fait les lits ? demanda-t-elle.

Lyddie acquiesça.

— Tout est prêt. Il ne reste plus qu'à s'occuper de la nourriture. Jack va passer prendre Josie et Paul à Taunton cet après-midi. Helena et Rupert arrivent en fin de journée.

— Alors viens t'asseoir avec moi dans la cuisine et aide-moi à faire la liste des courses. Nous irons tout chercher à Barnstaple puis nous prendrons tranquillement une tasse de café quelque part. Jack pourra surveiller Nest et les chiens.

— Ça me plaît, confia Lyddie.

Soudain, elle aurait voulu se trouver loin d'Ottercombe, pour voir que le monde continuait selon ses vieilles habitudes, pour oublier – même un bref instant – qu'elle ne reverrait jamais le bon visage de tante Mina.

— Merci, Hannah. C'est une idée vraiment super.

Étonnamment, l'arrivée de Josie et Paul réchauffa de beaucoup l'atmosphère. Josie était partie depuis si longtemps que son deuil en fut plus tolérable ; un aimable souvenir du bon temps, avec des « Oh, te souviens-tu ? » qui permirent de consoler un peu Nest, de lui rendre un peu de vivacité. Elle était fascinée par cette femme minuscule, mince, primesautière, très vive, très américaine, qui ressemblait tant à Henrietta et qui parlait à son fils Paul, à la fois calme et charmant, bien élevé. Jack et Rupert l'entraînèrent dans un coin avec une bouteille de whisky tandis qu'Helena évoquait devant Lyddie et Hannah l'entrée de Georgie en maison de retraite.

— Au commencement, ce fut bizarre, dit-elle. Enfin, nous nous attendions à cela, mais elle était très calme, légèrement perplexe. Maintenant, elle ne prend plus trop la peine de nous répondre et ne semble pas bien savoir ce qui se passe autour d'elle. Je vais la voir chaque jour en rentrant du travail, et le week-end nous y allons tous les deux, mais elle ne nous remarque pas tellement. Je ne voyais vraiment pas l'intérêt de l'accueillir chez nous.

— Oh non, fit rapidement Lyddie. Ça aurait été cruel. Si terrifiant et déroutant pour elle. Au moins, ses souvenirs sont heureux.

— Pauvre Helena, dit Hannah avec empathie. Je crois que ces moments terribles sont pires pour les soignants et les aidants que pour ceux dont ils s'occupent, désormais au-delà de toute angoisse.

Helena la regarda avec gratitude.

— Je le pense aussi, parfois. Mais nous ne savons pas ce qui se passe dans leurs têtes, n'est-ce pas ? Ils souffrent peut-être d'une façon qu'il nous est impossible d'imaginer.

De grosses larmes montèrent à ses yeux et Lyddie lui prit la main.

— Ah non, dit-elle en tentant de sourire. Pas de ça, Helena. Sans quoi nous allons toutes y passer.

Les trois femmes éclatèrent ensemble d'un rire fragile.

— Tant de souvenirs, confiait Josie à Nest. Bon sang, lorsque j'y songe ! Henrietta et moi nous battant comme chien et chat, et Mina qui tentait d'imposer un cessez-le-feu. Pauvre Mama ! Bien sûr, Timmie et toi n'étiez que des bébés pour nous. Tu te souviens comment on vous appelait ? Les Minis ?

Une ombre passa sur son visage.

— Oh, Nest. Timmie et Henrietta, partis... Et maintenant Mina. Toutes ces années à prendre soin de Mama et puis...

— ... Toutes ces années à me soigner, moi ?

Nest souriait, mais Josie grimaça.

— Toujours miss Gaffe, dit-elle joyeusement. C'est bien moi ! Mais Mina était une sainte. Après la guerre, j'ai voulu partir le plus loin possible. J'étais coincée ici, sans la moindre chose à faire... Ça n'était pas si mal dans les premières années de la guerre, lorsque nous étions toutes si petites. Bon sang, tu te souviens de ces misérables bébés qui étaient venus habiter ici avec la cousine Jean ?...

— Oui, c'est vrai, fit Nest en fronçant les sourcils comme pour raviver sa mémoire. Et tu te souviens de Timothy ?

Le front de Josie s'éclaircit.

— Timothy..., soupira-t-elle doucement. Bien sûr que je me souviens de Timothy. Un visiteur d'un autre monde. Un parrain de conte de fées. Oh, comme nous enviions Timmie, Henrietta et moi, lui qui avait Timothy comme parrain. Mais il était si gentil avec nous toutes, n'est-ce pas ? Beaucoup plus attentionné que Papa. Tu dois te souvenir de lui, Nest ?

— Oui, oui bien sûr. Mais pas aussi bien que toi, j'imagine. Comme j'étais beaucoup plus jeune...

— Évidemment. Eh bien, il était exceptionnel, ça, je peux te le dire. Si beau, si romantique. Et tous ces endroits où il allait...

— Il arrivait que Mina parle de lui, dit Nest en mentant un peu. Mais elle ne se rappelait pas grand-chose.

— Ah, confia Josie en se carrant dans le fauteuil, son cerveau en ébullition. Laisse-moi réfléchir, maintenant...

— Alors, intervint Rupert en avalant son whisky. Tout est sous contrôle ?

Jack embrassa du regard les femmes de sa vie.

— Je crois bien. Je serai plus joyeux, en revanche, à la même heure demain.

Rupert lui tapota affectueusement l'épaule.

— Tout va bien se passer, ajouta-t-il, rassurant.

Jack remplit le verre de Paul.

— Bois. J'espère que tu pourras rester un certain temps. Que dirais-tu de voir de tes propres yeux la vie d'une école anglaise ?

Ils étaient tous là, maintenant, debout, mal à l'aise, à attendre les premiers arrivés. Les vivres étaient disposés dans la cuisine ainsi que sur la table pliante du salon et les bouteilles de vin décantaient sur la commode ou étaient gardées au frais au réfrigérateur. Les chaises avaient été réquisitionnées dans toute la maison et la porcelaine et les verres sortis des armoires. Le son d'un moteur, une voiture cahotant dans l'entrée ; Lyddie regarda Nest et elles échangèrent un sourire rassurant, s'adressant un mutuel encouragement, tandis que Jack émergeait de la cuisine et se dirigeait vers la porte d'entrée.

Postée à l'extérieur de la porte du salon, Nest les regarda arriver. Elle avait été surprise par leur nombre à l'église ; des commerçants de Lynton, certains habitants des fermes voisines, quelques amis de la famille, ainsi qu'un ou deux inconnus.

En écoutant les mots familiers du service funèbre, la main de Lyddie fermement nouée à la sienne, Nest avait tenté de faire le vide dans sa tête, de porter le regard au-delà du cercueil. Des images lui emplissaient les yeux : Mina qui poussait son fauteuil dans le jardin pour lui faire voir les premières primevères, Mina qui chantait en conduisant le long de la route de la plage, de manière à ce que Nest puisse voir la mer sans se sentir coupable, Mina qui s'adressait aux chiens, ses murmures affectueux suivis de petits soupirs façon « po-po-po ». La gorge de Nest était nouée par la douleur, son cœur était à la fois lourd et froid comme du plomb dans sa poitrine. Seule la poigne chaleureuse de Lyddie avait permis qu'elle s'accroche.

Elle souriait maintenant à toutes ces âmes – qui avaient aimé Mina à leur manière – et recevait leurs gentilles condoléances, les remerciait d'être venues. Par-dessus la tête d'un vieux fermier et de sa femme, qui lui racontaient leurs souvenirs de Lydia, elle aperçut deux hommes qui pénétraient dans la maison. Ils étaient à l'église, tout au fond et, en roulant vers la sortie, elle les avait regardés, croyant un instant reconnaître le plus jeune des deux. Lorsque le fermier et sa femme s'en allèrent, Nest vit les deux hommes s'avancer timidement et aperçut Lyddie qui se dirigeait vers eux pour leur tendre la main en souriant.

Le plus jeune la prit dans la sienne en lui rendant son sourire.

— Excusez-moi d'arriver à l'improviste, dit-il.

Nest sentit une petite onde de choc la frapper, comme si les deux hommes qui se tenaient là étaient enfermés dans une sorte de mémoire éternelle.

« *Excusez-moi d'arriver à l'improviste.* »

— Mon père est dans l'impossibilité de conduire en ce moment et il m'a demandé de le déposer, disait-il, tout en tenant la main de Lyddie. Vous ne savez pas qui nous sommes.

Le plus vieux des deux arrivants s'avança et Nest fit rapidement rouler son fauteuil vers eux.

— Mais si, je le sais, dit-elle.

La joie soulevait son cœur comme si Mina venait de lui toucher l'épaule.

Elle regarda le jeune visage, puis l'homme plus âgé, et sourit, habitée par une tendre reconnaissance.

— Vous êtes Tony Luttrell, dit-elle en tendant la main. C'est une joie de vous revoir à Ottercombe.

XLIII

Dans les jours qui suivirent, une fois Jack et Hannah rentrés dans le Dorset, Josie et Paul repartis aux États-Unis, Helena et Rupert à Bristol, ce fut la promesse de ce nouveau départ qui donna à Lyddie et Nest le courage d'avancer.

— Malgré tout, c'est loin d'être de nouveaux amis, admit Lyddie. Après tout, cette relation date d'il y a plus de quarante ans. Oh, comme c'est fabuleux ! J'ai l'impression que Mina nous les a envoyés. Et toi, que tu le reconnaisses comme ça, après tant d'années !

— En fait, je n'ai pas reconnu Tony, s'amuse Nest. C'est William que j'ai reconnu. Ça semble idiot. Mais il ressemble tant à Tony à l'époque où je l'ai rencontré... En plus vieux, bien sûr, car William doit approcher la quarantaine, mais c'est flagrant. Lorsque je les ai aperçus, à l'église, j'ai senti une sorte d'étincelle, mais j'étais trop émue pour m'en aviser. C'est quand je l'ai vu, là, debout près de toi...

Elle se tut soudain, refusant de continuer, d'évoquer les mots que William avait prononcés, ceux-là même que son propre père avait transmis à Lydia des années auparavant. Lyddie était trop absorbée par cet étrange coup de théâtre pour se rendre compte à quel point Nest était sous le charme et elle lui fit répéter encore et encore l'histoire de Mina.

— Je ne la raconte pas aussi bien qu'elle, se plaignait Nest. C'était Mina, la conteuse.

Puis il fallut que Lyddie entende les autres histoires, celles de Nest et Timmie, lorsqu'ils étaient les Minis, celles de la bisbille éternelle opposant Henrietta à Josie, malgré leur véritable affection l'une pour l'autre ; les histoires de pique-niques et de jeux, et les contes que Mama leur lisait à l'heure des enfants...

À la fin de chacune des saynètes, Lyddie soupirait de plaisir, songeant à la vie de cette maison, qui s'étirait loin dans le passé, et aidait à guérir les blessures qu'avaient entraînées sa relation avec Liam et la disparition de sa chère tante Mina.

— William passera peut-être demain, avait-elle annoncé avec désinvolture – et elle avait emmené les chiens à la mer, tentant de contrôler l'étrange légèreté qui s'emparait de son cœur en songeant à le revoir.

C'est trop tôt, se disait-elle durement. *Ne te monte pas la tête ! C'est ce que tu as fait avec Liam, juste après James...* Mais elle savait que William n'était pas un autre Liam. Son regard clair et son sourire calme annonçaient un caractère très différent et avec lui elle se sentait en paix, détendue et comblée. Tous deux se remettaient de relations brisées et ils ne sentaient aucune urgence à se précipiter dans les bras l'un de l'autre. Ils étaient simplement heureux de passer du temps ensemble, de se découvrir. Ils allaient marcher dans les bois, écoutaient l'infatigable ressac des vagues, sur la grève, passaient sous les bouleaux dont les branches luisaient, écarlates dans le soleil de fin d'après-midi, lorsque soudain une vaste tranquillité s'emparait du cœur de Lyddie.

Nest aussi se sentait réconfortée ; pas uniquement par la vue de Lyddie et William ensemble, mais par la compagnie de Tony. Il était extraordinaire qu'il réapparaisse à cet instant, après la mort de Mina, et lui procure un tel réconfort. Il accompagnait William chaque fois que c'était possible. Lavinia faiblissait et il tâchait d'être à ses côtés chaque jour.

— Si seulement Mina avait su que vous étiez là, s'attrista Nest, lorsque Tony lui expliqua qu'il avait reçu l'e-mail de Jack lui décrivant sa conversation avec Mina.

— Je n'osais pas le lui révéler, répondit-il, la tristesse passant sur son visage toujours charmant. J'étais tellement ravi lorsque j'ai aperçu son nom pour la première fois. Elle ne tentait pas de le cacher. Pourquoi l'aurait-elle fait ? Je prenais plus de précautions lorsque j'ai commencé avec Internet. J'ai décidé d'employer une anagramme de Tony Luttrell et je me suis appelé Elyot. Très vite, elle a mentionné Ottercombe et vous, et alors j'ai su. Oh, Nest, je ne saurais dire ce que j'ai ressenti. Tant de fois j'ai voulu lui dire la vérité. Mais je ne savais pas si elle me haïssait toujours et je n'osais pas prendre le risque. J'avais tellement besoin d'elle.

— Elle ne vous a jamais détesté, dit Nest avec douceur.

Elle raconta encore une fois l'histoire de Mina, intégralement, de telle manière que Tony ne put retenir ses larmes et ils demeurèrent longtemps assis, ce soir-là, à se réconforter l'un l'autre.

— Elle avait également besoin de vous, lui dit-elle. Vous l'avez aidée à traverser ces dernières années. Vous devez bien le savoir.

Elle hésita avant de continuer.

— Je dois vous dire que Jack a imprimé vos « conversations » et me les a montrées. Pardonnez-moi cela, mais c'était si émouvant de savoir qu'elle avait reçu tout cet amour, tout ce soutien de votre part. Peut-être, pour toutes sortes de raisons, les choses se sont-elles déroulées pour le mieux.

— Peut-être, répondit-il faiblement en se mouchant. Je n'oublierai jamais ce message de Jack. C'était exactement comme si je la perdais une nouvelle fois. Il fallait simplement que je vienne, ne serait-ce qu'une fois, pour voir la maison, et vous.

— Et vous viendrez souvent, je l'espère. Vous et William.

Il la regarda, les yeux pleins de larmes.

— Cela signifierait beaucoup pour moi. Merci, Nest.

Et maintenant, à moins d'une semaine de Noël, elles attendaient d'autres visiteurs : Jack, Hannah, leurs enfants et le chiot.

— C'est très gentil de votre part de nous accueillir, avait dit Hannah au téléphone quelques jours auparavant... Pauvre Chapitaine !

— Il va falloir qu'il s'adapte, avait répliqué Lyddie d'un ton bourru. Comme nous tous. C'est bon de savoir que vous allez nous rendre visite, Han. Ne croyez pas que j'ignore ce que ça représente de transporter deux enfants et toute votre organisation pour les fêtes jusqu'ici.

— Nous avons tellement hâte, jura Hannah. Depuis que Tobes sait que vous avez une cheminée digne du Père Noël, il est en extase. Noël avec cinq chiens ? Je vous le demande, que peut-on espérer de plus dans la vie ?

— J'ai fait des efforts pour sécuriser la maison avant l'arrivée de Flora, avança Lyddie. Lorsqu'on analyse les choses du point de vue d'un gamin qui rampe, une maison devient un champ de mines.

— À qui le dis-tu, ajouta sobrement Hannah. Mais ne t'en fais pas. Tout ira bien. Vous avez l'arbre ?

— Dans un seau au hangar, répondit rapidement Lyddie. Et des tas de décorations. Oh, Han, j'ai tellement hâte de vous voir tous !

— Moi de même, répondit joyeusement Hannah. Au fait, Jack apporte les alcools. Il prétend qu'il ne vous fait aucunement confiance pour contenter son palais si délicat.

Il y eut un silence.

— Oui, moi aussi ça m'a coupé le sifflet, poursuivit Hannah. Heureusement, j'ai eu la présence d'esprit de le gifler.

Lyddie éclata de rire.

— Fais la bise pour moi à tout le monde. On se reparlera bientôt. Au revoir.

Un silence paisible flotte sur la maison. William est arrivé et il a accompagné Lyddie et les chiens à la plage. Tout est prêt. Nest fait rouler lentement son fauteuil hors de l'ombre. Les pneus de caoutchouc glissent avec douceur sur le sol de mosaïque. Elle s'arrête à l'entrée du salon. Une montagne de cadeaux de Noël s'amoncellent et une jarre remplie de branches de fusain trône près de la lampe, sur la table de chêne. La lumière fait briller la grande plaque de cuivre. Le silence emplit l'espace du vestibule et l'entoure lorsqu'elle penche la tête pour écouter, paupières closes. Elle ne peut plus voir Georgie et Mina sur le canapé, ni Timmie marchant avec précaution entre les chaises. Josie n'est plus affairée à son puzzle sur le plancher. Henrietta n'a plus le nez plongé dans l'album photo. La voix de Mama s'est arrêtée. Les enfants s'en sont allés.

Leur histoire est terminée, un nouveau chapitre va commencer.

11332

Composition
NORD COMPO

Achevé d'imprimer en Espagne
par BLACKPRINT CPI
le 2 février 2015

Dépôt légal février 2015.
EAN 9782290107157
OTP L21EPLN001808N001

ÉDITIONS J'AI LU
87, quai Panhard-et-Levassor, 75013 Paris

Diffusion France et étranger : Flammarion